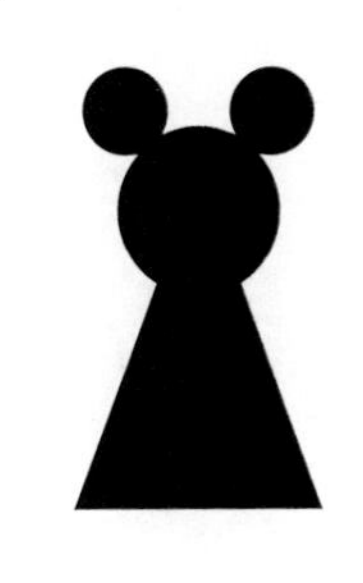

CB030342

Jim Korkis

Prefácio de Diane Disney Miller

Segredos de WALT DISNEY

HISTÓRIAS INÉDITAS, NÃO OFICIAIS, SEM CENSURA E NÃO AUTORIZADAS SOBRE O REINO MÁGICO

Tradução

Celina C. Falck-Cook

Texto de acordo com as novas regras ortográficas da língua portuguesa.

1ª edição 2015.

2ª reimpressão 2016.

Coordenação editorial: Manoel Lauand

Capa e projeto gráfico: Gabriela Guenther

Editoração eletrônica: Estúdio Sambaqui

Dados Internacionais de Catalogação na Publicação (CIP)
(Câmara Brasileira do Livro, SP, Brasil)

Korkis, Jim

Segredos de Walt Disney : histórias inéditas, não oficiais, sem censura e não autorizadas sobre o reino mágico / Jim Korkis ; tradução Celina Falck-Cook. -- São Paulo : Seoman, 2015.

Título original: The vault of Walt : unofficial, unauthorized, uncensored Disney stories.
ISBN 978-85-98903-97-2

1. Disney, Walt, 1901-1966 2. Organizações Disney 3. Walt Disney - Produção - História I. Título.

14-11962 CDD-791.4309

Índices para catálogo sistemático:
1. Walt Disney : História 791.4309

Seoman é um selo editorial da Pensamento-Cultrix.

EDITORA PENSAMENTO-CULTRIX LTDA.
R. Dr. Mário Vicente, 368 – 04270-000 – São Paulo, SP
Fone: (11) 2066-9000 – Fax: (11) 2066-9008
E-mail: atendimento@editoraseoman.com.br
http://www.editoraseoman.com.br
que se reserva a propriedade literária desta tradução.
Foi feito o depósito legal.

Dedico este livro, como sempre, ao meu pai e à minha mãe, John e Barbara Korkis, que faleceram há menos de uma década, mas cujo amor incondicional, bom senso, apoio constante e bom humor continuam a me inspirar até hoje.

SUMÁRIO

SEJA BEM-VINDO À EDIÇÃO REVISADA

Como chegamos até aqui? O que é uma edição "revisada"? Por que algumas histórias que constam da primeira edição* não aparecem neste livro?

Como sempre, esta é uma história interessante.

Durante mais de três décadas, venho pesquisando e escrevendo sobre a história da Disney para diversas revistas e projetos especiais. Há dois anos, tive a oportunidade de selecionar algumas de minhas histórias prediletas e publicá-las sob forma de livro.

Segredos de Walt Disney foi lançado no outono de 2010. Fiquei muito feliz quando notei que o livro tinha sido recebido de maneira tão calorosa pela crítica e fãs, e que continuou a vender bem desde o lançamento. Nos últimos dois anos, tenho tido a oportunidade de comparecer a muitos eventos em todo o território dos Estados Unidos, onde as pessoas compartilharam comigo seu carinho pelo livro; além disso, venho recebendo muitos *e-mails* carregados de elogios.

Nunca, durante todo esse tempo, se identificaram quaisquer erros nos fatos narrados no livro; é muito agradável ter certeza de que fiz o melhor que pude em minha pesquisa primordial. Porém, como observei na introdução original, constantemente há algo mais a ser acrescentado à narrativa de qualquer história.

Sempre foi minha intenção apresentar uma versão atualizada do livro, até porque estou sempre descobrindo novas informações. Por exemplo, no ano passado fui convidado a dar uma palestra no maravilhoso Museu da Família Disney, em São Francisco. Durante o tempo que passei lá, examinei ainda mais acuradamente uma parte da lendária coleção de miniaturas de Walt Disney. O capítulo deste livro que fala sobre esse passatempo de Walt continua sendo preciso; porém, durante minha visita, descobri novas coisas e uma nova perspectiva que aperfeiçoou consideravelmente esta história.

Pensei em interromper a distribuição do livro original durante um certo tempo para poder trabalhar em uma edição revisada. Infelizmente, mesmo nesta época de alta tecnologia, os livros ainda

* [n.e.: lançada apenas nos EUA]

ficam esgotados durante algum tempo. Fiquei decepcionado quando títulos que deixei para comprar mais tarde pararam de ser impressos antes mesmo de se passarem seis meses após sua publicação.

Enquanto eu estava refletindo sobre qual seria o melhor modo de abordar essa situação, uma nova editora, a Theme Park Press, assinou um contrato comigo para que eu escrevesse um livro, o qual foi recentemente lançado: *Who's Afraid of the Song of the South? And Other Forbidden Disney Stories* (*Quem Tem Medo do* [filme] *Canção do Sul? E Outras Histórias Proibidas da Disney*).

Esse livro é o primeiro exame detalhado da história da produção do mais controvertido dos filmes da Disney, desde os seus primórdios, em 1938, até hoje. O restante do livro contém histórias que o grupo Disney nunca quis divulgar: como a Disney produzia os comerciais de televisão na década de 1950; por que trabalhar nos Estúdios Disney deixou o diretor Tim Burton deprimido; o motivo pelo qual Walt Disney entrou para o partido republicano; os segredos de Jessica Rabbit e muito mais.

A Theme Park Press também comprou todos os direitos de publicação deste livro, com minha total aprovação. Enquanto eu discutia a proposta para atualização do conteúdo com a editora, decidimos, por diversos motivos, que seria mais prudente manter o livro em publicação, sob alguma forma, até que a versão totalmente atualizada fosse terminada.

O que o leitor tem em mãos neste momento é o resultado do nosso acordo. Eu queria uma versão mais dinâmica e portátil. Por isso, resolvemos selecionar as melhores histórias da primeira edição, deixando algumas de fora. Contudo, exatamente como o próprio Walt fazia, quis dar a meus leitores algo mais. Então, há cinco capítulos novos neste livro:

- "Como Walt se Alimentava" responde à seguinte pergunta: se somos o que comemos, quais eram as receitas prediletas do gênio criador do Mundo Disney?
- "E o Oscar vai para... Walt Disney" compartilha as histórias de bastidores dos muitos prêmios da Academia que Walt ganhou durante sua vida.
- "O Carrossel do Progresso" debate como esta atração do parque mudou ao longo das décadas, mas ainda continua sendo uma homenagem à visão de Walt Disney.

- "O Homem que Enquadrou Walt Disney" revela o fotógrafo por trás das icônicas fotos de Walt Disney, e como elas foram criadas.
- Finalmente, como uma prévia do que devemos esperar em *Quem Tem Medo do Canção do Sul*, há um capítulo dedicado a algumas das perguntas mais comuns sobre este filme.

Jim Korkis

PREFÁCIO

HÁ ALGUNS ANOS, nosso filho Walt chamou minha atenção para um artigo no *website* MousePlanet. Tratava-se de uma raridade; um artigo sincero, muito bem redigido, autêntico, exprimindo de forma tão genuína o espírito do meu pai, sem preconceitos nem críticas, que, enquanto o lia, pude até ver o brilho nos olhos do meu pai e ouvir suas risadas.

Imediatamente escrevi para o autor, Wade Sampson, uma carta de agradecimento. Algumas semanas depois, recebi uma resposta, e descobri que Wade Sampson era, na realidade, o pseudônimo de Jim Korkis, um respeitado historiador da Disney, que trabalhava para a Walt Disney World Company como Coordenador do Centro de Aprendizagem. Desde essa época venho esperando ansiosamente pelas constantes produções do "Wade", aprendendo algumas coisas que eu não sabia, mas sempre encantada pelos temas abordados em seus textos e sua óbvia compreensão, sem falar de seu carinho ao tratar de cada assunto.

Jim não coloca meu pai num pedestal, mas sem dúvida gosta dele, o que, porém, não influi, a meu ver, em sua capacidade de apresentar opiniões objetivas sobre ele. Vejo-me na mesma posição.

Estou extremamente satisfeita por muitos dos artigos de Jim Korkis estarem agora reunidos neste livro. A personalidade do papai, seu caráter, seus valores, estão todos evidentes nos textos escolhidos pelo autor.

Não tenho hesitado em me corresponder com Jim, sempre que penso em algo que possa lhe interessar, ou para oferecer mais informações sobre algum assunto. Papai não escondia nada na sua vida. Adorava falar sobre ela. Mas nunca falou a respeito de religião, nem me disse o que sentia sobre rezar; no entanto, ao ler o artigo de Jim, percebi como esses sentimentos eram fundamentais para ele.

Espero ansiosa por mais parágrafos analisando a vida e a época do meu pai. Sempre algo interessante e esclarecedor parece surgir, iluminando e acrescentando informações preciosas à excelente história de Walt Disney.

Diane Disney Miller

Diane é a filha mais velha de Walt e Lillian Disney e uma filantropa famosa. Entre muitas outras realizações, ela participou de maneira decisiva na criação do Museu da Família de Walt Disney em São Francisco, inaugurado em 2009.

INTRODUÇÃO

O QUE SIGNIFICA TUDO ISSO? Histórias inéditas, não oficiais, sem censura e não autorizadas sobre o Reino Mágico? Isso é mesmo verdade?

Sim, é verdade, mas não espere encontrar escândalos, rumores, lendas urbanas, nem pressupostos fantasiosos nestas páginas. A história da Disney é tão variada que, apesar de todos os livros escritos sobre o assunto, muitas histórias excelentes jamais foram contadas. Estas são apenas algumas dessas fascinantes histórias "perdidas" e dos fatos por trás delas.

Às vezes, tais histórias inexistem simplesmente porque não havia mais lugar em um livro para explorar essas interessantes e pequenas digressões. Em geral, elas deixam de ser incluídas porque o autor não fazia ideia de que elas sequer existissem, ou porque ele não tinha acesso à pesquisa necessária para narrá-las.

O leitor deve encarar este livro como um guia histórico da Disney que preenche algumas dessas lacunas, as quais podem apenas ser mencionadas em uma breve frase ou duas, se é que vão ser, em outros livros sobre a Disney.

Cada capítulo é uma história completa, portanto, o leitor pode perfeitamente abrir o livro em qualquer página e começar a lê-la. Os capítulos foram escritos para serem lidos um de cada vez e saboreados assim; por isso, não é preciso se sentir na obrigação de devorar todas as informações novas de uma só vez. Pense neste livro como se ele fosse uma caixa de bombons, com sabores diferentes e talvez algumas surpresas ocultas e deliciosas para serem degustadas durante uma tarde agradável.

Algumas destas narrativas apareceram sob forma de esboço anteriormente, escritas com o meu pseudônimo "Wade Sampson" no MousePlanet.com, toda quarta-feira, durante vários anos. Porém, todos os capítulos sofreram uma revisão bastante profunda, na qual se adicionaram novas informações e se acrescentaram novas citações, além de todas as correções necessárias.

A maioria das histórias, contidas neste livro, ocorreu durante a vida de Walt Disney, em grande parte devido a meu afeto, respeito e fascinação por Walt.

Enquanto você lê estas histórias repletas de fatos da vida real, não se engane pensando que elas são as versões definitivas. Há sempre mais para contar sobre qualquer narrativa. Descobri que no momento em que publico uma história, magicamente aparecem um fato ou interpretação antes desconhecidos para me provocar, apesar das décadas que levei pesquisando o assunto. Felizmente, algumas dessas joias inesperadas foram descobertas no último instante antes que este original fosse enviado à editora para publicação, e por isso puderam ser incluídas no livro.

Você não encontrará estas histórias em nenhum outro lugar, e se as encontrasse elas não viriam acompanhadas das preciosas citações de pessoas que realmente participaram delas.

Para facilitar sua busca, o livro se divide em quatro partes:

- Histórias do Walt;
- Histórias dos Filmes da Disney;
- Histórias dos Parques da Disney;
- Outros Mundos das Histórias da Disney.

Se você se divertir pelo menos metade do que eu me diverti enquanto as redigia, isto me fará feliz em dobro. Espero que você aprecie estas histórias e as conte a outras pessoas.

Jim Korkis
pseudônimo "Wade Sampson"

PRIMEIRA PARTE

HISTÓRIAS DO WALT

Na minha biblioteca tenho mais de três dúzias de biografias diferentes de Walt Disney. Algumas são bastante acadêmicas. Outras mal chegam a cem páginas, pois são para crianças. Algumas são em formato de história em quadrinhos. Outras são em língua estrangeira. Além disso, tenho dúzias de biografias diversas de Walt que foram publicadas ao longo das décadas em revistas e jornais.

As narrativas contidas nesta parte do livro não aparecem em nenhuma dessas outras fontes, a não ser em raras menções, resumidas em uma ou duas frases curtas.

Após entrevistar animadores, *imagineers*[1] e pessoas que foram empregados do Walt durante mais de 30 anos, vivo me surpreendendo diante da quantidade de coisas que ainda há por descobrir sobre este homem fantástico.

Todos parecem ter perspectivas e relatos diferentes sobre Walt. É como aquela história clássica do cego e do elefante. Cada cego precisa descrever um elefante, depois de apalpá-lo pela primeira vez. Um dos cegos apalpa-lhe a tromba e pensa que o elefante é como um galho de árvore. Outro apalpa-lhe a perna e imediatamente acredita que um elefante é parecido com uma coluna. Outro ainda apalpa-lhe a orelha e acha que o elefante deve ser parecido com um monstruoso abano de folha. Cada um deles sente apenas uma parte pequena, nunca a totalidade, e, por isso, tiram conclusões equivocadas.

Mesmo depois de mais de quatro décadas após sua morte, descobrem-se novas informações e discernimentos sobre Walt Disney quase

[1] *Imagineer* é um termo criado na década de 1940 para retratar a combinação de imaginação e engenharia. Foi adotado por Walt Disney uma década depois para descrever a atividade desempenhada pelos empregados da WDI (Walt Disney Imagineering) que criam parques temáticos e outras atrações. (N.T.)

diariamente. Minha intenção foi contar algumas das histórias inéditas, e compartilhar essas informações "perdidas" com outros que ajudaram a preservar tais narrativas.

Além das muitas entrevistas que fiz, e das décadas que passei pesquisando documentos amarelados e caindo aos pedaços, desde cartas até jornais, revistas e material inédito, tive a sorte de ter passado por minhas próprias experiências pessoais, que me permitiram fazer coisas como examinar a famosa coleção de miniaturas Disney de perto, em particular a Cabana da Vovó Kincaid, para a qual ele pessoalmente criou muitas dessas miniaturas.[2]

Tive a sorte de estabelecer uma relação de amizade com Diane Disney Miller, a única filha ainda viva do Walt. Ela teve a bondade e a generosidade de ler alguns dos meus artigos e me fornecer sua opinião, além de contribuir com lembranças e memórias pessoais, e, quando necessário, fazer algumas ligeiras correções. Surpreendentemente, nem mesmo Diane sabia de alguns fatos que descobri sobre o seu pai.

Nesses artigos, tentei ao máximo deixar que as pessoas falassem por si mesmas. Peço desculpas se algumas citações parecerem compridas ou frequentes demais; porém, para algumas dessas pessoas, principalmente aquelas que já faleceram, esta era a única oportunidade de contar suas próprias histórias. Especificamente, empreguei o máximo esforço que pude para permitir que Walt compartilhasse seus próprios pensamentos através de entrevistas, discursos, material de propaganda e cartas.

Espero que esses relatos lhe ofereçam uma compreensão mais profunda de Walt Disney como filho, irmão, marido e pai. Ele era um homem incrivelmente complexo e incrivelmente simples. Uma vez lhe perguntaram como ele gostaria que se recordassem dele. Walt respondeu: "Sou um contador de histórias. De todas as coisas que já fiz, gostaria de ser lembrado como contador de histórias."

Portanto, eis algumas histórias sobre esse memorável contador de histórias.

---

[2] A Cabana da Vovó Kincaid (Granny Kincaid's Cabin) é a miniatura de uma casa de pioneiros inspirada pelo filme *Tão Perto do Coração*, de 1949, construída pelo próprio Disney, inclusive com tapetes que ele mesmo teceu e uma lareira feita com pedregulhos que ele mesmo coletou. (N.T.)

MINIMUNDOS DE WALT

Estranho, mas para um homem que sempre teve sonhos grandiosos, Walt Disney costumava se divertir a valer no mundo das miniaturas. Durante décadas, ele tanto construiu quanto colecionou uma enorme variedade de objetos minúsculos e intrincados. Às vezes, esses pequenos objetos inspiravam coisas muito maiores, inclusive atrações dos parques temáticos da Disney.

Acredita-se que Walt começou a trabalhar a sério em miniaturas quando ele ajudou a construir uma maquete de ferrovia para um trem Lionel do sobrinho dele, Roy E. Disney, no início da década de 1930, elaborando com grande cuidado a paisagem que circundava a ferrovia e as estruturas que sustentavam os trilhos.

Porém, a fascinação de Walt pelo poder mágico dos minimundos se manifestou pela primeira vez em 1939, quando ele apreciou a famosa exibição Thorne na Exposição Internacional da Golden Gate em São Francisco. Usando acessórios e componentes em miniatura reunidos pelo tio dela durante suas viagens ao redor do mundo, a Sra. James Ward Thorne havia criado salas requintadas, para representar ambientes europeus e americanos de diferentes épocas. As salas tinham sido confeccionadas com tamanha perfeição que algumas pessoas diziam que vê-las era como ter encolhido e sido enviado para uma outra época. Elas cativaram a imaginação de Walt Disney.

No final da década de 1940, Walt fundiu seu amor pelos trens com seu amor pelas miniaturas e construiu uma ferrovia em escala reduzida, a "Carolwood Pacific", que percorria o quintal de sua casa na Carolwood Drive. Ele se orgulhava principalmente do vagão da tripulação, amarelo, com lanterninhas a óleo, maçanetas de latão nas portas e trancas que realmente funcionavam.

Walt criou cuidadosamente um fogão a lenha minúsculo para o vagão da tripulação. Eis um trecho de suas anotações:

> Mandei fazer um protótipo, que ficou uma belezura, com grade, peneira de cinzas, porta e pecinhas que funcionavam, e aí essa ideia passou a ser uma obsessão. Mandei fazer mais outros, um de bronze, outro preto e até um dourado! Depois, fizemos mais deles e começamos a pintá-los com temas que combinavam com o período da virada do século.

Cada um desses fogões a lenha de quatorze centímetros de altura tinha um modelo diferente, e no final fabricaram-se mais ou menos cem. Walt deu alguns a amigos, e até enviou alguns para uma loja de antiguidades e presentes em Nova York onde, para grande alegria de Walt, a própria Sra. Thorne comprou dois para acrescentar a sua famosa coleção, a mesma coleção que havia inspirado esse passatempo de Disney. Os fogõezinhos foram vendidos por vinte e cinco dólares cada, e Walt não fez nenhum esforço especial para colocá-los à venda ou receber lucros. Ele só estava curioso para ver se alguém se interessaria por eles, e, por volta de 1957, já havia vendido todo o estoque. Ele afirmou:

> Foi bacana fazer essas miniaturas e, além disso, outras pessoas também gostam delas, portanto, no fim das contas, me senti totalmente recompensado.

O ator Richard Todd, que participou de vários filmes ingleses da Disney onde se empregaram atores em cena, recorda-se de ter visitado a casa de Walt, onde viu o seguinte:

> [...] armários repletos de objetos que ele adorava: coisinhas minúsculas, miniaturas de todo tipo, feitas de porcelana, madeira ou metal. Ele me deu um minúsculo fogão a lenha que ele mesmo havia confeccionado, uma coisinha belíssima de mais ou menos quinze centímetros de altura, pintado de branco, verde e dourado.

Walt começou a colecionar miniaturas a sério durante suas viagens à Europa, trazendo para casa incontáveis objetos diminutos de vidro, madeira, porcelana e metal. Numa carta a um amigo, em 1951, ele escreveu:

> Meu passatempo é uma tábua de salvação para mim. Quando trabalho com esses objetos pequenos, fico tão absorto que os problemas do estúdio desaparecem... pelo menos durante algum tempo.

Quando se realizou um inventário da coleção de Walt, em meados da década de 1960, encontraram-se mais de mil itens, desde pinturas e livros como a *Bíblia Sagrada*, as *Obras Poéticas de Tennyson*, uma *História em Miniatura da Inglaterra* e dezoito volumes das peças de William Shakespeare. Havia instrumentos musicais, como três banjos, um bandolim, um violão e um órgão, feitos pelo maestro Frederick Stark. Um conjunto de pistolas de duelo estava junto a um estojo de couro com a inscrição "A História da Colt em Miniatura" contendo quatorze pistolas de seis tiros. Também se encontraram onze carros clássicos, inclusive um Modelo T 1915, um Cadillac 1903, um Rambler 1904 e um Rolls Royce 1911. Walt também possuía uma miniatura de navio e uma de um barco a vapor, ambas em vitrines.

Colecionar esses tesouros minúsculos não era suficiente para Disney. Ele queria criar um minimundo completo. No início da década de 1950, ele pediu ao animador Ken Anderson para desenhar 24 cenas cotidianas de uma cidade do Velho Oeste. Walt planejava esculpir pequenos personagens e construir as cenas em miniatura. Quando já tivesse feito um número suficiente delas, as exibiria em uma exposição itinerante. Walt disse a Anderson:

> Estou cansado de pedir a todos aqui para desenharem e pintarem. Vou fazer algo criativo com minhas próprias mãos. Vou pagar você do meu bolso e quero que desenhe 24 cenas cotidianas de uma cidade do Velho Oeste. Então vou esculpir as figuras e fazer cenários baseados nesses desenhos. Quando nós tivermos feito muitas cenas, vamos exibi-las em uma exposição itinerante. Vamos reservar um escritório aqui no estúdio, cuja chave só você e eu teremos.

Walt imediatamente publicou anúncios nos jornais e em revistas dedicadas a *hobbies* procurando miniaturas antigas de todos os tipos para seus quadros vivos. Temendo que os preços subissem estratosfericamente, Walt pediu a duas secretárias que trabalhavam para ele na época, Kathryn Gordon e Dolores Voght, que usassem seus nomes nos anúncios, em vez de noticiar que o próprio Disney estava procurando essas miniaturas.

Vários jornais e revistas de *hobbies* publicaram este anúncio:

> **PROCURA-SE**
>
> Quaisquer miniaturas até uma escala de 1,5 polegada para 1 pé, ou abaixo disso. Até o início da década de 1900, inclusive. Favor fornecer descrição completa e preço. Colecionador particular. K. Gordon (e o endereço dela).

Além de móveis diminutos, Walt colecionava aparelhos de jantar pequenos, inclusive serviços de chá Limoges e Havilland e pequenos bules Toby, jarras Wedgewood azul-celeste, bacias Willow Ware e potes e panelas Bennington. Garrafas de champanhe e frascos de perfume, copinhos menores do que dedais, vários conjuntos de prataria dignos de rainhas das fadas, serviços de chá de prata e um candelabro tão delicado quanto uma teia de aranha completavam a coleção.

Walt passou horas sem fim construindo cuidadosamente o primeiro de seus minúsculos cenários. A primeira cena, a "Cabana da Vovó Kincaid", baseou-se em um cenário de seu filme com atores em ação, o *Tão Perto do Coração* (1949). Para fazer a chaminé, Disney catou pedrinhas de sua casa de férias em Palm Beach – o Smoke Tree Ranch.

Dentro da cabana, um tapete feito à mão aquecia um chão de tábuas não muito mais largas do que fósforos. Viam-se sobre a mesa uma bacia e uma jarra de porcelana, um violão com cordas finas como bigodes de gato, e uma pequena Bíblia. Uma minúscula espingarda de pederneira se encontrava pendurada na parede e uma roca de fiar com linho se achava em um canto. A cena dava a impressão de que a própria vovó tinha acabado de sair de casa. A vovó, porém, nunca foi confeccionada. Em vez disso, os espectadores ouviam uma gravação de sua voz descrevendo aquele cenário confortável. Walt havia mandado fazer uma gravação com a voz de Beulah Bondi, a famosa atriz que desempenho o papel de vovó em *Tão Perto do Coração.*

O *imagineer* Wathel Rogers revelou que o plano original de Disney para a cabana incluía um personagem da própria vovó:

> O interior da cabana estava completamente cheio de miniaturas. Walt confeccionou as cadeiras de balanço e o restante. Depois disse: "Vamos fazer um corte transversal. Vamos colocar a vovó na cadeira de balanço, com a Bíblia na mão, e um cenário atrás dela mostrando a paisagem do lado de fora. A vovó então diz: Oi, gente, estou aqui só lendo minha Bíblia. E depois de bater um papinho com os espectadores, ela volta a ler."

A cabana foi exibida no Festival da Vida na Califórnia, no Auditório Pan-Pacific em Los Angeles, de 28 de novembro até 7 de dezembro de 1952. Uma nota à imprensa anunciou que ela representava o início da nova exibição de miniaturas da cultura americana chamada "Disneylandia".

Numa carta datada de 4 de dezembro de 1952 à sua irmã caçula, Ruth, Walt escreveu:

> Estou anexando a esta um recorte de jornal que lhe dá uma ideia do meu mais recente projeto. Espero que ele se torne realidade, porém, por enquanto, só está na minha cabeça e na prancheta. Esta cabana (que eu mesmo construí) é uma réplica da cabana da vovó Kincaid, do nosso filme *Tão Perto do Coração*. Eu também fiz uma roca, uma cama, umas cadeiras, a pia da cozinha e vários outros objetos que você não consegue ver nessas fotos, que não ficaram mesmo muito boas.
> Andei colecionando todo tipo de peças em miniatura durante três ou quatro anos, com este projeto em mente. Para mim, tem sido um passatempo maravilhoso, e acho que é algo muito relaxante para fazer quando os problemas no estúdio começam a se complicar demais.

Numa entrevista que deu em 1953, Walt explicou:

> Esta cabaninha faz parte de um projeto no qual estou trabalhando, e foi exibida como teste para obter a reação do público aos meus planos de construção de uma cidade inteira.

Ao notar que o público havia reagido positivamente, Walt, animado, voltou à sua bancada de trabalho e aos minúsculos martelos, chaves de fenda, presilhas e lentes de aumento que formavam o arsenal da sua arte de confecção de miniaturas.

Gradativamente, dois outros quadros vivos tomaram forma. Um deles era um palco de teatro de fronteira, inclusive com um artista de sapateado tridimensional em escala $^1/_8$, chamado "Homenzinho do Projeto". Os *imagineers* da Disney filmaram o ator e dançarino excêntrico Buddy Ebsen sapateando contra um pano de fundo quadriculado, para que servisse como referência da vida real. Esculpido por Charles Cristadoro e ligado a várias engrenagens e mecanismos como uma caixa de música, o bonequinho se movia, e foi considerado o protótipo da combinação de áudio com animação eletrônica chamada áudio-animatrônica. Walt ficou decepcionado com as limitações das expressões do personagem esculpido e pensou em usar plásticos para torná-lo mais real.

Em junho de 1951, Walt e sua equipe de projetistas e técnicos começaram a trabalhar em uma terceira cena: um quarteto tradicional de barbearia cantando "Sweet Adeline". A cena incluiria um barbeiro, um cliente sentado numa cadeira e dois outros clientes aguardando a vez. Uma vez mais, filmaram-se atores, para que houvesse uma referência de vida real. O *imagineer* Roger Broggie recorda-se dessa ocasião:

> Nós chegamos a fazer o cliente sentado na cadeira e o barbeiro. E aí suspendeu-se o trabalho!

Walt se convenceu de que apenas um público limitado ia conseguir ver esses cenários, e que esse trabalho não geraria renda suficiente para que o projeto continuasse. Mas essa Disneylandia acabou se transformando no parque que hoje se chama Disneyland [Disneylândia, em português].

Conforme Broggie se recorda, "Walt disse: 'Vamos fazer isso, sim, mas num parque de verdade!'"

Em 1953, a apresentação do projeto da Disneylândia por Roy O. Disney em Nova York, para levantar fundos para a construção do parque temático, incluiu uma descrição dessa terra nunca construída que ficaria entre a Terra do Amanhã e a Terra da Fantasia:

Terra Liliputiana: Reino das Miniaturas

[...] uma cidade americana em miniatura habitada por personagens mecânicos de um palmo de altura, que cantam, dançam e falam com os espectadores que espiam entre as janelas de casas e lojas. Na Terra Liliputiana, há uma barca do Canal Erie que nos leva através dos famosos canais do mundo onde se podem admirar as maravilhosas paisagens deste reino em miniatura.

Aqui vemos uma locomotiva a vapor com uma grande chaminé, de 43 centímetros, entrando em uma miniestação ferroviária. A gente senta em cima dos vagões Pullman, como Gulliver, e o condutor de um palmo de altura acelera, levando você para passear pela paisagem. E para os pequenos, que têm apetites pouco desenvolvidos, podem-se comprar casquinhas de sorvete em miniatura, o menor cachorro-quente do mundo, servido em um pãozinho microscópico.

Embora a Terra Liliputiana, como muitas das ideias originais de Walt para o seu parque temático, jamais tenha sido construída, a Disneylândia realmente possuía um miniaturizado Livro de Histórias na Terra da Fantasia.

Walt havia sido influenciado por sua visita ao Madurodam, uma atração turística na Holanda que apresentava monumentos e edifícios importantes miniaturizados, de modo que sua ideia inicial foi criar réplicas em escala reduzida dos monumentos importantes do mundo. No final, a ideia de Walt evoluiu e a Disneylândia terminou incluindo lugares famosos e adorados de seus desenhos animados clássicos. Um majestoso Castelo da Cinderela se ergue no centro de um pequeno mundo onde se veem a loja de brinquedos do Gepeto, a mansão do Sr. Sapo e a Casinha dos Sete Anões, com uma mina faiscante ao lado, cheia de joias. Cada construção foi feita com a mesma atenção meticulosa aos detalhes com que Walt criou suas próprias miniaturas.

O *imagineer* Ken Anderson, que projetou a Terra dos Livros de Histórias, disse que rapidamente descobriu que ela era:

[...] uma das diversões prediletas de Walt Disney. Ele vinha frequentemente visitar a oficina do estúdio Burbank para fazer comentários e ajudar com sua perícia na confecção dos modelos em miniatura.

Walt também pensou em um plano para colocar réplicas liliputianas dos famosos monumentos americanos, como o Monticello de Thomas Jefferson e o Mt. Vernon de George Washington, no que terminaria se tornando a Ilha de Tom Sawyer. Alguns dos primeiros suvenires da Disneylândia mostram esses prédios minúsculos espalhados pela ilha. Decidiu-se depois fazer da Ilha o território dos travessos personagens de Mark Twain – Tom Sawyer e Huck Finn – e por isso os miniprédios jamais foram construídos.

O interesse de Walt por miniaturas não desapareceu depois que a Disneylândia foi inaugurada. Enquanto projetava o Pavilhão Ford, com sua altíssima Magic Skyway, para a Feira Mundial de Nova York, precisava de algo para a área de entrada da Rotunda que mostrasse a presença internacional da Ford. Walt sugeriu uma cidade em miniatura. E logo os *imagineers* já haviam projetado os "Jardins Internacionais", uma série de prédios em escala de 0,5 polegada para 1 pé, que recriavam os monumentos famosos de onze países. Em seguida, cenas da América Colonial e da "Alegre Inglaterra Antiga", templos astecas dourados e casas de madeira da Europa medieval convidaram os visitantes a se imaginarem pequenos o suficiente para caminhar naquelas ruas sinuosas.

Ainda fascinado pelo processo de confecção de miniaturas como um todo, Walt supervisionou pessoalmente o projeto. Um dia, enquanto estava visitando a oficina dos *imagineers*, ele viu Jack Ferges, que tinha dois metros de altura, andando de gatinhas em torno de sua escrivaninha. Conforme Ferges se lembrou depois:

> Walt disse: "O que você está fazendo aí?" Minha resposta foi somente: "Acabei de deixar a cidade inteira de Copenhague cair no chão". Walt desatou a rir com tanta força que precisou se sentar.

Finalmente, construíram-se prateleiras com portas de vidro em duas paredes do escritório de Walt, nos Estúdios Disney, para servirem de vitrines para sua assombrosa coleção de miniaturas. Para ele, os bons perfumes às vezes realmente vinham nos menores frascos.

CAVALINHO ALAZÃO: WALT E O POLO

O segredo do sucesso, se é que existe, é gostar do que se faz. Eu gosto mais do meu trabalho do que do meu lazer. Jogo polo, quando tenho tempo, e adoro jogar, mas isso nem se compara ao meu trabalho!

– Walt Disney, *San Francisco Chronicle*, 31 de dezembro de 1933

Na década de 1930, o polo era um passatempo bastante popular e caro, principalmente entre membros da indústria do entretenimento, apesar de ser um esporte que exigia muito do físico dos jogadores. Essa era uma época na qual os atores tentavam simular na vida real os personagens machões que eles representavam nas telas. Apesar de alguns deles serem atléticos, a maioria não estava muito bem preparada para as exigências do jogo difícil e desafiador que é o polo.

O ator Spencer Tracy adorava arrear seus cavalos de polo e, durante o início da década de 1930, jogava sempre que estava de folga. Os estúdios suplicavam-lhe para não jogar, por medo de ele sofrer alguma lesão, portanto Tracy usava pseudônimos para jogar, até parar, depois que seu amigo Will Rogers morreu.

O polo também servia para conhecer e encontrar pessoas na comunidade de Hollywood. O famoso Beverly Hills Polo Lounge nasceu nessa época, e permanece ainda hoje um local popular e um tanto exclusivo para reuniões de famosos em Hollywood.

Na década de 1930, havia mais de 25 campos de polo em Los Angeles. Walt jogava em lugares conhecidos como o Uplifters Polo Field (agora substituído por uma rua), e o Riviera Polo Field (onde fica, atualmente, a Escola de Ensino Médio Paul Revere). O Riviera tinha três ou quatro campos ao lado de um campo de golfe, e muitas celebridades também mantinham estábulos ali.

Em Hollywood, o mais vigoroso campeão deste esporte era o humorista Will Rogers, que começou a jogar polo em 1915. Durante as décadas de 1920 e 30, Rogers popularizou o esporte entre as elites de Hollywood, desde Hal Roach e Darryl Zanuck até Walt Disney.

Walt era amigo pessoal de Rogers. Aliás, houve uma época em que ele começou a negociar com Rogers um papel em seu primeiro longa-metragem, uma combinação de filme e desenho animado. *A Branca de Neve* não foi a primeira escolha de Disney para seu primeiro longa-metragem. Ele havia pensado em várias outras possibilidades, inclusive *Alice no País das Maravilhas*, com Mary Pickford no papel de Alice interagindo com personagens de desenho animado.

Quando esse projeto falhou, Walt pensou em usar o mesmo conceito, porém com Will Rogers como Rip Van Winkle, interagindo com personagens animados. Walt enviou alguns de seus mais proeminentes animadores, inclusive Grim Natwick, Art Babbitt e Bill Tytla, para a fazenda de Rogers em Santa Monica para produzir esboços do ator em ação – todavia, a morte súbita de Rogers fez com que esse projeto fosse engavetado.

A popularidade de Mickey, no início da década de 1930, proporcionou muito sucesso e atenção a Walt. Porém, também causou muita tensão. Administrar e expandir seu estúdio, bem como as muitas exigências sobre ele vindas de outras áreas, desde decisões sobre propaganda até pedidos de publicidade, além da tensão em casa, onde sua esposa Lillian estava tendo dificuldade de se recuperar de dois abortos espontâneos, resultaram em um dos famosos colapsos nervosos de que Walt sofria.

O médico de Walt sugeriu que ele talvez devesse começar a praticar alguma forma de exercício para aliviar o estresse. Disney experimentou luta greco-romana, boxe e golfe, mas a cada tentativa ele só se frustrava ainda mais, em vez de experimentar alívio da tensão. Walt sempre havia adorado cavalos, portanto sua próxima tentativa foi equitação, e ele entrou para um clube de montaria local.

Mas como sempre havia sido um homem de sete instrumentos, Walt decidiu combinar seu amor pela equitação com seu desejo de se relacionar com a sociedade de Hollywood, e começou a jogar o polo, o esporte do momento. Naquela época, Disney brincou, dizendo que o polo parecia ser nada mais, nada menos do que um "golfe a cavalo".

No início, Walt recrutou gente dos Estúdios Disney, inclusive Jack Cutting, Norm Ferguson, Les Clark, Dick Lundy, Gunther Lessing, Bill Cottrell e até seu irmão, Roy, para participar.

Eles estudaram o livro *As To Polo* de William Cameron Forbes (1929) e compareceram a aulas e palestras de Gil Proctor, um perito em polo. Depois, passaram a praticar em San Fernando Valley, na Academia de Equitação DuBrock, das seis da manhã até a hora de ir para o trabalho nos Estúdios Disney, às 8h da manhã.

Walt construiu uma gaiola de polo no estúdio para que durante o intervalo do almoço os homens pudessem se sentar em um cavalo de madeira e praticar os golpes na bola de madeira, arremessando-a para o gol. Ele até instalou um cavalo artificial no seu quintal para poder treinar de manhã cedo antes de ir para a Academia de Equitação DuBrock.

A filha de Walt, Diane Disney Miller, relembrou:

> Minha irmã e eu crescemos em uma sala de brinquedos grande, cercada por retratos emoldurados dos cavalos do papai e suas vitrinas repletas de troféus – foi o mais próximo que chegamos de ter um cavalo só nosso. E o depósito no quintal era uma espécie de casa de arreios para as selas de polo do papai. Vivia trancado. E a gaiola de treinamento de polo também estava sempre trancada, no fundo do que ele chamava de "cânion". Eu sempre quis entrar naquela gaiola e brincar de cavalgar aquele cavalo, mas me disseram que era proibido por causa das aranhas viúvas-negras.

Finalmente, a equipe da Disney começou a jogar com outros times amadores no estádio Riverside Drive.

Walt e Roy jogavam regularmente com seus funcionários nas manhãs de quarta-feira e nas tardes de sábado. Além disso, eles ingressaram no Riviera Club, de grande prestígio, onde luminares de Hollywood como Spencer Tracy, Leslie Howard, Darryl Zanuck e outros presidiam as partidas no campo. Durante essa época, Spencer Tracy se tornou amigo do peito de Walt, e ele e sua esposa costumavam ser constantemente convidados a visitarem a casa de Disney. Diane Disney Miller se recorda:

Muitas das amizades do papai começaram com o jogo de polo. Há alguns anos, tive a surpresa de ouvir Bill Cottrell dizendo a Rich Greene que ele achava que Spencer Tracy era, talvez, o melhor amigo do meu pai. A amizade dele com Will Rogers também foi muito importante. Ele adorava participar dos almoços que a Sra. Rogers servia após os jogos. Carl Beal foi outro colega jogador de polo, inseparável, cuja amizade foi duradoura; mas ele morreu de leucemia quando eu era muito jovem, por isso fiquei bastante impressionada. Robert Stack, que na época era adolescente; Russell Havenstrite, magnata do petróleo que se tornaria nosso vizinho; e muitos outros que jogavam e amavam o esporte se tornaram bons amigos também.

Em 1934, Roy Disney comprou quatro potros de polo. A uma certa altura, Walt tinha 19 cavalos em seu estábulo. Os jogadores de polo precisavam de vários animais porque eles se feriam ou se cansavam, e se um jogador não tivesse um bom cavalo para levá-lo até a bola, não conseguiria acertá-la. Dos cavalos de Walt, sete tinham os seguintes nomes: June, Slim, Nava, Arrow, Pardner, Tacky e Tommy. Porém, numa carta para sua mãe, Walt confessou que comprar potros de polo era muito caro:

Não caia dura quando eu lhe disser que tenho seis cavalos agora. Afinal de contas, esse é meu único pecado. Não gosto de jogos de azar nem fico saindo e gastando meu dinheiro com amantes, portanto, acho que isso não é nada de mais. Ademais, minha esposa aprova meu passatempo.

Roy Disney era um jogador equilibrado; Walt era altamente agressivo, mas não era atlético nem tinha boa coordenação. O Diretor David Swift, que na época era um animador, afirmou:

Ele não era um grande atleta. Não sei como conseguia jogar polo. Eu não era capaz de entender como ele conseguia se manter na sela de um cavalo e acertar uma bola com um taco ao mesmo tempo.

Ao contrário de outros rapazes, Walt nunca havia participado de uma equipe esportiva. Durante a maior parte de sua infância, seu tempo livre era ocupado por uma rota de entrega de jornais durante a manhã e a tarde, que exigia demais do seu tempo e energia. Enquanto outras crianças, após a escola e nos fins de semana, passavam o tempo jogando e se divertindo, Walt trabalhava, e por isso nunca desenvolveu uma coordenação adequada para a prática de esportes.

Disney compensava a falta de experiência em esportes e de coordenação sendo um competidor concentrado. O ator Robert Stack, que na época era adolescente, lembra-se de que Walt:

> [...] corria direto até qualquer um que atravessasse a linha. Walt era um bom jogador de polo, e adorava esse jogo. Eu tenho uns dois ou três troféus em casa com o nome do Walt. Não vencemos nenhum campeonato mundial, mas nos divertíamos à beça juntos.

A esposa de Disney, Lillian, passava a maior parte de seus domingos nas arquibancadas, comendo pipoca, enquanto Walt jogava. Ela disse:

> Ele parava e comprava um saco de pipocas bem grande para mim, e eu ficava lá, sentada e comendo pipoca, assistindo a ele jogar polo.

Num programa de 1937 o comentarista declarou:

> Jogo de polo filantrópico patrocinado pela Liga Beneficente de Santa Monica e pela Câmara de Comércio Jovem de Santa Monica: dia 9 de maio de 1937, no Riviera Country Club. A primeira partida foi o Time do Mickey contra o Time de Hollywood. O time do Mickey: James Gleason, Robert Presnell, Happy Williams e Walt Disney. O time de Hollywood incluiu J. Walter Ruben, Mike Curtiz, Paul Kelly e o Dr. Percy Goldberg. Walt Disney era o capitão do Time do Mickey nas partidas de polo. Mas muitos fãs de Disney podem não saber que também existia um Time do Pato Donald.

O produtor da Disney, Harry Tytle, era um excelente jogador de polo na faculdade, mas como na época a crise econômica ainda estava no auge, por causa da Depressão, havia poucos empregos para jogadores de polo. Ele, porém, jogou com Will Rogers em agosto de 1935, na partida que seria a última de Rogers.

Tytle também conhecia Harold Helvenston, que na época era professor de teatro e trabalhava nos Estúdios Disney. Certa noite, durante um jantar intermediado por Helvenston, Tytle conheceu alguns funcionários da Disney, inclusive George Drake e Perce Pearce, e viu-se empregado como mensageiro nos Estúdios Disney, no departamento de protocolo.

Uma vez no estúdio, Tytle foi apresentado a Walt como jogador de polo e foi convidado a jogar com Disney na Arena Victor McLaughlin. Walt deve ter gostado do espírito competitivo do rapaz, porque Tytle logo se viu jogando com Walt no Riviera Country Club contra Spencer Tracy e sua família. Tytle, que não tinha dons artísticos para concorrer com outros aspirantes ao cargo de animador no estúdio, trabalhou brevemente em muitos departamentos diferentes de lá.

Porém, ele ainda tinha tempo para ensinar polo a um grupo de editores e montadores de outros estúdios; jogar polo pela Câmara de Comércio Jovem, e formar o Time do Pato Donald (com membros como Mel Shaw e Larry Lansburgh), que disputou jogos em uma área abrangente, em lugares tão distantes quanto o Arizona e até, em 1938, a cidade do México, onde saíram vencedores.

Tytle acha que o time venceu porque era constantemente subestimado devido ao retrato do Pato Donald nas suas camisas. "Um toque inteligente sugerido pelo Walt", lembra-se Tytle em sua autobiografia.

O entusiasmo de Walt pelo polo inspirou um desenho animado popular do Mickey, o *Time de Polo do Mickey*, lançado em janeiro de 1936 e dirigido por Dave Hand, cuja atenção estava mais concentrada na direção do desenho animado *Branca de Neve*.

Esse desenho do Mickey não tem lá um roteiro muito definido. É só uma desculpa interessante para a apresentação de piadas em um jogo de polo entre quatro personagens populares da Disney contra um time de quatro famosos de Hollywood. Os espectadores nas arquibancadas são uma mistura de personagens animados da Disney e famosos de Hollywood. Clarabela beija Clark Gable, Edna May Oliver está sentada ao lado do coelho Max Hare e Shirley Temple torce ao lado dos Três Porquinhos, entre outros artistas famosos que apareceram nesse desenho.

No time do Mickey estão o Mickey, o Pato Donald, o Pateta e o Lobo

Mau. No time de Hollywood figuram os astros Charlie Chaplin, Oliver Hardy, Stan Laurel e Harpo Marx. As plateias modernas têm dificuldade de identificar as caricaturas de alguns dos astros famosos da época nesse desenho, como Eddie Cantor, W.C. Fields e Harold Lloyd, mas até mesmo o mais astuto e bem informado conhecedor de filmes clássicos teria dificuldade de identificar o árbitro.

O juiz é uma caricatura de Jack Holt, um ator de filmes mudos muito famoso que fez a transição para os filmes falados, principalmente os de Velho Oeste. Aliás, Holt era o pai do famoso ator de filmes de faroeste Tim Holt. Jack Holt era conhecido como "machão" e apoiava muito o polo como uma forma de exercício físico espetacular. Ele jogava no Riviera ao lado de Walt Disney, mas infelizmente a maioria dos fãs modernos já o esqueceu.

O desenho foi feito no auge do envolvimento dos Estúdios Disney com o jogo de polo, mas não foi a versão pretendida por Walt. Havia, antes, uma grande parte do filme dedicada a uma caricatura de Will Rogers. Porém, a morte de Rogers em um acidente de avião em agosto de 1935, enquanto o desenho do *Time de Polo do Mickey* estava em produção, causou a retirada de seu personagem.

O desenho gerou sua própria pequena controvérsia que, com o passar dos anos, caiu no esquecimento. A edição de 11 de janeiro de 1938 do *San Francisco Examiner* continha uma foto de Walt em Los Angeles com cara de pensativo folheando alguns papéis. A legenda e o artigo expunham:

> **Disney enfrenta acusador em Tribunal**
>
> Disney contestou acusações feitas por John P. Wade, escritor e ator, de que o desenho animado Clube de Polo do Mickey [sic] foi baseado em uma ideia que Wade apresentou. "O Sr. Disney me disse que não seria possível usar aquele roteiro. No entanto, vários meses depois, vi o filme", testemunhou Wade. Disney contestou essas acusações, dizendo que a ideia foi sua.

A revista *Time* de 24 de janeiro de 1938 revelou como terminou esse processo judicial, através do qual Wade pretendia obter uma parte da bilheteria do filme:

> A alegação era de plágio, afirmando que a piada dos cavalos montados nos cavaleiros tinha sido roubada do esquete de Wade "O Pesadelo do Treinado". No tribunal, os advogados do cinegrafista Walt Disney justificaram o uso desta cena como uma variação da "piada da inversão" que se originou, obviamente, na fábula de Esopo.

O Juiz do Tribunal Superior, Thomas C. Gould, encerrou o processo com uma citação do Eclesiastes: "... ao que parece, não há nada de novo sob o sol".

Em 1938, Roy Disney estava preocupado, temendo que a combinação da agressividade de Walt no campo e o perigo inerente ao esporte em si pudessem privar os Estúdios Disney do seu líder visionário. Aliás, o próprio Roy já havia deixado de jogar naquele ano, e estava vendendo seus cavalos de polo e suplicando a Walt que fizesse o mesmo. Disney resistiu à sugestão de pendurar o taco mesmo depois de ter testemunhado partidas onde outros jogadores haviam sofrido lesões gravíssimas.

Sempre tentando se superar, Walt terminou por querer jogar com os melhores jogadores. Havia um time sul-americano, os Argentinos, que estava praticando em um campo do Riviera, e Walt queria treinar com esses jogadores.

Segundo o ator Robert Stack:

> Sempre que os argentinos chegavam, traziam consigo seus cavalos. O motivo pelo qual a maioria desses grandes jogadores de polo ia aos Estados Unidos era para tentar vender seus cavalos e ganhar uma fortuna – o que realmente conseguiam. Podia-se ver que alguns compradores eram figurões da nossa profissão [do campo do cinema] e Walt estava entre eles, dando lances fabulosos por aqueles cavalos magníficos.

Já naquela época, era quase impossível dizer "não" a Walt Disney, portanto Walt passou a jogar com os argentinos. Um dos jogadores bateu na bola justamente na hora em que Disney, a cavalo, estava girando, e a bola o atingiu com força suficiente para derrubá-lo do cavalo. Walt sofreu esmagamento de quatro vértebras cervicais e sentiu uma dor excruciante. Em vez de ir ao médico, ele resolveu consultar um quiroprático que tratou sua coluna com as mãos. Isto foi lamentável, porque a lesão poderia ter se curado se o pescoço de Walt tivesse sido engessado.

Em vez disso, a lesão resultou no acúmulo de um depósito de cálcio na parte de trás do pescoço dele, que causou uma forma dolorosa de artrite, fazendo Walt sofrer pelo resto da vida. Quando ficou mais velho, Disney passou a precisar de umas duas doses de uísque escocês e uma massagem da enfermeira do estúdio para poder chegar em casa à noite. Quando o pescoço e a dor nas costas pioravam, Walt costumava ficar difícil de aturar ao se relacionar com seus empregados do estúdio. Quando ele foi internado no Hospital St. Joseph pela última vez, antes de morrer, os funcionários não desconfiaram de nada ao receberem a notícia de que Walt estava lá para tratar de uma "antiga lesão sofrida durante uma partida de polo".

Em 1938, Walt vendeu seus animais e saiu do clube de polo Riviera. Ele adorava arrear seus cavalos e conversar com a elite de Hollywood nos campos de polo, mas o jogo lhe causou uma lesão física grave e dolorosa que influenciou seu humor pelo resto da vida. Infelizmente, este interessante interlúdio em sua pitoresca biografia não teve um final feliz.

A CAÓTICA VIDA ESCOLAR DE WALT

Walt e sua irmã caçula, Ruth, formaram-se na escola de ensino fundamental primária de Benton, em Kansas City, Missouri, no dia 8 de junho de 1917. Foi a única formatura da vida de Walt, em qualquer escola.

Ele formou-se após completar a oitava série e surpreendeu seus pais fazendo um discurso patriótico dirigido aos formandos. Anos depois, sua irmã se lembrou do discurso dizendo que era algo sobre "assuntos nacionais ou internacionais".

Durante as cerimônias de formatura, Walt desenhou caricaturas nas margens dos álbuns de seus colegas. Mesmo naquela época ele era famoso como o menino que ia ser cartunista. O diretor brincava, dizendo aos colegas de Walt: "Se quiserem, ele pode desenhar qualquer um de vocês". Juntamente com o diploma, o diretor deu ao jovem Disney um prêmio de sete dólares por um personagem de quadrinhos que ele havia criado.

Em maio de 1963, Walt recebeu um Prêmio de Honra ao Mérito para ex-alunos do Instituto de Arte de Kansas City. Ele tinha comparecido a algumas aulas de artes para crianças aos sábados, naquele instituto, mas nunca havia se formado. Três anos antes, em 1960, ele também havia recebido um diploma honorário da escola de ensino médio da Secretaria Municipal de Educação de Marceline, embora só tivesse cursado um ano de escola média. Na cerimônia do Instituto de Arte de Kansas City, Walt afirmou, rindo:

> Nossa, vou guardar este aqui junto com o meu diploma honorário de nível médio. Recebi diplomas honorários de Yale, Harvard e da Universidade da Califórnia do Sul, antes mesmo que o público soubesse que eu não tinha um diploma de ensino médio. Agora tenho seis diplomas.

Walt recebeu diplomas honorários tanto de Yale quanto de Harvard, em dias sucessivos de junho de 1938. Nenhum dos dois era um diploma de doutor. Ambos foram de Mestre em Artes.

Depois da cerimônia de Harvard, Disney disse aos repórteres:

> Sempre vou desejar que tivesse tido a chance de terminar a faculdade normalmente e receber um diploma de Bacharel em Artes como os milhares de jovens que ninguém conhece e que estão se formando hoje.

Embora Walt seja justamente respeitado como educador eficaz, ele teve uma educação formal limitada na escola pública. Quando a família Disney morava em Marceline, no estado do Missouri, o pai de Walt, Elias, decidiu que Walt não poderia ir à escola até sua irmã caçula, Ruth, ter idade suficiente para ir com ele também, porque parecia a coisa mais prática a fazer. Assim, Disney poderia cuidar da irmã e eles poderiam frequentar as mesmas aulas. Walt recordou:

> Meu aniversário caía no meio do semestre e era preciso ter uma certa idade, portanto, eles simplesmente disseram: "Bem, vamos esperar e mandar o Walt para a escola quando a Ruth for". E essa foi a coisa mais constrangedora que poderia acontecer a um menino, ter que começar a escola com minha irmãzinha caçula, a Ruth, que era dois anos mais nova do que eu.

A mãe de Walt, Flora, ex-professora de escola primária que havia lecionado na região da Flórida Central, deu aulas particulares aos filhos nas áreas de matemática, leitura e redação. Ela era uma boa e paciente professora, cujas aulas Walt adorava.

Aos sete anos, Walt foi matriculado na Escola Park, de dois andares, construída com tijolos vermelhos, onde estudavam quase duzentas crianças. Ele recebeu uma educação de nível elementar, através dos livros da coleção *McGuffey's Eclectic Readers*.

Walt nunca foi um aluno atento. Sempre estava tentando encontrar outras coisas que lhe captassem o interesse, principalmente caricaturas.

Sua professora, a Srta. Brown, organizava os alunos nas carteiras segundo seu aproveitamento. Walt sempre ia parar em uma carteira perto da porta dos fundos, e a professora passou a chamá-lo de "o segundo mais burro" da classe, porque ele não prestava atenção. A Srta. Brown reclamava sem parar: "Ele está sempre desenhando, e não presta atenção suficiente aos seus estudos".

Quando a família se mudou para Kansas City, matriculou Walt na Escola Primária Benton. Ele precisou repetir a segunda série porque os professores acharam que em Marceline não haviam lhe dado uma base suficiente. Resultado: Walt sempre foi dois anos mais velho do que a maioria das outras crianças na sua sala.

Walt estudava as seguintes matérias: gramática, aritmética, geografia, história, ciências, higiene, redação, desenho e música. Ele era conhecido como um leitor voraz, apreciando principalmente as obras de Robert Louis Stevenson, Horatio Alger (que era famoso por suas várias histórias sobre rapazes que evoluíam da pobreza para a riqueza através do trabalho árduo e da honestidade), Sir Walter Scott, Charles Dickens e Mark Twain.

Supostamente, Walt leu tudo que Mark Twain escreveu. Ele também gostava de Shakespeare, mas só das partes contendo batalhas e duelos. Também adorava as aventuras de Tom Swift, um garoto que amava ciências e tecnologia, e que apareceu num livro publicado pela primeira vez em 1910.

Porém, durante a maior parte do tempo, Walt era um estudante medíocre, sendo que sua pior matéria era a álgebra. Em defesa de Disney, podemos dizer que ele não tinha lá muito tempo para estudar, nem para dormir, porque estava sempre distribuindo jornais, percorrendo uma rota que exigia que ele se levantasse às três da madrugada todos os dias para entregar os jornais matinais. Depois, ele corria para casa após a escola porque precisava entregar a edição vespertina. Por isso, ele às vezes dormia na sala de aula para compensar o sono perdido.

Em 1940, Walt escreveu a uma de suas ex-professoras, Daisey A. Beck:

> Costumo pensar nos dias que passei em Benton. Não sei se você se lembra ou não, mas participei de vários eventos atléticos e até houve um ano em que ganhei uma medalha na corrida de revezamento. Lembra-se da vez em que trouxe um rato vivo para a sala de aula e você me deu um apertão? Nos-

sa! Que força que você tinha! Mas gostei ainda mais de você depois disso. E ainda posso ver os alunos marchando, em fila indiana, para as salas de aula, ao ritmo do piano do salão. Lembro-me de como [o diretor] Cottingham entrava em qualquer sala se tivesse alguma novidade para contar e todos tinham que parar para escutá-lo até ele terminar de se divertir. Ele tinha lá seus defeitos, mas me lembro dele como um cara bacana.

Certa vez, durante uma aula de geografia, o Diretor Cottingham descobriu que Walt não estava prestando atenção à aula, pois estava desenhando caricaturas escondido atrás de um livro de geografia. Diante da classe inteira, o diretor repreendeu Disney com uma previsão severa: "Meu jovem, você nunca vai ser nada na vida".

Walt não ficou ofendido nem guardou ressentimento por causa disso. Sempre enviou ao Sr. Cottingham cartões de Natal e folhas de celuloide de animação autografadas depois que finalmente ficou famoso. Até organizou uma excursão para levar o corpo discente inteiro da Escola Primária Benson até o centro de Kansas City, de ônibus, com o objetivo de assistir a estreia do desenho animado de longa-metragem *Branca de Neve e os Sete Anões*, em 1948.

Na quarta série, a professora de Walt, Artena Olson, mandou a turma desenhar um vaso de flores. Sendo muito criativo, dono de uma imaginação fértil, Disney desenhou rostos humanos nas flores e colocou braços e mãos nelas em vez de folhas. Foi repreendido por sua professora, que disse que flores não têm braços nem pernas, e que o que ele tinha de fazer era desenhar uma cena de natureza morta.

Na quinta série, no aniversário de Abraham Lincoln, Walt vestiu-se como o ex-presidente, colocando até uma cartola, suíças de papel crepe e a casaca do seu pai, e foi para a escola com o Discurso de Gettysburg decorado.

O amigo e colega Walt Pfeiffer recorda-se da data:

> Ele fez a cartola de cartolina e pintou-a com graxa de sapato. Depois comprou uma barba em uma loja que vendia artigos para teatro. Fez tudo isso sozinho. Walt ficou de pé, diante da turma inteira e os alunos acharam a fantasia dele incrível. Isso fez Cottingham percorrer todas as salas da escola com ele e Walt adorou.

Depois da formatura, Walt matriculou-se na Escola de Ensino Médio McKinley, de Chicago, no outono de 1917. Ele frequentaria a escola de nível médio durante um ano, antes de se voluntariar como motorista da Cruz Vermelha na França. Em vez de continuar os estudos na escola média quando voltou, Walt montou seu primeiro estúdio de animação, o Laugh-O-Gram, e sua educação acadêmica formal chegou ao fim.

Em 1956, surgiu em Tullytown (agora Levittown) a primeira escola de ensino fundamental nos Estados Unidos a receber o nome de Walt Disney. A segunda escola com esse nome foi construída em Anaheim, Califórnia, onde, na primavera de 1958, Walt causou comoção no momento da inauguração, ao espontaneamente declarar que naquele dia não haveria aulas e que todos iam ser levados em ônibus para a Disneylândia.

A terceira escola com o nome de Walt Disney foi construída em Marceline, Missouri, em 1960, substituindo a Escola de Ensino Fundamental Park, que Walt frequentou quando criança. Naquele ano, o artista da Disney, Bob Moore, projetou e coordenou a instalação de uma série de murais com personagens de Walt Disney para a escola. Walt também doou: uma bandeira do Mickey Mouse de 17 metros, que antes estava hasteada na Disneylândia; um mastro de alumínio de 17 metros de altura, da mais recente Olimpíada de Inverno para a qual Disney havia contribuído com atrações; e também fez outras contribuições, como brinquedos para o pátio da escola e um projetor de filmes.

A quarta escola fundamental com o nome de Walt Disney foi inaugurada em Tulsa, Oklahoma, em 1969.

É irônico que um menino que tinha dificuldades nos estudos e para quem "fazer a sétima série foi um dos mais difíceis desafios da minha limitada vida escolar" tenha terminado sendo universalmente aclamado como um educador importantíssimo que influenciou e incentivou tantas mentes jovens.

Em dezembro de 1955, após entrevistar Walt para o Jornal da Associação de Professores da Califórnia, o jornalista afirmou:

> Seu impacto como educador talvez não seja tão amplamente avaliado. Mesmo assim, ele fez e ainda faz coisas importantes e duradouras no campo da educação. Suas realizações no passado e seus planos para o futuro fazem

dele um educador público notável. E como todas as pessoas bem-sucedidas, ele se lembra de seus "bons" mestres.

A professora predileta de Walt era Daisy A. Beck, uma moça de cabelos castanho-avermelhados que ele teve na sétima série na escola Benton em Kansas City, Missouri. Segundo os relatos, ela era uma professora encantadora e admirável, que incentivou em Walt o desejo de desenhar, o que foi apenas mais um exemplo do apoio que ela dava a todos os seus alunos, principalmente nos esportes, onde ela sentia que vencer não era tudo, mas que o principal era fazer o máximo possível.

A sobrinha de Daisy Beck, Helen, lembra-se de uma história pitoresca sobre Disney que sua tia compartilhou com ela:

> Walt só queria desenhar e ela reconheceu seu talento. Mas um monte de professores da época não. Portanto, ela vivia dizendo: "Walt, você precisa aprender mais coisas do que apenas desenhar. Você tem que por alguns conhecimentos na cabeça. Quando terminar seus exercícios de aritmética, você pode desenhar quanto quiser e qualquer coisa, mas apenas quando terminar os exercícios!" Eu achava que, com certeza, ele não devia ser um bom aluno, mas a titia sempre dizia que ele tinha uma cabeça ótima.

A afeição de Walt por Beck não terminou após a formatura e, mais tarde, depois que eles se reencontraram, continuaram a trocar cartas até ela falecer. Walt compartilhava sofregamente as novas cartas dela com o roteirista da Disney, Walt Pfeiffer, que havia sido o melhor amigo e colega de Disney durante aqueles anos na escola Benton.

Beck também tentava entender como era a vida de Walt fora da sala de aula, com aquelas rotas de entregas de jornais matinais e vespertinas. Um dos colegas de Walt declarou:

> Se ele estivesse com sono e tivesse adormecido, ela simplesmente o deixava dormir. Ela entendia porque ele estava tão cansado.

A única participação de Walt nas atividades esportivas da escola aconteceu porque Beck era a treinadora da equipe de corredores. Como

Disney se lembrou depois, em uma carta que enviou em 1940 à sua professora predileta:

> Costumo pensar muito em você e nos dias que passei na Benton. Posso ver você perfeitamente... treinando os times de atletismo para o campeonato anual de corrida de revezamento. Não sei se você se lembra disso ou não, mas participei de vários eventos e até ganhei uma medalha um ano, no campeonato de revezamento de corredores de 36 quilos. Eu trabalhava muito na minha rota de entrega de jornais e não tinha muito tempo para treinar, mas consegui comparecer a alguns campeonatos.

Em 1955, Walt descreveu em uma carta como se lembrava de Daisy Beck:

> A professora de que me lembro mais, com um respeito terno, é a Srta. Daisy A. Beck. Ela ensinava a sétima série na velha escola de ensino fundamental Benton em Kansas City, Missouri. Após se casar, ela se tornou a Sra. W. W. Fellers e se aposentou anos atrás, depois de uma vida excelente, dedicada às centenas de alunos que passaram por sua sala de aula. E agora ela faleceu.

Mas pessoas como a Srta. Daisy A., como a chamávamos, nunca se aposentam da nossa memória. Ela continua tão vívida hoje quanto era na época em que se preocupava, cheia de paciência, em ensinar um menino sonolento mais interessado em desenhar caricaturas nas margens de seu livro-texto do que aprender os conceitos básicos de ler, escrever e narrar.

Ela foi a pessoa que conseguiu me convencer de que aprender podia ser divertido... até mesmo nos livros escolares. E esse é um momento excelente na vida de uma criança. Ela tinha jeito para fazer coisas que eu considerava chatas e inúteis parecerem interessantes e empolgantes. Eu nunca me esqueci dessa lição.

Passar pela sétima série foi um dos desafios mais difíceis de toda a minha limitada vida escolar. É preciso ser um bom professor para ensinar matérias da sétima serie. É preciso saber muito sobre a natureza humana enquanto as pessoas ainda são imaturas. Como convencer mentes jovens, teimosas e renitentes, e como fazer a sala de aula competir com tudo que tende a atrair a atenção de uma criança para o mundo exterior.

Esse é o tipo de professora que Daisy A. era. Eu tinha pouca inclinação para aprender em livros e muito pouco tempo para estudar. Quando eu tinha nove anos, meu irmão Roy e eu já éramos empresários. Tínhamos uma rota de distribuição de jornais do *Kansas City Star*, entregando jornais em uma área residencial toda manhã e tarde do ano, chovesse, fizesse sol ou nevasse. Nós nos levantávamos às três da matina e trabalhávamos até o sinal da escola tocar, e fazíamos a mesma coisa outra vez, das quatro da tarde até a hora do jantar. Eu costumava dormir na minha carteira e meu boletim revelava isso.

Mas a Srta. Daisy A. não deixava de me incentivar. Ela conhecia nossas circunstâncias. Ela nunca deixou de lado o que considerava sua responsabilidade como professora. Eu acho que devo ter sido um desafio e tanto para sua paciência. Ela nunca repreendia os alunos. E eu não acredito que ela tenha envergonhado nenhum de nós nem deixado de nos incentivar.

Só houve uma vez em que ela perdeu a paciência comigo. Foi por causa de uma peça que eu preguei. Eu havia salvado um rato-do-campo de um gato e levado o bichinho para a escola. Amarrei um barbante nele, e ele foi até uma carteira próxima da minha. Uma menina gritou e chamou a atenção da professora, que veio na mesma hora. E aí eu levei uma baita repreensão! Ela me apertou a bochecha, com tanta força, que fiquei sentindo a dor durante vários dias. Eu mereci aquilo. Essa foi uma das minhas "aventuras da vida real", pode-se dizer.

Sempre tive inclinação para pensar em imagens, em vez de palavras. Vivia sonhando em me tornar artista, um cartunista de jornal, naquela época. Passava muitas horas desenhando figuras nas margens dos livros, como os *McGuffey Readers*, e depois fazendo as páginas passarem rápido para ver as figuras se mexendo. Era assim que eu entretinha meus colegas.

A Sra. Beck também compreendia isso. Ela não só tolerava minhas atividades extracurriculares, como também as incentivava. Ela também via o que entendia como talentos em potencial em outros alunos e fazia tudo que podia para que eles os desenvolvessem.

O fato era que ela tentava entender todos nós como indivíduos. Mas nunca favorecia nem mimava ninguém. Ela conseguia, de algum jeito, promover nossas inclinações pessoais sem negligenciar os requisitos formais de ensino da nossa série.

Ela sabia que os bons alunos, os mais capazes, que entendiam facilmente as lições, se dariam bem sem muita ajuda ou incentivo. Eram os alunos preguiçosos, como eu, que mais precisavam de ajuda. Portanto, com muita paciência e compreensão, e uma fé incrível, ela usava seus fantásticos talentos como professora tentando ensinar o currículo a seus alunos menos promissores.

Outros professores da Benton dos quais costumo me lembrar eram a Srta. Katherine Shrewsbury e a Srta. Ora E. Newsome, professoras de arte, a Srta. Ethel Fischer e, por último, porém não menos importante, o diretor J. M. Cottingham, que reconheceu que eu nunca precisei ir a sua sala para ser repreendido. Isso, admito, foi por pura sorte.

Para resumir, a professora mais extraordinária da minha juventude nos ensinou a constantemente encontrar nossa própria motivação para fazer as coisas, em vez de fazer tudo por obrigação.

O EVANGELHO SEGUNDO WALT

WALT DISNEY era um homem profundamente religioso que acreditava piamente que o bem triunfaria sobre o mal e que era importante aceitar e ajudar a todos, sem ligar para as diferenças. Ele tinha grande respeito por todas as religiões.

Até o nome de Walt Disney deve sua existência à religião e à igreja. Ele foi batizado com o nome do Reverendo Walter Parr, que era o pastor da Igreja Congregacional de São Paulo em Chicago, que a família Disney frequentava na virada do século XX. Quando a igreja de S. Paulo precisou ampliar-se, o pai de Walt, Elias, que ganhava a vida como carpinteiro, ofereceu-se como voluntário para construir uma nova igreja para a congregação. Ele erigiu um prédio simples porém adequado a seus fins, com um telhado bem alto e inclinado.

Elias era amigo íntimo de Parr, e ocasionalmente fazia o sermão semanal quando Parr estava fora da cidade ou indisposto. A esposa de Elias, Flora, tocava o órgão nos serviços dominicais. Parr batizou o jovem Walt Disney na igreja no dia 8 de junho de 1902.

Elias Disney sempre foi descrito como uma pessoa severa e rígida, embora haja indícios de que também era um homem sociável e afetuoso que às vezes percebia que um pouco de divertimento era necessário, tocando violino nas tardes de domingo. Porém, uma das coisas que Elias levava muito a sério era a religião.

Ele não acreditava que adultos devessem apreciar o fumo nem o álcool, e desaprovava coisas que achava frívolas, inclusive balas para crianças e certos livros. Ele censurava os filhos dizendo que se eles estivessem determinados a ler antes de cair no sono, deviam então ler a Bíblia, não um dos livros populares na época. Cada dia na casa da família Disney começava com uma prece ao redor da mesa do café da manhã.

Esta educação intensa e religiosa teve um efeito definitivo no jovem Walt, mas não aquele que o seu pai desejava, porque Walt, quando adulto, deixou de frequentar a igreja.

A filha de Disney, Sharon, disse:

> Ele era um homem muito religioso, mas não acreditava que fosse preciso ir à igreja para ser religioso. Ele respeitava todas as religiões. Não havia nada que ele criticasse em alguma delas e nem mesmo contava piadas sobre religião.

A outra filha de Walt, Diane Disney Miller, relembrou:

> Papai nos levou à escola dominical todo domingo durante vários anos. Era a Igreja da Ciência Cristã, porque mamãe frequentou esta igreja durante algum tempo. Depois, ele nos levava para o Parque Griffith ou para o estúdio ou para algum outro lugar. Era o dia do papai. Eu frequentei uma escolinha da Ciência Cristã até a terceira série, depois fui para o colégio Imaculado Coração, que adorava. A beleza do campus, as grutas e os santuários, a Via-Sacra na capela, a fé tangível porém misteriosa realmente me atraíam, e acho que papai achou que eu poderia até me tornar freira. Ele sempre esteve acessível às freiras de lá, exatamente como era acessível às irmãs do colégio S. José, que ficava em frente ao estúdio.
>
> Eu sei que ele tinha muito respeito por todas as religiões. O rabino Edgar Magnin [líder espiritual da Congregação B'nai B'rith/Templo Wilshire Boulevard, considerado o "Rabino das Estrelas"] refere-se a meu pai como "meu amigo Walt Disney" em seu livro intitulado *365 Vitaminas para a Mente*. Ele foi o Homem do Ano da B'nai B'rith da Divisão de Beverly Hills em 1955. Minha irmã namorou um rapaz judeu durante algum tempo sem sofrer nenhuma objeção de nenhum dos meus pais. Certa vez, papai disse, inocentemente mas com orgulho: "Sharon, acho maravilhoso como essas famílias judaicas te aceitaram"... e foi um comentário muito sincero. Ela sabia como fazer sanduíches de bagels com salmão defumado bem antes de eu saber que eles existiam, e ia a muitos bar mitzvahs etc.
>
> Jules e Doris Styne eram bons amigos. Papai teve muitos amigos judeus, desde a sua infância. Quando uma das minhas primeiras amigas, assim que entrei na Escola fundamental Los Feliz, na quinta série, me perguntou se eu

era judia, respondi: "Não sei. Acho que não". Perguntei aos meus pais naquela noite. Muitos dos amigos que apoiaram mais meu pai em sua carreira em Hollywood eram judeus. A conclusão óbvia era que o papai não poderia ser acusado de nenhuma forma de antissemitismo.

O roteirista e artista conceitual Joe Grant, que era judeu e via a interação de Walt com outros empregados judeus, disse:

Pelo que sei, não havia evidência de antissemitismo. Acho que toda essa ideia deve ser posta de lado e enterrada bem fundo.

Em janeiro de 1943, Walt escreveu uma carta para sua irmã, Ruth, sobre sua filha Diane, que na época tinha cerca de dez anos:

A pequena Diane frequenta agora uma escola católica, que ela parece adorar. Ela é fascinada pelos rituais e está estudando catecismo. Não decidiu ainda se quer ser católica ou protestante. Acho que ela é inteligente o suficiente para saber o que quer fazer, e acho que qualquer decisão que tome é privilégio seu. Venho explicando a ela que os católicos são pessoas exatamente como nós e basicamente não há nenhuma diferença. Dando-lhe essa visão ampla, pretendo criar nela um espírito de tolerância.

Durante toda a sua carreira, Walt evitou, de propósito, em qualquer filme, conteúdos religiosos, raciocinando que partes da plateia ficariam ofendidas se alguma seita em particular fosse retratada. Por exemplo, as sequências de *Noite no Monte Calvo* e *Ave Maria* no filme Fantasia (1940) originalmente iram acontecer em uma capela gótica, com múltiplas imagens da Virgem Maria, mas Walt raciocinou que seria mais eficaz se fosse ao ar livre, em um ambiente que meramente lembrasse uma igreja.

Diane Disney Miller disse a um pastor que não há nenhuma igreja na Main Street na Disneylândia porque seu pai não queria favorecer uma religião em particular, ainda que houvesse planos para uma igreja nos desenhos conceituais iniciais, e muito embora o (então) governador da Califórnia, Goodwin Knight, mencionasse para o público em cadeia de televisão nacional, na inauguração da Disneylândia, que haveria uma igreja na Main Street.

O Reverendo Glenn Puder, sobrinho da esposa de Walt, proferiu a bênção na inauguração da Disneylândia, no dia 17 de junho de 1955. Puder estava ao lado de representantes das principais religiões americanas da época: católica, judaica e protestante. Convites individuais para as cerimônias de inauguração incluíram o Cardeal James McIntyre (católico), o Bispo Francis Eric Bloy (episcopal), o Bispo Gerald Kennedy (metodista), o Dr. Carroll Shuster (presbiteriano) e o Rabino Edgar Magnin.

Walt também mandou convites a editoras de oitos diferentes jornais religiosos (católicos, judeus e protestantes), bem como a representantes de igrejas próximas, inclusive dez batistas, nove metodistas, oito católicas, oito luteranas, sete cristãs, seis igrejas de Cristo, seis episcopais, cinco metodistas, duas congregacionais, uma nazarena e uma sinagoga.

Com o passar dos anos, Walt recebeu muitos prêmios de vários grupos religiosos. Em 1965, por exemplo, ele recebeu o Amicus Juvenum (Amigo da Juventude) da Organização da Juventude Católica, oferecido pelo Padre William G. Hutson.

Em 1955, o escritor Samuel Duff McCoy entrou em contato com vários famosos, inclusive Lilliam Gish, Herbert Hoover, Conrad Hilton, Burl Ives, Harry Truman e Walt Disney para escrever sobre como a prece havia beneficiado essas pessoas. Ele incluiu as respostas em seu livro *How Prayer Helps Me* [Como a Prece me Ajuda]. Walt escreveu um artigo de três parágrafos intitulado "Minha Fé", para este livro.

> Tenho uma crença pessoal bastante forte e confiança no poder da prece para receber inspiração divina.
>
> Todas as pessoas têm suas próprias ideias do ato de orar para obter orientação de Deus, tolerância e misericórdia para dar conta de seus deveres e responsabilidades. Meu próprio conceito de prece é que ela não deve ser um pedido por favores especiais nem servir como um paliativo rápido para pecados cometidos. Uma prece, para mim, implica uma promessa e também um pedido.
>
> A meu ver, todas as preces, feitas pelos humildes ou pelos poderosos, têm algo em comum: uma súplica para obter força e inspiração para gerar os melhores impulsos humanos, os quais nos devem unir a todos para que o

mundo seja melhor. Sem essa inspiração, rapidamente nos deterioraríamos e finalmente pereceríamos.

O irmão de Walt, Roy, ficou tão comovido ao ler essas palavras que mandou a gráfica do estúdio produzir uma versão intitulada "A Prece em Minha Vida" e a distribuiu a visitantes selecionados quando eles iam aos Estúdios Disney. Ela também foi reimpressa para ser inserida em um disco contendo uma antologia de músicas, *Magical Music of Walt Disney* [A Música Mágica de Walt Disney], de 1978.

Em 1963, o escritor religioso Roland Gammon entrou em contato com 55 americanos, inclusive J. Edgar Hoover, Steve Allen, Billy Graham, Eleanor Roosevelt, Roy Rogers, Bud Collyer e, naturalmente, Walt Disney. Ele pediu a cada um deles para responder a mesma pergunta: "Qual é a sua fé e qual foi o papel que ela desempenhou nas realizações de sua vida?"

Gammon passou três anos reunindo as respostas e depois as incluiu em seu livro *Faith is a Star* [A Fé é Uma Estrela].

A contribuição de Walt, "Ações em Vez de Palavras", repete quase palavra por palavra o que ele havia escrito para o livro anterior, acrescentando, porém, uma extensa explicação sobre a importância de sua fé e mencionando seu "estudo das Escrituras" e o "costume de fazer preces". Eis um trecho:

> Nestes dias de tensões mundiais, quando a fé dos homens está sendo testada como nunca, sinto-me agradecido por meus pais haverem me ensinado a, desde menino, ter uma crença pessoal forte e confiança no poder da prece para inspiração divina. Minha família frequentava a Igreja Congregacional em nossa cidade natal de Marceline, no Missouri. Foi lá que eu aprendi a eficácia da religião... como ela nos ajuda incomensuravelmente a enfrentar a tribulação e as tensões da vida e nos mantém sintonizados com a inspiração divina. Uma prece implica uma promessa bem como um pedido; no nível mais alto, a prece não só é uma súplica para obter força e orientação, mas também se torna uma afirmação de vida e, portanto, um louvor reverente a Deus. Ações, mais do que palavras, expressam meu conceito do papel que a religião deve desempenhar na vida diária.

Walt continuou a escrever sobre como seu comprometimento com a fé o ajudou a tomar decisões que ele e seu irmão Roy tomavam, não só sobre os filmes produzidos, mas também na administração dos negócios.

> Tanto meus estudos das Escrituras quanto minha carreira entretendo crianças me ensinaram a amá-las. A maioria das coisas são boas, e estas são as coisas mais fortes; mas há coisas más também, e não é bom tentar proteger as crianças desta realidade. O mais importante é ensinar às crianças que o bem sempre pode vencer o mal e é isso que tentamos fazer em nossos filmes.
> Portanto, o sucesso que tive em produzir entretenimento puro e informativo a pessoas de todas as idades, atribuo, em grande parte, a minha educação na igreja congregacional e a meu hábito de sempre orar. Para mim, hoje, na idade de 61 anos, todas as preces, feitas pelos humildes ou pelos ricos, têm uma coisa em comum: súplica para obter força e inspiração para realizar os melhores impulsos humanos que devem nos unir para construir um mundo melhor.

Diane Disney Miller refletiu:

> Sempre tive a impressão de que papai não teria sido tão pretensioso em suas atitudes com relação à oração e que ele teria visões de religião e prece mais parecidas com as de Lincoln, não só por causa de sua reverência por Lincoln mas também porque elas teriam sido as suas, naturalmente. Porém, há coisas nesse texto dele, como essa sua menção de DeMolay, que não teriam vindo de alguém do departamento de propaganda do Estúdio, se outra pessoa escrevesse o artigo, e talvez papai estivesse apenas tentando ser mais determinado por causa do público que iria ler essas palavras.

A esposa de Walt, Lillian, acrescentou:

> Todo domingo ele levava nossas filhas para a escola dominical. Walt era muito religioso, mas ele mesmo nunca ia à igreja. Adorava todas as religiões e as respeitava, embora se irritasse com pastores muito beatos. Ele nunca comentou comigo que tivesse ido a alguma igreja, mas ele era muito religioso.

EXTRA! EXTRA! LEIA TUDO SOBRE O ASSUNTO!

WALT TINHA UMA TENDÊNCIA para sentimentalizar algumas das suas melhores lembranças infantis. A famosa rota de entrega de jornais de Kansas City da qual Walt falava com tanta alegria também lhe causou pesadelos recorrentes durante o resto de sua vida. Mesmo assim, Walt jamais sentiu pena de si mesmo, nem nenhuma das dificuldades pelas quais passou quando criança o desencorajaram nem o deixaram revoltado ou rancoroso.

Após vender a fazenda de Marceline, a família Disney se mudou para Kansas City, Missouri, onde Elias Disney conseguiu uma rota de entrega de jornais. Os jornais locais, o *Star* e o *Times*, relutaram em ceder essa rota a Elias porque ele tinha 51 anos; então, o dono da rota, segundo os registros, era Roy Oliver Disney, que na época contava 18 anos. Uma razão provável pela qual Elias se esforçou tanto por fazer desse um negócio bem-sucedido e exceder as expectativas de seus assinantes foi que ele precisava provar que podia dar conta daquela responsabilidade mesmo tendo a idade que tinha.

Elias fazia questão de recomendar aos filhos que não jogassem os jornais nos quintais das casas nem nas varandas, pedalando na bicicleta, e sim que desmontassem da bicicleta e levassem os jornais andando até a casa. Os jornais não podiam ser enrolados nem dobrados, e precisavam ser presos com uma pedra ou objeto pesado se houvesse uma chance do vento soprar e levá-los embora.

Em uma entrevista dada em 1966, Walt comentou sobre seu pai:

> Ele insistia que os jornais fossem entregues limpos e perfeitos. Era meticuloso com isso.

A Rota número 145 ficava entre as ruas 27 e 31 e as avenidas Prospect e Indiana. A família Disney assumiu o controle da rota no dia 1º de julho de 1911. Havia mais de 600 assinantes do *Times* matinal, 600 do *Star* vespertino e 600 do *Star* dominical. Quando a família Disney deixou de trabalhar nessa rota, já haviam aumentado a circulação do jornal em mais de 200 novos assinantes.

Walt lembra-se de que havia crianças agressivas em toda a rota, inclusive as gangues Pendergast e Costello, que nas batalhas com bolas de neve colocavam pedras dentro das bolas. Certa vez, eles até atiraram um tijolo em Walt e causaram-lhe um corte grave no couro cabeludo.

Elias contratava meninos para entregar os jornais e lhes pagava mais ou menos US$ 2,50 por semana. Seus filhos Walt e Roy também entregavam os jornais mas não recebiam pagamento. Elias achava que as roupas, a comida e o abrigo que ele lhes proporcionava já era compensação suficiente, porque a família necessitava de cada centavo que pudesse poupar.

Walt ganhava dinheiro vendendo jornais extras nas esquinas sem seu pai saber. Durante o recreio, ele varria a loja de doces em frente à escola em troca de uma refeição quente. Após a escola, ele nem mesmo podia passar alguns minutos jogando com seus amigos, pois precisava entregar a edição vespertina do jornal.

Durante seis anos, Walt entregou continuamente os jornais (parando apenas quatro semanas, em todo esse tempo, devido a uma doença que contraiu). Ele entregava jornais sob chuva pesada e durante nevascas gélidas. Levantava-se por volta das 3h30 da madrugada para pegar os jornais no caminhão de entrega, às 4h30.

Às vezes, depois que o magricela Walt, de nove anos de idade, havia arrastado mais de quinze quilos de jornais pela vizinhança, ele nem conseguia tomar café da manhã. Mal havia tempo para sair correndo para a escola, onde ele fazia o maior esforço para permanecer acordado durante as aulas. E a edição de domingo, com todos os seus acréscimos, tornava as coisas ainda piores, pois era três ou quatro vezes mais pesada do que a edição diária.

Pela manhã, assim que Walt se levantava para se vestir, ele voltava a adormecer sentado na beirada da cama enquanto tentava amarrar os sapatos. Seu pai gritava "Walter!" e aí ele acordava, com o coração batendo forte, e terminava de amarrar os sapatos.

Disney entregava os jornais primeiro nos prédios de apartamentos. Subia três andares e entregava em todas as portas, depois descia. Anos depois, conseguia se lembrar com clareza daqueles dias gelados em que era apenas um menino. Uma vez, os montes de neve estavam mais altos do que ele. Os registros meteorológicos de Kansas City, na época, confirmam esse fato. Naqueles dias gelados, ele às vezes precisava subir vagarosamente degraus congelados e escorregadios. Walt disse uma vez a sua filha Diane que de vez em quando ele escorregava, caindo degraus abaixo, e simplesmente desatava a chorar porque estava sozinho e sentindo muito frio.

No inverno, Elias insistia que todos os jornais fossem colocados atrás da porta de tempestade[1] do assinante. Naqueles dias, depois que Disney finalmente voltava para casa, as pessoas algumas vezes procuravam na varanda mas não abriam a porta da frente. Não viam os jornais na varanda e telefonavam para Elias, para reclamar. Elias então perguntava, austero: "Walter, você esqueceu de entregar o jornal do fulano?" E Elias não acreditava no filho quando Walt dizia ao pai onde havia deixado o jornal.

Elias respondia: "Bom, eles disseram que não acharam o periódico. Venha cá, pegue esse jornal aqui". E o jovem Walt voltava à casa do assinante, naquele frio, e tocava a campainha. Quando o assinante abria a porta tinha que abrir também a porta externa, e aí o jornal caía aos seus pés, sendo que Walt estava diante da porta com outro exemplar na mão. Os assinantes então diziam mais ou menos o seguinte: "Ah, desculpe, eu não olhei aí". Walt alegava que por mais frequentes que fossem esses incidentes, as pessoas continuavam se esquecendo de olhar.

Ele teve pesadelos recorrentes durante toda a sua vida, e em um deles havia se esquecido de alguns assinantes na sua rota de entrega de jornais. Ele se levantava suando frio e pensava: "Meu Deus, tenho que voltar lá correndo. Meu pai vai estar esperando naquela esquina". Seu pai realmente queria tornar o negócio um sucesso após tantas outras iniciativas dele terem resultado em fracasso – e Walt podia sentir esse nervosismo do pai.

---

[1] Nos EUA, as casas às vezes têm uma porta externa para protegê-las contra tempestades (ao todo, duas portas, uma da rua e outra interna). Walt colocava os jornais entre as duas portas. (N.T.)

As crianças que moravam ao longo da rota de entrega de jornais certamente estavam muito melhor de vida do que a família Disney, na época. Os meninos e meninas deixavam seus brinquedos na varanda, depois de brincarem com eles na noite anterior.

Walt não tinha nenhum brinquedo. Se ele ganhasse um peão ou um jogo de bolinhas de gude ou algum outro brinquedo, era uma festa. Seus pais só lhe davam coisas práticas, como roupa de baixo ou um casaco para o inverno. Seu irmão mais velho, Roy, costumava economizar o dinheiro do trabalho para poder comprar algum brinquedinho para Walt e sua irmã caçula, Ruth.

Às cinco da manhã, no escuro, Walt colocava seu saco de jornais no chão e brincava com os trens de corda e outros brinquedos de outras crianças, sozinho. Uma vez, ele parou em uma varanda onde encontrou brinquedos e uma caixa de doces pela metade. Se sentou ali e comeu alguns dos doces meio comidos, brincando também com os brinquedos.

Quando Walt contava essa história, mais tarde, quando já era mais velho, sempre insistia que nunca quebrava nenhum brinquedo e sempre os recolocava cuidadosamente no mesmo lugar de antes, para que as famílias não soubessem que havia brincado com eles. Depois ele se apressava a terminar sua rota, antes de a escola começar.

Disney gostava de se lembrar como ele, junto com outros jornaleiros de Kansas City, foram convidados para irem ao Palácio das Convenções de Kansas City no fim de semana de 27 e 28 de julho de 1917, para um evento especial patrocinado pelo *Kansas City Star*: uma apresentação da versão para o cinema mudo de *Branca de Neve*, estrelando Marguerite Clark. O filme era projetado em quatro telas diferentes no auditório imenso e, de onde ele estava sentado, Walt podia assistir a duas das telas (que não eram lá muito bem sincronizadas) ao mesmo tempo. Essa se tornou sua mais vívida lembrança sobre o cinema na sua infância.

Em 1963, Walt escreveu:

> Estou genuinamente feliz por ter tido essa experiência quando era garoto. Aliás, às vezes sinto pena dos meninos que nunca tiveram chance de entregar jornais nem vender revistas nem de ter nenhuma outra forma de ganhar seu próprio dinheiro, porque acho que todos vocês vão concordar que é

uma sensação ótima saber que o dinheiro que temos no bolso está ali por nosso próprio esforço, e que estamos obtendo experiência na vida profissional, o que só pode ser útil para nós mais tarde.

Disney havia compartilhado alguns desses mesmos pensamentos uma década antes em um artigo que escreveu para um livro de autoria de Sid Marks e Alban Emley, *The Newspaper's Boys' Hall of Fame*, de 1953. Entre outras coisas, o livro continha relatos de ex-jornaleiros como Bob Hope, Al Jolson, Jack Dempsey e Art Linkletter. O depoimento de Walt foi o seguinte:

> Ainda estou para conhecer um homem que tenha sido entregador de jornais quando menino e que não tenha sentido orgulho dessa experiência. Eu mesmo lembro a época em que meu irmão Roy e eu entregávamos jornais em Kansas City, Missouri, com uma imensa gratidão pelo que esse serviço diário significava naquele tempo e o que tem significado em toda a minha vida adulta.
>
> Naquela época, a sensação de responsabilidade que acompanha esse emprego pode parecer demais para um garoto. Fazer seu trabalho regularmente a cada dia, em todos os tipos de condições meteorológicas, muitas vezes contra a inclinação natural de perder tempo e adiar os deveres aceitos, dá a um menino uma boa base para suas responsabilidades como homem e cidadão quando ele se torna adulto. Ajuda muito a equipá-lo para as tarefas e as satisfações dos negócios ou da sua vida profissional.

Walt ainda escreveu sobre como seu pai incutiu nele e em seu irmão a importância de satisfazer os clientes, fato que tanto ajudou Disney em seus projetos futuros, inclusive num método inovador de prestação de serviços a hóspedes na Disneylândia que se tornou um modelo para muitas outras empresas. Walt concluiu dizendo que:

> Entregar jornais em muitos lares e escritórios também dá ao menino uma sensação de ser respeitado por seus vizinhos e de pertencer a sua cidade ou comunidade, bem como de ser um membro importante e confiável de sua própria família. Em consequência de tudo isso ele passa a sentir um orgulho

justificado e desenvolve uma autoconfiança em suas próprias habilidades, uma boa autoconfiança e competência que provêm de poder ganhar seu próprio dinheiro.
Creio que as vantagens para um menino que leva jornais nas rotas de bairro de sua cidade ou distrito, se ele não for pequeno demais e se a tarefa não for pesada demais para ele, são em geral tão positivas e valiosas hoje em dia quanto eram quando eu era jovem.

O 30° ANIVERSÁRIO DE CASAMENTO DE WALT

O TRIGÉSIMO ANIVERSÁRIO DE CASAMENTO de Walt e Lillian Disney foi uma comemoração extraordinária. Os convidados provaram julepos de menta[1] no barco fluvial *Mark Twain*, e depois compareceram a um lauto jantar no Golden Horseshoe Saloon, com direito a tudo, até a dançarinas de cancã. Diane, sua tímida filha de 21 anos, estava com um vestido de linho vermelho "meio ousado" que sua mãe havia comprado para esta ocasião. "Eu nunca vi meu pai mais feliz, nunca, nunca, nunca na minha vida", disse Diane Disney Miller, atualmente.

Durante o início do verão de 1955, mais ou menos 300 pessoas, inclusive famosos como Spencer Tracy, Cary Grant, Gary Cooper, Louis B. Mayer e Joe Rosenberg, receberam o seguinte convite:

COMEMORAÇÃO "O TEMPO VOA"

Onde: Na Disneylândia... onde há muito espaço...

Quando: Quarta-feira, 13 de julho de 1955, às seis horas da tarde...

Por que: Porque já estamos casados há 30 anos...

Como: Um cruzeiro no Mississippi, na viagem inaugural do barco fluvial *Mark Twain*, seguido de um jantar no Slue-Foot Sue's Golden Horseshoe!

Espero que você possa vir – queremos que você, especialmente você, compareça, e, por falar nisso, nada de presentes, por favor... Temos de tudo, inclusive um neto!

Lilly e Walt.

Embora ele estivesse física e mentalmente exausto por estar se preparando para a abertura da Disneylândia (ocorrida apenas quatro

[1] Bebida do sul dos Estados Unidos e drinque oficial do Kentucky Derby, preparado com bourbon, xarope e folhas de hortelã. (N.T.)

dias depois dessa festa), Walt decidiu comemorar seu 30º aniversário de casamento no parque que havia sido o grande sonho de sua vida.

Era uma tarde quente de julho. Depois de um longo dia inspecionando o parque com seu bloquinho na mão, anotando coisas a serem modificadas ou resolvidas, Walt terminou o dia esperando alegremente no portão da frente para receber os convidados que iam conhecer seu novo reino encantado.

Um inesperado engarrafamento havia causado atraso para alguns dos convidados e Walt fumou um cigarro ou dois, nervoso, enquanto esperava impaciente a chegada deles. Charretes transportaram os convidados pela Main Street, já quase completa, toda enfeitada com luzes cintilantes, passando pelos portões abertos da entrada do forte de madeira, rumo à Terra da Fronteira. Os comensais foram conduzidos através da Praça da Fronteira até o possante barco a vapor fluvial *Mark Twain*.

O Almirante Joe Fowler, que estava encarregado da construção da Disneylândia, tinha chegado uma hora antes para uma inspeção final no barco a vapor *Mark Twain*, que era impulsionado por rodas de pás, e garantir que não haveria incidentes naquela noite. O barco a vapor nunca tinha sido inteiramente testado no rio, e Fowler depois confessou a amigos que teve um pesadelo na noite anterior, no qual o leito artificial do rio havia tido outro vazamento e toda a água tinha secado.

Ele ficou surpreso por encontrar uma mulher a bordo do barco varrendo freneticamente a serragem e a sujeira com uma vassoura. Ela lhe entregou outra vassoura e disse: "Este barco está imundo! Vamos meter bronca e limpar tudo". Essa mulher era a esposa de Walt, Lillian, e o barco estava brilhando na hora em que os primeiros convidados chegaram.

Fowler se recordou:

> Tenho que admitir que havia muita serragem e várias coisas espalhadas. Aquela era a Lilly. Foi assim que a conheci. Todos os amigos do Walt compareceram à festa. Foi uma comemoração e tanto! O *Mark Twain* nunca havia percorrido toda a sua rota antes da noite da festa do Walt.

Na hora em que os convidados chegaram, o *Mark Twain* estava tinindo, branco e novinho em folha, com fieiras de lâmpadas antigas contornando-lhe os conveses. Uma banda no estilo Dixieland tocava melodias animadas de Nova Orleans. Garçons em trajes apropriados caminhavam pelos conveses levando bandejas cheias de copos de julepo de menta.

O apito do navio soou e ele se afastou suavemente do cais para dar início à sua jornada enquanto a noite ia caindo sobre os Rios da América. Não havia ainda as distrações vindas da ilha escura de Tom Sawyer, pois ainda se passaria um outro ano antes que aquele lugar fosse ativado. O barco deslizou sem dificuldade pelo canal artificial, todo ornamentado, transportando convivas para outra era e local, e lhes dando uma breve prévia do que as pessoas iriam sentir dentro de alguns dias.

Depois daquele cruzeiro agradável, os convidados foram levados ao Golden Horseshoe Saloon [Bar da Ferradura Dourada], ali perto, projetado pelo *imagineer* Harper Goff. O estilo desse estabelecimento era mais o de uma casa de ópera típica da virada do século do que de um *saloon* barulhento do Velho Oeste. Com seu papel de parede dourado, seus lustres elaborados e seus detalhes decorativos esculpidos em madeira, era um cenário luxuoso para a comemoração do aniversário de casamento. O evento incluiu jantar e um bolo de quatro camadas, que Walt e Lillian cortaram enquanto suas duas filhas, Diane e Sharon, assistiam, com um largo sorriso, ao lado dos pais.

Diane me contou:

> Mamãe e papai não ficaram no camarote, mas sim no andar de baixo, junto com os convidados. Papai estava extremamente feliz, perambulando pela sala, o que dá para notar pelas fotos. Todos os convidados eram gente da qual ele e mamãe gostavam, e que gostava deles. Eu tinha vindo de Monterrey para o evento, com nosso bebê, o Chris. Ron estava no exército na época, pois tinha sido destacado para servir no Forte Ord. Mamãe havia comprado um vestido para mim. Como eu lhe disse, todos, meus pais e os convidados deles, estavam sentados às mesas esperando o jantar e o espetáculo. Eu não me lembro qual dos dois aconteceu primeiro. Papai circulava pelo salão, cumprimentando as pessoas e batendo papo com elas, todos amigos seus, de longa data, e suas famílias.

O espetáculo que se desenrolou no palco mudou pouco com o passar das décadas, tornando-se o musical mais antigo em cartaz da história, com dezenas de milhares de apresentações, segundo o *Livro Guinness de Recordes Mundiais*. A anfitriã Slue Foot Sue cantava e apresentava suas dançarinas de cancã. Havia até um tenor irlandês tradicional. Porém, a principal atração do espetáculo era o talentoso humorista Wally Boag, que exibia um número de *vaudeville* de uma cafonice hilariante, fazendo o papel de um caixeiro-viajante, e depois reparecia no final, como o namorado da Sue, um famoso vaqueiro destemido chamado Pecos Bill. Com pistolas de seis tiros reluzentes (às quais depois se acrescentaram pistolas de água para borrifar a plateia), Boag e o elenco inteiro enchiam o palco e terminavam o espetáculo de forma memorável e ruidosa.

No verão de 1956, Diane se lembrou deste evento da seguinte forma:

> Os convidados chegaram e entraram em charretes que os levaram até o cais do navio a vapor. Depois eles navegaram no *Mark Twain* bebendo julepos de menta ou o que quiseram beber, e foram jantar no Golden Horseshe. Papai tinha estado no parque o dia inteiro, antes disso. Aquele parque havia sido um sonho dele durante muito tempo, e agora estava se tornando realidade. Tudo estava quase pronto. Ainda não tinham plantado toda a grama ou as árvores, e tudo ainda estava meio empoeirado por causa da terra das obras – mas o parque estava terminado. Naquela altura, já era uma realidade bastante concreta.
>
> Portanto, quando ele entrou no barco, eu estava com ele durante a maior parte do tempo, e acho que ele não bebeu muito. Acredito que talvez ele tenha bebido dois ou três julepos no máximo enquanto estava no barco. Mas estava se descontraindo completamente, do ponto de vista mental e físico. Achava-se tremendamente estimulado por isso e pelas centenas de pessoas presentes que estavam dizendo que o parque era maravilhoso! Tudo que o cercava estava lhe dizendo que ele tinha uma coisa maravilhosa nas mãos. Essa reação estimulante de todos que estavam presentes, mais o que ele mesmo estava sentindo, se combinou para gerar um efeito negativo. Na verdade, não tenho certeza se foi bom ou ruim. Mas aquele dia foi simplesmente muito divertido, agora que estou me lembrando dele.
>
> Foi muito divertido para todos, mas desastroso para a família, acho eu. No

encerramento do espetáculo o Pecos Bill atirou com as pistolas, as dançarinas de cancã dançaram, e tudo. Foi uma barulheira imensa, um verdadeiro caos, e por um minuto, nem eu nem minha mãe notamos onde o papai estava. E de repente o vimos pendurado no balcão tentando pular no palco. A esta altura, o Pecos Bill estava disparando suas pistolas e o papai estava usando os dedos para formar um revólver e retribuindo os tiros. E gritando "Bang! Bang!" E as pessoas notaram o que ele estava fazendo e gritaram: "Olha o Walt!" Alguns convidados aplaudiram, e houve reconhecimento geral da plateia, que incentivou meu pai a prosseguir. Pensei que ele fosse cair do balcão, mas ele conseguiu descer até o palco. Ficou parado ali, sorrindo. Todos começaram a dizer: "Discurso! Discurso!", ou a torcer claramente para que ele dissesse alguma coisa. Eu só me lembro de tê-lo visto ali de pé, com cara de estar plenamente satisfeito.

Então todos começaram a aplaudir e gritar: "Lilly! Lilly! Queremos Lilly!" Então a mamãe se levantou e foi até as escadas para subir ao palco, pensando: "Se eu subir lá talvez consiga trazer o Walt de volta". Só que isso não aconteceu. Mamãe arrastou Sharon e eu para o palco com ela, e nada aconteceu. Meu pai ficou firmemente plantado ali, só aproveitando aquele momento, adorando cada minuto dele. Acho que alguém deve ter percebido nossa frustração porque a banda começou a tocar, e Edgar Bergen subiu ao palco e começou a dançar comigo. Alguém subiu e dançou com mamãe e Sharon. Todos começaram a dançar no palco e meu pai foi delicadamente empurrado para os bastidores. Ele se contentou em ficar ali mesmo. Estava adorando cada minuto da comemoração.

Todos ficaram muito preocupados com ele. Temiam o que podia acontecer se ele dirigisse o carro ao voltar para casa. Algumas pessoas haviam alugado um ônibus para vir ao parque e queriam levar o Walt consigo. Alguém se ofereceu para levá-lo para casa de carro. Mas eu é que ia levá-lo no meu carro. Para mim, isso não era nada. Eu não achava que meu pai estivesse tão mal das pernas assim, mas todos estavam perguntando, como se ele estivesse sendo beligerante, e tal. "Precisamos tirar as chaves do carro do bolso dele sem ele perceber", diziam. Eles ficaram muito, mas muito preocupados mesmo.

Eu simplesmente fui até onde ele estava e disse: "Papai, posso te levar para casa?" "Claro, querida!" foi a resposta. Não houve problema algum. Ele estava muito tranquilo, sossegado, não criou nenhum caso. Então saiu para entrar no meu carro e algumas pessoas ainda estavam preocupadas, achando que ele ia tentar dirigir, mesmo contra a minha vontade. Só que ele se sentou no banco de trás. Enrolou seus projetos – acho que era um mapa da Disneylândia –, e começou a tocar o tubo de papel como se fosse um trompete, no meu ouvido, feito um menininho com um instrumento de brinquedo. Então passou a cantar uma canção ou coisa assim. Quando fui ver, tudo ficou quieto. Olhei para o banco de trás e o vi sentado ali, como um menininho, com aquele instrumento improvisado nos braços, profundamente adormecido. Foi realmente uma gracinha. Mas acho que ele não havia bebido muito, porque na manhã seguinte não estava de ressaca. Ele saiu de casa às sete e meia, para regressar à Disneylândia.

O ator Wally Boag lembrou-se do comportamento de Walt no seu aniversário de casamento:

As pessoas o viram [Walt] lá em cima [no camarote superior à esquerda do palco] e começaram a chamá-lo, para que ele descesse para o palco. Ele trepou na grade do camarote e pulou no palco durante o encerramento do espetáculo. Eu atirei meus dois cartuchos finais e, com a mão formando um revólver, ele "atirou" de volta em mim. Lilly veio se juntar a ele. Ela adorava dançar e Walt não. Porém, quando a banda começou a tocar, ele pegou a mão dela e dançou pelo palco. Ela não sabia, mas ele tinha aprendido a dançar porque compreendia como ela gostava disso. Eu não me lembro exatamente o que ele disse depois que subiu ao palco, mas foi mais ou menos que ele estava finalmente realizando seu sonho adiado durante muitos anos de ter um parque de diversões para a família inteira. Todos nós, ali naquela noite, sabíamos que íamos participar de algo muito especial e magnífico, e que a aventura estava apenas começando.

Diane acrescentou recentemente:

Foi uma situação cômica e engraçada, não exatamente embaraçosa. A história foi como a que contei anteriormente, tim-tim por tim-tim. Achei uma gracinha a forma como ele simplesmente me entregou as chaves do carro. Foi uma coisa de "papai velho e tolinho".

> Foi durante o espetáculo, quando Wally Boag apareceu no palco, atirando, que notamos o papai no balcão. Ele retribuiu os tiros do Wally, com o polegar e o indicador esticados: "bang, bang, bang", sabe como é, né? E aí ele aparentemente decidiu que gostaria de estar no palco, com Wally, e começou a descer – uma iniciativa que considerei bem documentada pelo fotógrafo, segundo vi depois. Aliás, a encenação dele foi excelente. Deve-se lembrar que papai começou sua carreira dessa forma, nos palcos de *vaudeville* de Kansas City, com seu companheiro Walt Pfeiffer.

Na noite seguinte houve uma homenagem a Walt Disney no Hollywood Bowl. Entre os artistas se encontravam Fess Parker, Buddy Ebsen, Sterling Holloway e Cliff Edwards. No final da seleção de músicas da Disney daquela noite, Goodwin Knight, governador da Califórnia, que seria um importante orador convidado na inauguração da Disneylândia, dali a apenas alguns dias, nomeou Walt governador honorário da Califórnia e lhe entregou um gorro de peles no estilo Davy Crockett, folheado a prata.

Em 13 de julho de 2010, seria o 85º aniversário de casamento de Walt e Lillian. Embora tenha havido muitas festas e comemorações especiais na Disneylândia durante todas as décadas que se passaram desde então, nenhuma foi tão mágica e emocionante quanto aquela primeira festa na Disneylândia.

O CARDÁPIO DE WALT DISNEY

Em 1850, o filósofo alemão Ludwig Feuerbach escreveu a conhecida frase, "Der Mensch ist, was er isst", que se pode traduzir como "O homem é o que ele come".

Se isto for verdade, então quais foram os alimentos especiais que geraram e sustentaram o gênio inigualável de Walt Disney?

A resposta é surpreendente.

A filha de Walt, Diane Disney Miller, revelou:

> Antes de se casar com a mamãe, papai comeu em lanchonetes e em *trailers* de rua durante tantos anos, para economizar dinheiro, que acabou desenvolvendo uma preferência por comidas "rápidas".
> Ele gostava de batatas fritas, hambúrgueres, sanduíches de ovo, bacon e presunto, panquecas, ervilhas em lata, picadinho, guisados, sanduíches de rosbife. Ele não gostava de filé-mignon nem de nenhum corte caro de carne. Não comia legumes, mas adorava fígado de galinha e macarrão com queijo. O papai em geral comia muito no almoço enquanto estava trabalhando no estúdio e, depois, só beliscava no jantar. Mamãe dizia: "Por que [a nossa empregada] Thelma e eu devemos planejar uma refeição, se o Walt só quer comer uma lata de *chili*[1] ou de espaguete?

Disney costumava levar consigo frutas secas e biscoitos do tipo *cream cracker*, que guardava nos bolsos do casaco para poder fazer um lanche rápido se sentisse fome durante o dia. Segundo sua esposa, Lillian:

---

[1] Carne moída com molho de tomate e pimenta, que às vezes se come com feijão. Prato de origem mexicana que acabou sendo incluído na culinária do sul dos EUA e que agrada a muitos americanos. (N.T.)

> Walt comia coisas muito simples. Gostava de alimentos básicos. Adorava feijão com molho de carne apimentada. No café da manhã ele comia ovos, torradas, suco de frutas, ocasionalmente uma linguiça. O almoço dele em geral era só um sanduíche com café e leite. Ele sempre tomava café no almoço.

Quando Walt não tinha visitas com as quais almoçar nos Estúdios Disney, ele comia na sua escrivaninha. Sua refeição predileta era feijão com carne apimentada. Ele combinava uma lata de Gebhardt's (que tinha muita carne e poucos feijões) com uma lata de Dennison's (com menos carne e mais feijões). Antes de comer, ele tomava um copo de suco de vegetais V-8 e o acompanhava com bolachas.

Se os visitantes ficassem para almoçar, eram conduzidos à sala de conferências ao meio-dia. Disney lhes servia um aperitivo de suco V-8, o que surpreendia alguns de seus convidados estrangeiros, os quais esperavam algo mais forte. A secretária dele costumava avisar aos visitantes que se Walt lhes oferecesse um copo de "suco de tomate", era melhor eles aceitarem. Não há documentação sobre as consequências para quem recusasse a oferta.

Quando Walt viajava, ele levava consigo latas de carne com feijão apimentado e outros alimentos enlatados dos quais gostava. No elegante Hotel Dorchester em Londres, os garçons lhe serviram *chili* com feijão e bolachas, que ele havia trazido dos Estados Unidos, para grande constrangimento de Harry Tytle, produtor de vários filmes da Disney, que estava jantando com Walt nesse dia.

No seu livro, *Kings in the Kitchen*, de 1961, Gertrude Booth "apresentou sua coleção de receitas favoritas de homens famosos", inclusive de Walt Disney, e também de Bob Hope, J. Edgar Hoover, John F. Kennedy, Alfred Hitchcock, e muitos outros. Booth apresentou a receita especial secreta de *chili* do Walt ao público pela primeira vez:

Receita de Chili do Walt:

- 1 kg de carne moída (grossa)
- duas cebolas (fatiadas)
- dois dentes de alho (picados)
- 1 kg de feijão mulatinho

- ½ xícara de aipo (picado)
- 1 colher de chá de pimenta malagueta em pó
- 1 colher de chá de páprica
- 1 colher de chá de mostarda em pó
- 1 lata de tomates pelados, sem líquido
- sal a gosto

Deixar os feijões de molho durante toda a noite em água fria. Escorrer a água. Acrescentar água até cobrir os feijões – mais ou menos dois ou três dedos. Ferver os feijões com as cebolas em fogo baixo até amaciar (em torno de quatro horas). Enquanto isso, preparar o molho dourando em óleo a carne e o alho picado. Acrescentar os outros ingredientes e deixar o molho cozinhar em fogo baixo durante uma hora. Quando os feijões estiverem bem macios, acrescentar o molho e deixar fervendo durante 30 minutos. Rende de seis a oito porções.

Como parte dos Cem Anos de Comemoração Mágica do Walt Disney World, vários restaurantes quiseram oferecer sobremesas especiais baseadas nas preferências de Walt. Uma de suas ex-secretárias, Lucille Martin, e Diane Disney Miller revelaram que as sobremesas preferidas de Walt eram muito "caseiras" e incluíam tortas de limão com cobertura de suspiro, de maçã e de amora.

A cozinheira da família Disney preparava uma sobremesa diferente a cada noite. As outras sobremesas prediletas de Walt eram pudim de maçã Brown Betty, creme de ovos, pudim de pão, maçãs assadas, gelatina de morango com frutas, pudim de limão feito com gelatina e claras e torta *chiffon* de limão, com cobertura de bolachas esfareladas. Ele gostava de biscoito de gengibre e de um tipo de biscoito feito com macarrão chinês e calda de caramelo.

Quando Dwight e Mamie Eisenhower publicaram um livro de culinária, *Five-Star Favorites: Recipes from Friends of Mamie & Ike*, em 1974, solicitaram receitas de seus amigos; a família Disney contribuiu com uma das receitas de sobremesas prediletas de Walt, que também era a favorita do primeiro neto dele, Christopher Disney Miller, com cujo nome esta torta *chiffon* de limão com crosta de bolachas *Graham* foi batizada:

Torta Gelada do Chris

- 4 ovos, separar as gemas das claras
- ½ xícara de suco de limão
- ½ xícara de água
- 1 colher de sopa de gelatina sem sabor
- 1 xícara de açúcar
- ¼ de colher de chá de sal
- 1 colher de sopa de casca de limão ralada
- 1 crosta de migalhas de bolacha *Graham*
- noz moscada

Em uma tigela pequena bata as gemas de ovos com suco de limão e água até elas se combinarem. Misture a gelatina, metade do açúcar e o sal em uma panela em banho-maria. Depois despeje a mescla de gemas na panela, misturando bem e mexendo constantemente, sobre a água fervente (a água não deve tocar espirrar na panela) até a gelatina se dissolver e a mistura se espessar. Retire a panela do banho-maria. Incorpore a casca ralada de limão, mexendo bem. Deixe descansar por 20 minutos sobre uma terrina cheia de cubos de gelo, mexendo de vez em quando. Remova da terrina de gelo quando a massa estiver espessa o suficiente para formar um montinho quando pingada com uma colher.

Enquanto isso, bata as claras de ovo (à temperatura ambiente) em uma tigela grande, até se formarem picos macios quando se erguer a batedeira. Gradativamente, acrescente o açúcar restante, duas colheres de sopa de cada vez, batendo muito bem depois de cada acréscimo. Continue batendo até se formarem picos duros ao se erguer a batedeira. Misture delicadamente a gelatina com as claras até elas estarem bem combinadas. Despeje sobre a crosta da torta. Pulverize a parte de cima com noz-moscada e deixe na geladeira durante várias horas (se desejar, exclua a noz moscada e sirva com creme *chantilly*).

Lillian lembrou-se que Walt:

> [...] não gostava muito de doces. Às vezes se chateava com as coisas que lhe serviam. Ele também não gostava de bolo. Uma vez, a Thelma Howard [empregada da família Disney] fez um bolo com creme *chantilly* e Walt ficou

reclamando. Fiquei tão irritada que peguei um pouco do creme e joguei no meu marido. Acertei bem na cara dele. E aí ele também pegou um pouco de *chantilly* e jogou em mim. Começamos a jogar bolo e creme um no outro, sem parar... Eu me lembro que caiu um pouco no papel de parede e deixou uma marca gordurosa, e depois foi preciso trocá-lo.

Há uma receita estranha de Musse de Macarrão do Mickey que supostamente era a preferida de Walt e apareceu na edição de 1934 da revista *Better Homes and Gardens:*

> É especialmente apropriado o Sr. Disney ter essa preferência por esse prato, já que foi em parte por causa de sua preferência por queijo que ele teve a inspiração para criar o camundongo Mickey. E foi assim que aconteceu:
> Há alguns anos, quando estava fazendo serão em um estúdio de Kansas City, o Sr. Disney costumava dar pedacinhos do queijo de seu sanduíche da meia-noite para os camundongos que perambulavam pela sala na qual ele trabalhava.
> Segundo esta história, um ratinho acabou ficando tão seu amigo que subia na prancha de desenho, fazendo Walt vislumbrar, pela primeira vez e bem de perto, o esboço para o futuro Camundongo Mickey.
> O Sr. Disney costuma servir a Musse de Macarrão do Mickey para seus amigos que o visitam no seu bangalô de Hollywood. Ele às vezes varia esta receita mandando sua cozinheira colocar duas colheres de sopa de aipo bem picadinho em vez de uma colher de salsa picada, e acrescentar duas tiras de bacon picado bem fino.
> • 1 xícara cheia de talharim quebrado em pedaços de mais
> ou menos cinco centímetros
> • 1 ½ de leite fervido ainda quente
> • 1 xícara de farinha de rosca
> • ¼ de xícara de manteiga derretida
> • 1 pimentão bem picadinho
> • 1 colher de sopa de salsa picada
> • 1 colher de sopa de cebola picada
> • 1 ½ xícara de queijo ralado
> • 1 colher de chá de sal

- ¼ colher de chá de pimenta
- Uma pitada de páprica
- 3 ovos batidos

Cozinhe o macarrão em 1 litro de água salgada fervente, escorra, cubra com água fria e volte a escorrê-lo. Despeje o leite fervido sobre a farinha de rosca, acrescente a manteiga, o pimentão, a salsa, a cebola, o queijo ralado e os temperos. Depois acrescente os ovos batidos. Agora vire o macarrão em uma forma bem untada para pão ou uma caçarola, e despeje a mistura de queijo e leite sobre ele. Asse durante 50 minutos em forno baixo (160°C). Quando pronto, este bolo salgado fica firme o suficiente para conservar sua forma ao ser virado em uma travessa. Rendimento: seis porções.

No início dos anos 1950, quando Walt estava desenvolvendo o projeto da Disneylândia, chegava tarde em casa. Quase sempre entrava pela cozinha, que ficava mais perto da garagem. Também usava isso como uma desculpa para ver o que sua empregada, Thelma, havia preparado para o jantar.

Se ela tivesse preparado bifes, costeletas de carneiro ou frango assado, Walt lhe dizia: "Você sabe que não gosto disso", com um suspiro na voz, indicando decepção. Parecia que, por melhor que fosse o jantar, nunca era o que Walt queria naquele momento, e ele ficava resmungando.

Walt às vezes almoçava bem no Estúdio (porque usava aquele tempo para entrevistas ou para se reunir com seus convidados), e depois apenas beliscava na hora do jantar. Suas reclamações incomodavam Thelma, muito embora ela compreendesse o motivo delas. Ela tentava esconder o jantar que estava preparando se ouvisse o carro de Walt chegando. Apesar de a Sra. Disney suplicar ao Sr. Disney para ele não entrar na casa pela cozinha porque aquilo incomodava a Thelma, Walt continuou fazendo isso, porque parte do seu ritual vespertino consistia em apanhar uma salsicha na geladeira. Walt a chamava de "weenie"[2] porque era assim que se chamavam as salsichas na sua infância e adolescência.

Ele pegava uma salsicha para o cachorro da família, uma *poodle* branca, e outra para si. Walt adorava aquela cadelinha em particular

[2] O nome original era *wiener* (salsicha vienense). *Weenie* era uma espécie de adaptação para o inglês desse nome, originalmente alemão. (N.T.)

e ela até aparecia com Walt em algumas das primeiras introduções de programas de tevê. Sempre que ele andava sacudindo aquela salsicha, a cachorrinha o seguia. Quando Walt estava construindo a Disneylândia, ele usava a expressão nada arquitetônica "preciso de uma *weenie*" para conseguir que os convidados fossem para onde ele queria que eles fossem, tal como o Castelo da Bela Adormecida, o foguete TWA Moonliner e o barco a vapor *Mark Twain*.

Em uma entrevista dada em 1956, a filha de Walt, Diane, lembrou-se de que seu pai adorava:

> [...] uma antiga cadela que nós tínhamos, uma *poodle*. Ela passava o dia tristonha, mas se animava à noite, quando papai voltava para casa. Quando ele chegava, brincava com a cachorra, provocando-a com uma salsicha.

Diane se recordou:

> Com o passar dos anos, tivemos uma sucessão de cozinheiras. A nossa última, na casa de Woking Way, antes de nos mudarmos para a casa da Carolwood Drive, por volta de 1948, foi Bessie Postalwaite, uma boa cozinheira, mulher inteligente, do estado de Missouri. Esse fato estabeleceu uma ligação especial entre ela e meu pai.
>
> Bessie sabia como preparar a comida que ele gostava de comer: um picadinho muito bom feito com as sobras do rosbife da véspera, pudim de pão, pudim de maçã Brown Betty, torta cremosa de frango, frango frito, grelhado ou empanado.
>
> Quando era época de tomates, ela fazia para ele um acompanhamento de tomates com vinagre e açúcar. Ela não tinha papas na língua, era espirituosa e acho que ele realmente apreciava sua companhia. Durante a época em que Bessie esteve conosco, Thelma Howard entrou em nossas vidas, primeiro como faxineira, vindo uma ou duas vezes por semana.
>
> Quando nos mudamos para a rua Carolwood, Bessie se aposentou e Thelma se mudou para nossa casa. Fazia de tudo, e fazia tudo bem. Limpava a casa diariamente, preparava café da manhã, jantar e às vezes almoço para todos nós, e sabia lavar roupa muito bem. Era uma cozinheira excelente. Suas tortas eram soberbas.

Havia certas coisas que o papai gostava de comer. Ele não se interessava muito por bifes, e preferia picadinhos, cozidos, sopas, até mesmo enlatadas. Ele se cansou dos cardápios da mamãe, que incluíam frequentemente costeletas de carneiro, batata assada, salada; e por isso, certa manhã, entregou à Thelma uma lista quando desceu para o desjejum.

Ele disse: "Thelma, eis uma relação das coisas que gosto de comer". Esta lista, de alguma forma, resistiu às décadas que se passaram após a morte do meu pai e foi encontrada depois da morte da mamãe, guardada em uma revista *LIFE* antiga, no "quartinho de empregada" que teve diversas ocupantes diferentes após a aposentadoria da Thelma.

Walt havia escrito em letra bastão o título "Favoritos de Walt Disney" em tinta azul de um dos lados de duas fichas de 12 x 18 cm, sendo que na sua lista de alimentos figuravam várias palavras escritas com grafia incorreta:

PRATOS

- Filé de Frango Frito Espanado [sic]
- Carneiro Assado – com Batatas e Molho de Carne
- Frango Frito com Temperos e Malho de Carne [sic]
- Patê e Ovos com *biscuits* e mel
- Cozido de Ostras com bolachas e queijo
- Costeletas de Vitela espanadas [sic] – com Pão e Malho de Carne [sic]
- *Chilli* [sic] do Chasens com Feijão
- Observação – apenas um vegetal com as refeições – milho – ervilhas em lata – folhas de espinafre – tomates cozidos – etc.

SALADAS

- Cenoura com Pasas [sic]
- *Waldorf*
- Tomates com Pepino
- Salada do *Chef*

SOBREMESAS

- Gelatina – todos os sabores, com pedaços de fruta
- Creme de ovos diet
- Abacachi [sic] – fresco ou em lata
- Frutas – frescas ou em lata

E escrito ao longo da margem da segunda ficha, como se fosse algo de que havia se lembrado no último minuto, Walt anotou: “sopas caseiras?”

Walt tinha gostos culinários simples, exatamente como a vasta maioria de seus leais espectadores, mas esse tipo de escolha nutricional o levou a engordar à medida que ia envelhecendo.

Enquanto Walt aturava as ocasionais dietas para controlar seu peso, um de seus médicos exigiu que ele parasse de comer gemas de ovo, manteiga e leite. Diane se recorda:

> Até lá, o papai nunca tinha gostado muito de ovos, mas depois que o médico fez essa exigência, ele insistia em pedir à Thelma que fritasse um ovo para ele toda manhã para ele poder cortar a clara toda, jogar fora a gema e comer apenas as claras com uma cara de vítima.

SEGUNDA PARTE

HISTÓRIAS DOS FILMES DA DISNEY

NÃO HÁ UM FILME DA DISNEY que não seja o filme da Disney predileto de alguém.

Aprendi isso da forma mais difícil. Sempre detestei o desenho animado *Aristogatas*, por vários motivos. Não odeio o filme em si, mas certamente me aborrecem as várias falhas do enredo, o uso ruim de sua animação reciclada, e a sensação geral de que absolutamente tudo é ainda um esboço que ficou inacabado.

Porém, namorei durante vários anos uma maravilhosa jovem que eu amava profundamente e cujo desenho predileto da Disney era nada mais, nada menos do que *Aristogatas*. Em consequência disso, assisti a esse filme várias vezes, e, embora nunca tenha aprendido a gostar dele, aprendi a aceitá-lo como era, em vez de compará-lo com o que poderia ser. Surpreendentemente, depois de fazer algumas pesquisas, descobri que ele estava destinado a ser um filme diferente.

Após trabalhar como ator e diretor profissionais, sei que cada representação, produção teatral, programa de televisão ou filme tem muitas histórias de bastidores a contar sobre os problemas e tribulações pelas quais a equipe passou para produzir o espetáculo aos seus espectadores.

Alguns dos filmes menos importantes que a Disney lançou em DVD não possuem comentários nem conteúdos adicionais que proporcionem uma visão mais ampla e profunda dos bastidores do filme. Estas produções despretensiosas e clichês são justificadamente obscurecidas pelas superproduções multimilionárias aplaudidas pelos críticos das quais nos lembramos ao pensar nos filmes da Disney. Só que essas películas de menor importância encantaram plateias durante gerações e costumavam estar intimamente ligadas ao próprio Walt.

Vamos lá!

Luzes!

Câmera!

Histórias Esquecidas!

GALÃS SUCULENTOS DA DISNEY: OS TRÊS PORQUINHOS

Hoje em dia é difícil imaginar o impacto dos *Três Porquinhos*, um dos desenhos da série *Silly Symphonies* da Disney. Essa animação não só ganhou o Oscar de 1933 de Melhor Desenho Animado (um ano após *Flores e Árvores* ganhar o primeiro Oscar já concedido a um desenho animado), como também foi a animação de maior sucesso até aquela época.

O filme foi a 36ª *Silly Symphony* (a sétima em Technicolor) e custou 22.000 dólares (sem contar as cópias e a propaganda), mas faturou 150.000 dólares em seus primeiros quinze meses depois do lançamento. Naquela época, as *Silly Symphonies*, em média, faturavam mais ou menos 50.000 dólares no seu primeiro ano de exibição.

Os Três Porquinhos estreou no dia 15 de maio de 1933 e ficou tão popular que passou semanas em cartaz. A revista *Variety* afirmou:

> *Os Três Porquinhos* está provando ser o filme mais especial da história. É um caso particularmente único porque tem menos de dez minutos, mas está faturando mais do que um filme de longa-metragem, como ficou demonstrado pelas inúmeras repetições.

A United Artists não conseguia fornecer cópias suficientes para atender à demanda. Algumas cadeias de cinemas tiveram que mandar dois ou mais cinemas compartilharem as latas de filme, revezando-se na sua utilização.

A canção "Quem Tem Medo do Lobo Mau?" substituiu "Brother, can you Spare a Dime" ["Irmão, Tem um Trocado Sobrando Aí?"] como hino do trabalhador durante a depressão. Era tocada constantemente no rádio, e gravadoras de grande porte lançaram versos alternativos para ela. Esta foi a primeira vez que um desenho gerou uma canção de sucesso que cativou a nação. Sua melodia contagiante também apareceu no filme da MGM *Babes in Toyland* [*Era uma Vez Dois Valentes*] e no filme da Paramount *Duck Soup* [*O Diabo a Quatro*], bem como em outras produções que não eram de autoria dos Estúdios Disney.

"Quem Tem Medo do Lobo Mau?" foi composta por Frank Churchill, e Pinto Colvig (a voz do Porquinho Prático) tocou a ocarina para a gravação, sendo que o roteirista Ted Sears contribuiu com alguns versos. Uma propaganda contava uma história segundo a qual Churchill, quando criança, precisou cuidar de três porquinhos a mando de sua mãe, e tocava músicas para eles em sua gaita. Um lobo mau de verdade desceu das colinas um certo dia e matou um dos porquinhos. Uma curiosidade interessante é que a canção nunca toca até o final e sem interrupção durante o desenho em si.

Na época, havia uma infinidade de mercadorias nas lojas com os personagens do filme, desde papéis de carta, envelopes e cartas de jogo até porta-escovas de dentes, jogos de chá, rádios, livros e até mesmo luzes para árvores de Natal. As referências e imagens dos porquinhos e do lobo apareceram em charges de editoriais, trabalhos acadêmicos e em outros lugares.

Walt sentia-se limitado no que dizia respeito a sua popular série de desenho animado do Mickey Mouse, porque os espectadores tinham certas expectativas para esses desenhos e também em relação ao próprio Mickey. Walt usava as *Silly Symphonies* para experiências que ele não podia arriscar nos desenhos do Mickey, e tais experiências acabaram resultando na *Branca de Neve e os Sete Anões*.

Embora fisicamente os três porquinhos fossem iguais, eles podiam ser facilmente identificados pela plateia por causa de suas personalidades distintas. Por exemplo, notem como no filme cada uma das caudas dos porquinhos se enrola e desenrola, dependendo do estado de cansaço ou euforia do porco.

Este tipo de representação animada foi um momento decisivo na história da animação, diferente do passado, quando os personagens costumavam ser definidos pela sua aparência, em vez da sua forma de agir. Disney mais tarde aplicou este mesmo recurso na elaboração dos anões da Branca de Neve.

No conto folclórico original, o lobo come os primeiros dois porquinhos após soprar até derrubar suas casas, e depois entra pela chaminé da casa de tijolos do terceiro porco e termina dentro de um caldeirão de água fervente, sendo comido ele mesmo. Foi Walt Disney quem fez a revisão da história para que nem os porcos nem o lobo fossem comidos. Walt acabou tendo a ideia de dar instrumentos musicais aos porquinhos e fazê-los cantar e dançar.

Quando Walt apresentou a ideia de fazer um desenho animado baseado neste conto folclórico, sua equipe não se entusiasmou. Walt disse:

> Acho que o motivo pelo qual eles não gostaram da ideia foi que na época a coisa não estava ainda muito clara na minha cabeça, francamente. Eu retirei a ideia e tentei esquecê-la, mas os porcos, o lobo e a casinhola continuaram a me perseguir. Eu pensei neles até ver a história claramente, e aí propus novamente a ideia. Desta vez eles gostaram. Não estou querendo dizer que eles jogaram os chapéus para o ar nem que eu mesmo achava que ia ser um tremendo sucesso. Nós só a consideramos uma *Silly Symphony* típica.

Em um memorando que Walt fez circular para sua equipe em 1932, ele declarou:

> Parece-me que esses porquinhos podem ser retratados de uma forma muito engraçadinha, e que provavelmente seremos capazes de desenvolver para cada um deles uma boa dose de personalidade. [...] Podemos tentar frisar o ângulo do porquinho que trabalhou com mais afinco e recebeu sua recompensa ou algo parecido – uma historinha que ensine uma moral. [...] Estes porquinhos devem usar roupas de gente. Também precisam trabalhar com implementos domésticos, ferramentas etc., e não ser mantidos no estado natural. Serão personagens com características mais humanas do que animais.

Fred Moore foi o animador principal no filme dos porquinhos, embora Dick Lundy tenha feito as sequências onde eles dançavam. Moore recebeu instruções de Walt Disney, que regalou o jovem animador com uma história na qual ele montou em uma porca predileta dele e acabou numa poça de lama, quando era um pequeno fazendeiro em Marceline.

Uma outra lenda da animação, Norm "Fergie" Ferguson, trouxe à vida o memorável Lobo Mau, com voz de Billy Bletcher, que também fazia a voz do João Bafo de Onça. Mary Moder deu voz ao Porquinho Violinista, e Dorothy Compton fez a voz do Porquinho Flautista. O interessante foi que, apesar de toda a atenção e propaganda, os porquinhos só foram receber nomes individuais no curta *O Porquinho Prático* (1939).

Os Três Porquinhos não impressionou a A United Artists, distribuidora dos desenhos animados da Disney, a qual reclamou, dizendo que o desenho era uma "fraude", pois havia nele apenas quatro personagens, ao passo que a *Arca de Noé*, a *Silly Symphony* anterior, tinha dezenas de animais.

Os Três Porquinhos estreou no Radio City Music Hall no dia 25 de maio de 1933 e ficou em cartaz uma semana. Porém, saiu-se muito bem nos cinemas de bairro, assim como em outros cinemas de Nova York, como o Roxy e o Translux. Num certo cinema de Nova York o desenho ficou em cartaz durante tanto tempo que o gerente pôs barbas nos porquinhos do cartaz e, à medida que as semanas iam passando, as barbas cresciam cada vez mais.

Walt comentou:

> Esta foi só mais uma história para nós, que nos divertimos criando cenas engraçadas para narrá-la, como com qualquer outro filme. Depois de ouvirmos todos os comentários, nós nos sentamos e analisamos por qual motivo todos achavam o desenho tão bom.

Os donos de cinema solicitaram mais desenhos com os porquinhos, e esses pedidos foram passados a Walt Disney pelo seu irmão, Roy O. Disney, que convenceu Walt de que seria bom para a empresa. Walt depois se arrependeu de ceder à pressão e produzir três outros desenhos com os mesmos personagens: *O Lobo Mau* (1934), *Três Lobinhos* (1936) e *O Porquinho Prático* (1939). Embora tecnicamente superiores, esses desenhos não foram tão memoráveis quanto o original.

Durante seu discurso ao receber o prêmio de Showman do Ano, em 1966, Walt afirmou:

> Sou um experimentador por natureza. Até hoje não acredito em continuações. Não consigo seguir os ciclos populares. Preciso passar para coisas novas. Portanto, depois do sucesso do Mickey, eu estava decidido a diversificar.

Continuamos a fazer as *Silly Symphonies* até produzirmos *Os Três Porquinhos*. Para mim, seria impossível superar os porquinhos com porquinhos. Mas tentamos, porém duvido que um espectador aqui presente se lembre dos nomes dos outros desenhos nos quais os porquinhos também figuravam.

Walt sentia que não poderia fazer um desenho mais bem-sucedido do que o dos porquinhos usando porquinhos. Portanto, em vez de fazer continuações e repetições, os Estúdios Disney dedicavam-se a sempre encontrar algo novo. Quando os cinemas exigiram curtas da Disney com o Dunga da *Branca de Neve*, Walt nem sequer quis levar esses pedidos em consideração, lembrando-se do que havia acontecido com os porquinhos.

Os Três Porquinhos foram parodiados muitas vezes, desde *The Blitz Wolf* de Tex Avery (MGM) até *The Three Little Bops* de Friz Freleng (Warner Brothers). Os porquinhos também começaram a fazer participações especiais em outros filmes da Disney como o *Mickey's Polo Team* (1936), *O Retorno da Tartaruga Toby* (1936), *O Conto de Natal do Mickey* (1983) e *Uma Cilada para Roger Rabbit* (1988) bem como três curtas comerciais para a II Guerra Mundial, inclusive o *Thrifty Pig*[1] (1941).

Há um desenho dos *Três Porquinhos* da Disney que há décadas continua praticamente desconhecido dos espectadores dos Estados Unidos.

No outono de 1962, Walt Disney chamou Bill Justice e X. Atencio ao seu escritório para apresentá-los a Carlos Amador e à esposa dele, uma estrela de cinema chamada Marga. Pode ser que os fãs da Disney conheçam Justice como o animador principal do Tico e do Teco nos seus desenhos clássicos, e Atencio como o autor das letras tanto dos Piratas do Caribe quanto das atrações da Mansão Assombrada dos parques temáticos. Seus muitos outros projetos para a Disney dariam vários livros.

Amador estava preparando um filme com pessoas reais, sobre a vida de um famoso escritor da América Latina. Como uma das histórias tinha três porquinhos, Amador queria usar os três porquinhos de Disney em um segmento de desenho animado de quatro minutos.

Walt concordou em doar a animação. Ele encarregou Justice e Atencio do projeto porque metade dos lucros ajudaria crianças mexicanas

[1] O Porquinho Econômico. (N.T.)

pobres, dando a elas uma refeição escolar gratuita todos os dias. A instituição beneficente era a predileta da primeira-dama da República do México, e era a única maneira de persuadir as crianças mexicanas a frequentarem a escola.

Amador escreveu a adaptação, sendo que Justice e Atencio fizeram o trabalho de produção.

No filme, um menino e uma menina reais, na cama, olham para um quadro onde aparecem três porquinhos dormindo. Enquanto eles contemplam o quadro, este se transforma em um desenho animado. A mãe dos três porquinhos os põe para dormir, e lhes dá um beijo.

Um dos porquinhos sonha em ser um rei e poder se encher de montes de guloseimas que os criados lhe trazem. Outro sonha que tem seu próprio barco a remo, mas os resultados são desastrosos, pois ele termina caindo na água e depois volta para a cama, com uma lágrima a rolar-lhe dos olhos.

O Porquinho Prático, porém, sonha com o Lobo Mau, que chegou para ameaçar a mãe deles, dizendo que ela precisa pagar o aluguel no dia seguinte. A Festa das Flores (com animação aproveitada do desenho *Os Três Cavaleiros*) oferece aos porquinhos uma chance de ganhar dinheiro para pagar o aluguel, apresentando um número musical.

Naturalmente eles vencem a competição e voltam para casa à noite assobiando "Quem Tem Medo do Lobo Mau", quando são atacados pelo lobo. Mas eles escapam, deixando o lobo a sacudir o punho. O lobo está junto a uma palmeira, e um coco cai da copa e lhe atinge a cabeça. Os porcos entregam o dinheiro a sua mãe, que abraça os três ao mesmo tempo. O filme então volta a mostrar as crianças de verdade.

Alguns meses depois de o filme finalizado ter sido mostrado a Walt para sua aprovação, Amador convidou Justice, Atencio e Gene Armstrong, do Departamento Estrangeiro dos Estúdios Disney, junto com as esposas deles, para visitarem o México durante dez dias. A equipe da Disney foi tratada como se fossem príncipes e princesas. No aeroporto da cidade do México, eles foram recebidos por uma banda de *mariachi* e suas esposas ganharam buquês de rosas. Uma noite, num jantar especial, como convidados de honra da primeira-dama do México, Justice e Atencio receberam medalhas de ouro por seu trabalho.

Uma nota da Disney à imprensa, distribuída no outono de 1963, anunciou:

> *Os Três Porquinhos Adormecidos*, um novo segmento de quatro minutos de desenho animado em espanhol, foi produzido por Walt para ser incorporado a um filme mexicano com atores em cena, chamado Cri-Cri, *El Grillito Cantor*, ou seja, Cri-Cri, o Grilinho Cantor. O filme em si se baseia na vida de Gabilondo Solar, um famoso compositor latino, ao passo que a contribuição de Walt para o filme é baseada na popular balada de Solar, "Los Cochinitos Dormilones".[2]
>
> Os lucros do filme, que deve ser distribuído amplamente pelo México a começar em outubro, irão para o Instituto de Proteção das Crianças Mexicanas, uma organização que mantém 32 fábricas que embalam e enviam comida para milhões de crianças em idade escolar, por todo o país.

Bill Justice e Atencio foram convidados para voltar ao México outra vez, em novembro de 1963, para comparecerem a um festival internacional de cinema onde o filme completo ia receber um prêmio. Tragicamente, a exibição foi durante a mesma época em que ocorreu o assassinato do presidente Kennedy. Justice e Atencio foram, e o festival continuou, mas Bill me disse que ainda se lembra como as pessoas no festival expressavam efusivamente seus pêsames quando descobriam que ele era cidadão americano.

Em dezembro de 1933, Walt contou a um entrevistador:

> Essas comédias em desenho animado ficam em cartaz durante muito tempo. Ainda estão mostrando a primeira comédia do Mickey Mouse depois de nove anos. Talvez daqui a dez anos o lobo mau ainda esteja arfando, sem fôlego, diante da porta da casa de tijolos.

Embora eles tenham sido eclipsados por outros astros animados da Disney, os Três Porquinhos foram, a uma certa altura, superastros dos desenhos animados, cujo sucesso incrível permitiu aos Estúdios Disney prosperar durante algum tempo e assim criar filmes ainda mais espetaculares.

---

[2] Os porquinhos dorminhocos. (N.T.)

A ESTREIA NATALINA DA BRANCA DE NEVE

Quem disse que não existe Papai Noel? Para mim, oferecendo este filme às crianças do mundo, Walt Disney provou que é um Papai Noel moderno.

— Jesse Lasky, roteirista de filmes como *The Covered Wagon* (1923) e *Os Dez Mandamentos* (1923), 21 de dezembro de 1937

Uma coisa de que tenho certeza é que este filme é o melhor presente de Natal que as crianças poderiam receber.

— Louella Parsons, colunista de Hollywood, 21 de dezembro de 1937

Walt Disney [...] traz ao cinema um novo meio para uma arte maior. Parece que o Natal vai ser Branco de Neve para todos.

— Narrador, noticiário da RKO Pathé, dezembro de 1937

A Branca de Neve e os Sete Anões estreou no Teatro Carthay Circle em Hollywood na noite de 21 de dezembro de 1937. Inúmeros artigos e vários bons livros se escreveram sobre este filme inovador, mas nunca se examinou com detalhes sua estreia memorável.

As primeiras versões definitivas da animação "limpa" de *Branca de Neve* foram levadas para o departamento de contorno e pintura no dia 4 de janeiro de 1937 e foram colocadas sob a câmera nove semanas depois para serem filmadas. As últimas folhas de celuloide foram pintadas no dia 27 de novembro de 1937 e fotografadas definitivamente no dia 1º de dezembro de 1937.

Wilfred Jackson, um dos diretores de sequência, lembra-se:

> A pré-estreia foi desconcertante. A plateia parecia estar gostando do filme, rindo, aplaudindo. Mas quando três quartos do filme já haviam sido exibi-

dos, um terço dos espectadores se levantou e saiu. Todos os outros continuaram reagindo entusiasticamente à *Branca de Neve* até o fim. Mas ficamos preocupados porque aqueles espectadores tinham saído. Mais tarde descobrimos que eles eram estudantes da universidade local que precisavam voltar para os seus dormitórios antes das dez horas.

O Cinema Carthay Circle tinha estilo arquitetônico neocolonial hispano-americano, um projeto do arquiteto Dwight Gibbs. O cinema de 1.500 lugares foi inaugurado em 1926 no número 6316 do San Vicente Boulevard no meio do bairro de Wilshire. Juntamente com o Grauman's Chinese Theater, o Carthay Circle apresentava mais estreias de filmes na Costa Oeste do que qualquer outro cinema de Hollywood (*E o Vento Levou* estreou ali em 1939).

Pode-se ter um vislumbre de como era o cinema na época da *Branca de Neve* no filme dos Batutinhas (Our Gang) intitulado *A Grande Estreia* lançado no dia 9 de março de 1940. Os primeiros cinco minutos deste filme foram filmados em locação no Carthay Circle, onde a turma dos Batutinhas tenta assistir à sessão de estreia de um filme.

Em 1929, Walt decidiu produzir uma nova série de desenhos animados, a *Silly Symphonies*, sendo a primeira produção intitulada *Skeleton Dance* [A Dança dos Esqueletos]. Porém, o distribuidor de Walt não quis lançar o desenho, e afirmou que preferia mais desenhos do Mickey Mouse.

Walt encontrou um vendedor que conheceu em um salão de sinuca local, deu-lhe uma cópia da *Dança dos Esqueletos*, e o convenceu a entrar em contato com Fred Miller, dono do Cinema Carthay Circle. Miller gostou do desenho e o inseriu na sua programação de agosto de 1929. Foi um sucesso retumbante, e deu a Walt bastante críticas positivas para convencer seu distribuidor a encaixar o filme na programação de outros cinemas.

Este sucesso convenceu Miller a arriscar-se a passar o primeiro desenho animado de longa-metragem, *Branca de Neve e os Sete Anões*, que estreou em seu cinema Carthay Circle em dezembro de 1937. O filme já havia sido incluído, mesmo sem ter sido visto antes, como atração de Natal no Radio City Music Hall; mas para seus iguais, Walt queria uma estreia em Hollywood para provar que seu trabalho de animação era comparável ao trabalho feito em filmes com artistas de carne e osso. Walt recorda-se:

> Toda a elite de Hollywood apareceu para assistir ao meu desenho! Foi uma sensação estranha. Foi como quando eu vim aqui pela primeira vez assistir a uma estreia – nunca havia visto uma na vida. Naquele dia, vi todos aqueles artistas famosos de Hollywood entrando e senti uma coisa engraçada. Simplesmente torci para que algum dia eles estivessem indo ver a estreia de um desenho animado, porque as pessoas costumam depreciar os desenhos. Sabe, elas os consideram trabalhos inferiores.

Ken Anderson, falando com o historiador da Disney Paul Anderson, lembrou-se daquela noite, quando os animadores da Disney, vestidos com *smokings*, estavam totalmente despreparados para a reação dos famosos:

> Então, chegou o dia da estreia do filme. Foi uma ocasião solene. Nós todos estávamos vestidos até os dentes para a primeira noite. Estávamos de *smoking*, todos elegantes, com roupas que não eram nossas. Ficamos por ali tentando escutar o que os bacanas estavam dizendo. E os artistas estavam todos vindo. Nós ficamos só parados ali, olhando os astros e as estrelas passarem. E eles tinham vindo para ver o desenho e foram muito francos a respeito disso. Eles disseram: "Mas que diabo. Isto é um desenho animado. Não perderíamos tempo vendo esta droga, se tivéssemos escolha." E estavam meio chateados por terem sido obrigados a vir.
> E entraram no cinema, com o nariz empinado. E encheram o cinema. Quando saíram, estavam todos comentando a história. Aliás, não podemos nem sequer começar a descrever o que eles sentiram. Porque eles estavam abismados. Ficaram de pé depois do filme e o aplaudiram, e viram que haviam se divertido à vera, afinal de contas. E voltaram a ser crianças. Aquelas pessoas estavam simplesmente comovidas com aquilo, com aquele desenho. Não conseguiam entender isso. Nós não estávamos preparados, nem de longe, para esse tipo de recepção. Caramba, o Walt se viu cercado de gente, assim como cada um de nós. Eles nos cercaram, perguntando: "O que vocês fizeram?" E fazendo muitas outras perguntas. Nós parados ali no saguão do cinema, e os artistas todos falando sem parar sobre aquele longa-metragem sensacional. E eu, de minha parte, e sei que todos deviam estar se sentindo da mesma forma, fiquei encantado.

Aquela noite clara e iluminada pelas estrelas estava relativamente fria. O animador Marc Davis, que não havia sido convidado para a estreia, e nem podia comprar uma entrada, lembrou-se que tentou se agasalhar bastante para ficar de pé ao lado de mais de 30 mil pessoas para ver os famosos e os altos funcionários da Disney entrarem no cinema, e depois tratou de ir embora quando o filme começou. Havia aproximadamente cento e cinquenta policiais no local, para manter a ordem.

Um toldo imenso estendia-se do cinema até a beira da calçada. Ele cobria um tapete azul-escuro para os muitos executivos da indústria cinematográfica e celebridades glamourosas que tinham vindo a uma estreia incomum até para Hollywood. Um pequeno estrado servia para famosos como Charlie Chaplin, Ed Sullivan, Joe Penner e os atores que faziam os papéis principais na série de televisão *Amos'n'Andy* serem entrevistados rapidamente por repórteres de rádio. O brilho ofuscante dos refletores cercava o cinema, e fachos de luz vindos de holofotes atravessavam os céus.

Um noticiário da RKO Pathé proclamou:

> Hollywood, normalmente indiferente e acostumada com estreias luxuosas comparece à mais espetacular de todas, a estreia mundial do longa-metragem que custou um milhão e meio de dólares: *Branca de Neve e os Sete Anões*.

Entre esses famosos estavam Marlene Dietrich, Preston Foster, Shirley Temple, Bob "Bazuca" Burns, Charles Correll e Freeman Gosden (*Amos'n'Andy*), Joe Penner, Helen Vincent, Fred Perry, George McCall, Charlie Chaplin com Paulette Goddard, Gail Patrick, Ed Sullivan, Clark Gable e Carol Lombard, Norma Shearer, Judy Garland, Charles Laughton e Elsa Lanchester, Jack Benny e Mary Livingstone, George Burns e Gracie Allen, Cary Grant e muitos outros.

Roy O. Disney teve a boa lembrança de convidar Joseph Rosenberg (que tinha negociado um empréstimo com o Bank of America para os irmãos Disney poderem produzir o filme), e a diretoria do Bank of America.

A distribuidora RKO, em parceria com os Estúdios Disney, promoveu o filme. Nas semanas antes da estreia, colocaram-se mais de mil cartazes em *outdoors* por toda Los Angeles. Walt e seus personagens fizeram visitas promocionais a programas de rádio tais como o Lux Radio Theater e Charlie McCarthy, para que o público tomasse conhecimento do filme.

Erigiram-se arquibancadas para acomodar quatro mil espectadores, embora quase dez vezes esse número houvesse comparecido. Centenas de pessoas esperaram longas horas no ar frio da noite para poder ao menos vislumbrar os astros e estrelas por um instante. Todas as entradas para o espetáculo já haviam se esgotado fazia muitos dias, mas mesmo assim via-se diante da bilheteria uma fila imensa de pessoas, comprando ingressos para espetáculos futuros trinta minutos antes da estreia.

Havia uma orquestra completa, inclusive os cantores que haviam gravado as canções do filme e que as interpretaram sob a batuta de Manny Harman. As recepcionistas estavam vestidas de Branca de Neve. A rádio NBC estava presente para uma transmissão costa a costa de um noticiário de meia hora com o locutor Don Wilson. O rádio descreveu da seguinte maneira um cenário especial montado na rua:

> Acreditem se quiserem, senhoras e senhores, a Terra dos Anões se mudou para Hollywood. Na esquina da Wilshire Boulevard, logo ao sair do Carthay Circle, Walt Disney construiu uma réplica da casinha dos anões que aparece no filme. A casa tem apenas três metros de altura, e não é tão larga assim, mas todas as crianças desta cidade já passaram por ela. Do lado de fora, veem-se cogumelos de um metro de altura pintados de amarelo, azul e rosa. Há árvores de aparência esquisita com olhos que se acendem e braços compridos que se esticam e tentam nos agarrar, exatamente como eles tentam agarrar Branca de Neve.
>
> Há uma roda de moinho pequena feita para anões e uma mina de diamantes, brilhando à luz dos refletores que iluminam a cena inteira. O jardim dos anões se estende por mais ou menos dois quarteirões. Está cheio de todo tipo de estátuas e tocos estranhos, cogumelos e flores, às centenas. Um córrego passa pelo jardim, fazendo girar a roda do moinho. As pessoas param para assistir às momices dos sete anõezinhos. Os anões, vestidos com trajes medievais pitorescos, que trabalham na mina, cuidam do jardim, e correm para dentro e para fora da casa, constituem um verdadeiro espetáculo à parte.

Um artigo da revista *Movie Mirror* de 1938 analisou essa "Ilha da Branca de Neve":

> A Ilha da Branca de Neve: talvez você esteja pensando que o chalé dos anões, a mina deles, a montanha que a rainha malvada escalou, e todas essas cenas estranhas que você viu no filme *Branca de Neve e os Sete Anões* existam apenas no papel, somente algumas linhas coloridas desenhadas por artistas de animação. Mas, na verdade, estas coisas existem para serem tocadas, apalpadas e fotografadas por meio milhão de pessoas durante os quatro meses em que Branca de Neve vai ficar em cartaz no Carthay Circle em Los Angeles. Tantos viajantes sentiram tamanho interesse ao visitar o país dos anões, que resolvemos nos aprofundar no assunto e viemos com algumas informações pertinentes. A ilha, na verdade, é um parque, cercado por uma estrada, que pertence aos Filhos e Filhas Nativos da Califórnia. Tem quase 270 metros de comprimento, e neste espaço se construiu a terra dos sete anões. Custou cerca de 10.000 dólares para ser construída, e as contas de iluminação mais o salário dos vigias (havia quatro) somaram cerca de 6.500 dólares.
>
> Era possível ver a montanha, o poço dos desejos, a floresta fantástica, tudo de verdade, e duas vezes mais empolgante. No primeiro dia, depois que o parque foi terminado, um guarda contou 1.010 carros circulando o espaço dos anões em apenas uma hora. E era apenas o começo.
>
> Os gnomos foram feitos de gesso, a princípio, mas as crianças curiosas, cutucando o Dunga para ver se ele falava, forçaram Disney a refazê-los todos em concreto, que é mais duradouro. Os caçadores de suvenires eram uma constante ameaça, sendo que um sujeito roubou um morcego de uma árvore e saiu correndo com ele antes que o guarda pudesse alcançá-lo.
>
> Milhares de pedidos chegavam, solicitando a venda de partes do parque; todos foram recusados. Quando terminou a temporada do filme no Carthay Circle, a floresta inteira, a montanha, o chalé, tudo desapareceu, tendo sido levado para o galpão de armazenagem. Em três dias, como se fosse por um passe de mágica, grama verde cobriu o parque e a Ilha outra vez surgiu sob o sol, sonolenta, como se a Branca de Neve e seus companheiros nunca tivessem existido.

Esta foi provavelmente a primeira vez que os Estúdios Disney tentaram usar personagens fantasiados para um evento cravejado de estrelas. Mickey Mouse, Minnie Mouse e o Pato Donald estavam lá, parecendo como se os famosos bonecos tridimensionais de Charlotte Clark tivessem sido aumentados para o tamanho natural.

Mickey e Minnie tinham os famosos olhos "tipo *pizza* cortada" mas a fatia que faltava era usada pelos animadores para indicar para onde o olho redondo estava olhando. Ambas as fatias deviam apontar na mesma direção. Naquelas máscaras, as fatias estavam apontando uma para a outra, portanto o Mickey e a Minnie estavam dando a impressão de que estavam caolhos.

As fantasias eram tipo "pijama", ou seja, a fantasia adquiria a forma do corpo da pessoa. As fantasias dos anões eram ainda piores, e pareciam uma versão gigante de bonecos vendidos por alguma empresa de vendas por catálogo, com bocas permanentemente abertas, de formato oval, e olhos mortos, não fixos em algum ponto, mas olhando direto para a frente.

O animador Bill Justice, que compareceu à estreia e que, décadas depois, se encarregaria de projetar as fantasias dos personagens da Disneylândia, lembra-se:

> Quando a Branca de Neve finalmente terminou de ser feita, todos os funcionários foram convidados para a estreia no Cinema Carthay Circle. Todos foram, e no final, usufruíram de um sucesso além dos sonhos de qualquer um. Minha memória mais vívida daquela noite, porém, foram as fantasias dos anões. Para ajudar a gerar um clima de imaginação a empresa fez uma de suas tentativas de apresentar personagens fantasiados. Devem ter deixado para a última hora, porque eles não se pareciam nem de longe com os personagens do desenho animado criados no estúdio. Foi um milagre aqueles anões não terem assustado os espectadores.

Para explicar o processo de produção da *Branca de Neve*, montou-se uma exibição de arte original do filme em uma galeria na esquina, ao lado da entrada do Carthay. A exibição ao ar livre incluía fotos em preto e branco e celuloides, cenários de fundo, e desenhos de leiaute. Acima da grade protetora havia enormes cabeças tridimensionais dos anões.

Clarence Nash, a voz do Pato Donald, também estava lá, com um de seus primeiros fantoches de ventríloquo do Pato. Olhando as fotos da estreia, vemos um fato curioso: os olhos de todos estavam focalizados no fantoche, não em Clarence, que ficava só grasnando alegremente.

Mickey Mouse, Minnie e o Pato Donald foram entrevistados por Wilson no rádio. Mickey estava nervoso e Donald ficou chateado por alguém ter roubado sua entrada. Donald começa a cantar para os ouvintes da rádio, enquanto Mickey, Minnie e Pluto tentam fazê-lo se calar e levá-lo embora.

Donald não foi o único a não ter entrada; isso também aconteceu com Adrianna Caselotti, que fez a voz da Branca de Neve, e com o ator Dean Stockwell, que fez a voz do príncipe. Caselotti adorava contar essa história:

> Quando chegamos à entrada, a funcionária nos pediu: "Podem me dar seus ingressos, por favor?" E eu respondi: "Ingressos? Não temos ingressos, eu sou a Branca de Neve e este é o Príncipe Encantado!" E ela então respondeu: "Vocês podem ser até a rainha e o rei, só vão entrar se mostrarem as entradas!" Então nós entramos de mansinho quando ela estava distraída e subimos até um lado do balcão, e fiquei ali, assistindo a mim mesma na tela e a todos aqueles artistas aplaudindo minha interpretação. Rapaz! Fiquei super emocionada!

Walt foi entrevistado para a rádio:

> Sabem, estou muito feliz com tudo. Foi muito divertido fazer o filme e estamos felicíssimos por ele ter tido a honra de estrear desse modo grandioso esta noite aqui e por todas essas pessoas terem aparecido para dar uma olhada nele. Espero que elas não tenham se decepcionado muito. Bom, nossos personagens favoritos são os anõezinhos. Há sete deles. Nós lhe demos nomes diferentes que combinassem com suas personalidades, tais como Mestre, que é aquele líder pomposo, e o Feliz, um camaradinha sorridente, o Zangado, um sujeito muito invocadinho, ranzinza e... Não consigo me lembrar de todos esta noite [risadas]. E o pequeno Dunga. Ele é nossa mascote, né. Ele não fala. Ora, quero dizer, não sei. Acho que ele simplesmente nunca tentou.
> Locutor: Você vai assistir à estreia?
> Walt: Sim, e de mãos dadas com minha mulher.

Surpreendentemente, uma vez que toda a publicidade enfatizava apenas o nome de Walt, um outro funcionário da Disney também foi entrevistado. Dave Hand, apresentado como o diretor e supervisor do filme *Branca de Neve e os Sete Anões*, gerente geral dos Estúdios Disney, e "braço direito de Walt Disney" contou aos ouvintes da rádio:

> Às vezes parecia ser uma tarefa quase impossível de se cumprir. O fato de termos sido capazes de fazê-la é um tributo ao gênio de Walt para liderar e aos esforços dedicados e à colaboração perfeita dos setecentos artistas e técnicos que formam o quadro de pessoal do estúdio. Descobrimos que apenas arranhamos a superfície das maravilhosas possibilidades que nos aguardam nos filmes animados de longa-metragem. Recentemente começamos a trabalhar em dois novos longas. Nossos funcionários adoram tarefas complexas. Estamos torcendo para produzir coisas bem além do que qualquer um possa imaginar.

O animador Ward Kimball, que havia trabalhado muitos meses na cena dos anões tomando sopa, a qual terminou sendo eliminada da versão final do filme antes de seguir para o departamento de contorno e pintura, assistiu à estreia com sua esposa, Betty, e nos revelou as seguintes lembranças:

> Eu estava na estreia em 1937. Nós estávamos preocupados. O filme estava passando no Carthay Circle de Hollywood. Não sabíamos como íamos nos sair. Walt estava num pé e noutro. Nós nos sentamos. Estrelas de cinema estavam sentadas nas poltronas ao nosso redor. Betty e eu nos sentamos atrás de Clark Gable e Carol Lombard, e ele se emocionou quando a Branca de Neve foi envenenada. Começou a fungar e pediu um lenço emprestado. Este tipo de reação é difícil de se obter com um desenho animado, porque, afinal de contas, você está exagerando e caricaturando tudo, e a tendência da gente é fazer algo artificial. Mas não o Walt! Acho que essa é a chave do segredo dele.
> No início, a plateia se enterneceu com as primeiras palhaçadas dos anões. Gradativamente, foram-se ouvindo sussurros e comentários em voz baixa no cinema inteiro. Eles riam das piadas, principalmente a dança do Dunga

nos ombros do Atchim. O lugar todo simplesmente veio abaixo. Sabíamos o que ia acontecer. Atchim ia deixar o Dunga cair no final. Era isso que o Walt havia calculado. Ele criticou a primeira versão. Disse: "Tirem o Dunga de cena e não o mostrem por alguns instantes. Cortem para a Branca de Neve rindo e todos os anões rindo também. E aí mostrem o Dunga balançando e mexendo as orelhas." Na noite da estreia, essa cena foi a que arrancou mais risadas da plateia. Era assim o senso de cronometragem do Walt.

Mas quando a Branca de Neve está deitada na laje de mármore e o príncipe entra, todos os espectadores estavam fungando, e eu cheguei a ouvir gente assoando os narizes. Foi esquisito. A cena realmente os emocionou. Eu sabia que o filme havia sido um sucesso por que eles estavam rindo das piadas e choraram por causa de uma personagem de desenho animado que se reanima ao primeiro beijo de um príncipe.

É difícil acreditar, mas os espectadores estavam mesmo assoando os narizes. Eu ouvi aquele barulhão todo e disse: "Betty, vamos sair depressa, para ver eles saírem do cinema." Eles saíram procurando os óculos escuros, para que pudessem colocá-los e impedir que os outros vissem que tinham chorado e que seus olhos estavam todos vermelhos. Estavam enxugando os olhos. Foi muito comovente. Naquela hora, entendemos que o filme havia sido um sucesso absoluto."

O artista de leiaute Ken O'Connor fez o seguinte comentário para Steve Hulett:

A plateia estava extremamente entusiasmada. Eles até aplaudiram o fundo e os leiautes sem nenhuma animação na tela. Eu estava sentado perto do John Barrymore quando apareceu a cena do castelo da rainha acima da neblina, e a Rainha má atravessando o pântano num barquinho. Ele pulava sem parar na cadeira, de tão impressionado que estava. Barrymore era um artista, além de ser ator, e sabia o tipo de trabalho que aquilo tudo tinha dado.

O animador Wolfgang Reitherman lembra-se:

A plateia ficou tão encantada com a magia do que estava assistindo que aplaudia depois de sequências individuais, exatamente como se estivessem assistindo a uma peça de teatro. Eu nunca mais vi nada parecido.

Quando as luzes do cinema voltaram a se acender, o público se levantou, já aplaudindo. "Foi a plateia mais receptiva e entusiasmada que eu já vi na vida", lembra-se o animador Shamus Culhane.

Walt, que apareceu no palco com sua mulher, disse:

> Sempre sonhei que um dia eu iria assistir a uma estreia de gala em Hollywood de um dos meus desenhos. Hoje vocês realizaram meu sonho. Vocês me fizeram sentir como um de vocês.

Snow White ficou em cartaz no Carthay Circle durante quatro meses. A versão para o espanhol, *Blanca Nieves y los Siete Enanos*, estreou no Carthay Circle no domingo, 27 de fevereiro de 1938, e se tornou uma apresentação regular das tardes de domingo, durante o resto da temporada da *Branca de Neve* lá.

O animador Woolie Reitherman se recorda:

> Eu me encontrei por acaso com o Walt no dia seguinte após a estreia. Em vez de dizer que agora estava querendo descansar um pouco, ele começou a falar sobre o próximo longa de animação e como queria começar imediatamente. Walt Disney, só existiu um.

A ligação de Disney com o Carthay Circle não terminou com a *Branca de Neve*. O Carthay Circle foi um de apenas 14 cinemas munidos com o Equipamento Fantasound, para a apresentação de *Fantasia*, apenas alguns anos depois, em 1940.

Na cerimônia de entrega do Oscar, no dia 23 de fevereiro de 1939, Walt recebeu uma estatueta especial por *Branca de Neve e os Sete Anões*. Foi uma estatueta grande e sete estatuetas pequenas. A inscrição delas dizia:

> Para Walt Disney, pelo filme *Branca de Neve e os Sete Anões*, reconhecido como uma inovação significativa na história do cinema que encantou milhões de pessoas e foi o pioneiro do espetacular novo campo de filmes de longa-metragem animados.

O Oscar foi entregue por Shirley Temple, que contava na época nove anos, e que no dia da estreia havia posado para as fotos com os anões fantasiados, os quais eram quase do seu tamanho.

A bilheteria bruta final da primeira versão de *Branca de Neve* foi de cerca de 8,5 milhões de dólares, o que o tornou o filme mais lucrativo de Hollywood até aquele momento. Isto foi num tempo em que os adultos em geral pagavam 25 centavos e as crianças 10 centavos para assistir a um filme. Esse recorde de bilheteria bruta fenomenal seria quebrado dois anos depois, com o lançamento de *E o Vento Levou*, mas, naquele ano, o Natal foi da Branca de Neve.

DESTINO

De acordo com um folheto de divulgação da Disney de 2008:

> *Destino* começou em 1946 como uma colaboração entre Walt Disney e o famoso pintor surrealista Salvador Dali. Um exemplo em primeira mão do interesse de Walt Disney pela vanguarda e pelas obras experimentais em animação, *Destino* seria repleto dos icônicos relógios derretidos, formigas em marcha e globos oculares flutuantes de Salvador Dali. Porém, *Destino* não foi terminado naquela época. Em 2003 ele foi redescoberto pelo sobrinho de Walt, Roy E. Disney, que aceitou o desafio de concretizar a criação desses dois grandes artistas.

Salvador Dali entrou em contato com Walt Disney em 1937, enquanto estava passeando em Hollywood. Durante aquela época, Walt vivia trazendo artistas, escritores e outras pessoas criativas e famosas aos Estúdios Disney para que compartilhassem suas ideias com os artistas do estúdio.

Porém, foi um jantar aproximadamente uma década depois que resultou em uma colaboração oficial entre Disney e Dali. Na época, Dali estava em Hollywood para criar cenários para uma sequência onírica no filme de Alfred Hitchcock *Quando Fala o Coração* (1945), e ele estava hospedado na casa do chefe dos Estúdios da Warner Bros., Jack Warner, e sua esposa, para pintar os retratos deles. Walt compareceu a um jantar na casa dos Warner, onde ele e Dali imediatamente iniciaram uma amizade que duraria até o falecimento de Walt, duas décadas depois.

Além do respeito mútuo que cada um dos dois homens sentia pelo outro, Dali e Disney eram viciados em trabalho e meticulosos, sabiam como ninguém como se autopromover, e pareciam ter sempre um suprimento aparentemente interminável de ideias, otimismo e bom humor. Portanto, essa amizade incomum começou com muitas conexões fortes já estabelecidas.

Dali se mudou oficialmente para um quarto no terceiro andar do edifício de Animação dos Estúdios Disney em 1946. Originalmente, o projeto era altamente secreto, porque eles não tinham decidido exatamente no que ele consistiria. Na época, devido a restrições financeiras e trabalhistas, Walt estava produzindo "filmes empacotados", longas que consistiam de vários segmentos curtos e independentes. Walt tinha comprado uma balada mexicana romântica feita por Armando Dominguez cujo nome era "Destino", e que ele achava que poderia ser um bom veículo para a cantora e dançarina sul-americana Dora Luz, que recentemente havia aparecido no filme *Você Já Foi à Bahia?* (1944). "Destino" devia ser um segmento de outro filme empacotado futuro, e Walt sentiu que Dali poderia contribuir para esta peça com cenários interessantes.

Dali não gostou da canção, mas adorou a palavra "destino", e sua imaginação começou a disparar enquanto ele criava um cenário inteiro elaborado. Dali visualizou dois amantes em uma paisagem de sonhos eternamente mutável, e o efeito do tempo e de outros obstáculos nesse relacionamento. Ele combinaria animação, atores de carne e osso (dançarinos de balé em uma paisagem surrealista no estilo Dali) e efeitos especiais com um tempo de duração de seis a oito minutos. À medida que o trabalho prosseguia, Dali ia acrescentando novas ideias e um simbolismo, de maneira que a história ficava cada vez mais complicada e difícil de desenvolver.

"Trata-se de uma exposição mágica do problema da vida no labirinto do tempo", proclamou Dali. (Walt acrescentou que, na verdade, era apenas "uma história simples sobre uma mocinha em busca de seu amor verdadeiro".)

Quando Dali chegou, em 1946, Walt anunciou:

> Temos que sempre abrir novos caminhos. Ordinariamente, ideias boas para histórias não aparecem com facilidade e é preciso brigar por elas. Dali é comunicativo. Ele borbulha de tantas ideias novas.

Dali declarou: "Recebi liberdade absoluta! Isso é um paraíso para um artista!" No *Dali News*, sua própria publicação, ele afirmou:

> Dali e Disney produzirão o primeiro filme sobre algo "Nunca Visto Antes" e prevalecerá o segredo mais rigoroso possível sobre este assunto.

Walt designou os artistas John Hench e Bob Cormack para ajudarem Dali, adaptando suas visões às necessidades da animação. Dali pintou as cenas principais, ao passo que Hench e Cormack fizeram esboços de continuidade, determinando a maneira como uma imagem se transformaria em outra. Dali pintou algumas das cenas mais importantes com aquarela, um meio de expressão que ele nunca tinha usado em suas pinturas de galeria.

Como Hench se recorda:

> Walt entrava e olhava o trabalho de vez em quando. Viu os storyboards progredindo e decidiu deixar Dali continuar e ver o que aconteceria. Dali recebeu liberdade total.

Porém, afirma Hench, isto não evitou que Walter contribuísse com suas próprias ideias.

> E então eles puseram um deus romano numa das cenas, que representava um bloqueio para um labirinto, mas o beija-flor o abriu e ele se tornou uma passagem. Não sei se as pessoas entenderam isso ou não, mas foi sugestão do Walt.

Talvez isto explique por que a pintura da cabeça de Júpiter feita por Dali a partir do filme tenha sido emoldurada e pendurada no escritório de Walt até ele falecer. Dali afirmou que Júpiter determinava o curso de todos os assuntos humanos, e é por isso que saiu um mostrador de relógio gigantesco do enorme rosto de pedra no filme.

Como o misterioso e exibicionista Dali explicou:

> Agora, a metamorfose! Vemos o rosto de Júpiter, que se transforma num enorme mostrador de relógio. Os cabelos dele são um arco mágico. O tempo impede a entrada no labirinto da vida, e o verdadeiro amor só é possível depois da destruição do tempo.

O filme é repleto do simbolismo de Dali. As formigas destruidoras significam a desolação da humanidade. As muletas insinuam que a humanidade não pode viver sem apoio. Os famosos relógios derretidos denotam a morte do tempo. A ideia de uma escultura cobrando vida foi algo que Dali originalmente propôs para o filme de Hitchcock, *Quando Fala o Coração*. Porém, a atriz Ingrid Bergman vetou a ideia na sequência onírica, porque Dali queria cobri-la com formigas vivas quando ela voltasse à vida. Dali não era contra aproveitar ideias sugeridas em trabalhos anteriores. A heroína de *Destino* se parece com a mulher da pintura *Subúrbios da Cidade Paranoica-Crítica*, elaborada quase uma década antes.

Havia cenas onde a moça subia correndo um rochedo perseguida por uma horda de figuras cujas cabeças eram globos oculares, representando os olhos da opinião pública tentando evitar que ela atingisse a felicidade. Há desenhos desses globos oculares brilhando como lâmpadas de *flash* em câmeras contemporâneas, exatamente como os *paparazzi* de hoje em dia. Para enfatizar ainda mais o tema, há desenhos de jornais com pernas de escorpião perseguindo a pobre moça.

Durante mais de dois meses, Dali chegou às 9h da manhã todos os dias nos Estúdios Disney e trabalhou diligentemente diante do seu cavalete. Ele costumava se fazer acompanhar de sua esposa Gala, que não só ajudava a inspirá-lo como também servia de intérprete para ele, já que Dali costumava se expressar em uma estranha mistura de francês, espanhol, inglês macarrônico e uma língua esquisita só sua. Dali às vezes almoçava com Walt e Hench no restaurante Coral Room dos Estúdios Disney. O legendário animador da Disney Ward Kimball lembra-se de que Gala às vezes prendia instruções para chegar à casa de Dali no blusão dele quando ele ia ao estúdio sozinho, para que, se ele estivesse num ônibus, alguém pudesse ajudá-lo a encontrar o caminho de casa.

Durante vários meses, Dali também trabalhou em seu próprio estúdio em Monterrey, Califórnia, perto do velho Del Monte Lodge Hotel. Hench ia até lá nos fins de semana.

Como o interesse pelo projeto estava começando a desaparecer no Estúdio, Hench fez uma sequência "animatic" de quinze segundos para ajudar todos a visualizarem como o filme definitivo ficaria. Ele explicou:

> Achei que seria bom fazer essa cena porque ela era fantástica. Era a personagem feminina aparecendo, a bailarina, e o cenário era um campo vazia, com apenas uma bola branca flutuando nele, e aí entravam duas tartarugas, uma vindo da esquerda e a outra da direita, e se encontravam; usei uns *sliding fills* porque não deu para usar um animador. Mas o negócio é que quando esses *slides* se encontravam o espaço negativo entre as tartarugas se transformava na bailarina e a bola se transformava na cabeça dela. E aí eu pensei, legal, posso mostrar isso ao Walt. Ele pode simplesmente querer continuar e terminar o desenho inteiro. Como aquela cena era surpreendente demais, achei que iria interessá-lo. E ele ficou mesmo muito interessado, mas mesmo assim deixou o projeto de lado. Anos depois, sempre que Walt e eu conversávamos sobre Dali, ele sempre dizia que deveríamos ter terminado o desenho de qualquer forma.

Hench depois se recordou:

> Salvador Dali voltou para Monterrey, e depois que eu terminei de filmar o teste, fui lá para mostrá-lo a ele. Dei uma gorjeta ao gerente de um cineminha onde estava passando um filme de faroeste "B", para que ele o exibisse depois que terminasse o filme e a plateia tivesse saído. As luzes se apagaram e Salvador viu sua obra totalmente animada. Ele adorou. Exatamente nesse momento, o operador saiu da sala de projeção e praticamente berrou: "O que diabo foi ISSO?" Dali e eu nos entreolhamos e percebemos que aquele era um momento especial da história da arte.

Havia dois *storyboards* completamente diferentes e cinco roteiros distintos, sendo que nenhum deles dava a menor ideia do que Dali pretendia com aquela narrativa.

Walt disse a Dali que *Destino* infelizmente havia sido cancelado porque ele achava, supostamente pressionado pela empresa de distribuição de filmes RKO, que o mercado para filmes empacotados tinha acabado. Isto não evitou que Walt lançasse *Tempo de Melodia* dois anos depois, considerado o último filme empacotado.

Na verdade, o verdadeiro filme empacotado final, o pouco conhecido *Music Land*, foi lançado no dia 5 de outubro de 1955. Disney tinha, àquela altura, criado sua própria empresa de distribuição para os cinemas, mas ainda devia à sua atual distribuidora, a RKO, mais um filme segundo seu contrato ainda em vigor. Para preencher esse requisito, Disney fez uma combinação de quatro sequências de *Make Mine Music* e cinco de *Tempo de Melodia* para criar um novo filme compilado, *Music Land*. O cartaz anunciava ousadamente que o filme era "Um grandioso desfile cheio de alegria e melodia!" *Music Land* nunca mais tornou a ser exibido, salvo uma vez durante uma retrospectiva chamada "Tributo a Walt Disney", no National Film Theater, em 1970.

Walt declarou:

> Certamente não foi culpa de Dali o projeto em que estávamos trabalhando ter sido suspenso. Foi simplesmente um caso de mudança de política no nosso plano de distribuição.

Diane Disney Miller recordou-se:

> Salvador Dali ia lá em casa e andava no trem do papai, e embora estivéssemos em meados do verão, ele se vestia com um sobretudo preto, com colarinho alto e engomado, e uma echarpe. Sentava-se em um vagãozinho segurando a bengala em pé diante de si.

Dali continuou convencido de que ele e Disney iam acabar colaborando para fazer algo, talvez até reviver *Destino*. Walt terminou de fato visitando o artista em sua casa na Espanha várias vezes durante a década de 1950. Eles conversaram sobre uma possível sequência baseada na *Divina Comédia* de Dante, (que Dali havia ilustrado para o governo italiano), uma versão longa-metragem de *Dom Quixote* e até *El Cid*, para o qual Dali supostamente teria criado um roteiro, possivelmente com Errol Flynn como protagonista. Walt dizia a todo mundo que considerava Dali "um cara muito simpático e bacana, e uma pessoa com quem adorava trabalhar".

Walt preparou uma mostra de museu de Arte da Animação em 1958, que viajaria pelos Estados Unidos, Europa e Japão, terminando na Terra do Amanhã, como atração da Disneylândia. Essa mostra devia promover o lançamento do próximo longa da Disney, *A Bela Adormecida*, em 1959. Para montar a exposição, Walt enviou gente para o "arquivo morto" de animação, onde se guardavam as obras de arte criadas para os desenhos animados. Walt queria peças específicas, e não só montagens de celuloides, mas cenários, desenhos conceituais, esboços de histórias etc. Havia três versões dessa mostra, cada uma com distintas obras de arte originais.

Walt sentia que a inclusão da arte feita por Dali acrescentaria outra dimensão à mostra e geraria mais publicidade para ela. Ficou chocado ao descobrir que praticamente todas as principais contribuições artísticas de Dali para a animação haviam desaparecido do arquivo morto. Walt nunca teve coragem de contar a Dali o que havia acontecido.

Quando Dave Smith começou os arquivos Disney, em 1970, ele suplicou aos funcionários que doassem para o arquivo quaisquer criações para produções da Disney que tivessem consigo. Cinco trabalhos de Dali reapareceram misteriosamente, que foram limpos e guardados em um local seguro. Além disso, na década de 1970, Albert Field, um *marchand* de Nova York, abordou Dali e lhe mostrou algumas obras de arte sem assinatura recém-descobertas, feitas para o desenho *Destino*. Dali não conseguiu distinguir os desenhos de John Hench de seus próprios desenhos, portanto assinou todos eles. Roy E. Disney declarou:

> Eles [Hench e Dali] trabalharam muito juntos, a ponto de não conseguirem dizer quem tinha desenhado o quê. O John era a única pessoa do mundo, até morrer, que era capaz de se sentar conosco e dizer: "Este aqui é meu; este é dele."

Há certa discussão sobre quantas peças de arte feitas para *Destino* foram recuperadas pelos Estúdios Disney, embora pelo menos uma fonte confiável tenha indicado que cinquenta e cinco esboços de Dali e setenta e cinco de Hench estavam sendo preservados nos estúdios no início da década de 1990. Supostamente, a pasta original do projeto possuía quase 375 esboços e 22 pinturas completas.

Robert Descharnes, um dos principais peritos na arte de Dali, declarou que um *marchand* bastante ousado falsificou assinaturas de Dali em alguns dos originais de *Destino* que não haviam sido assinados, e até pintou algumas telas falsas supostamente feitas para *Destino* que foram vendidas ao longo dos anos.

Em 1997, John Hench afirmou:

> Walt abandonou *Destino* com muito pesar. Ele esperava voltar a trabalhar nele. Ele tinha se divertido a valer com esse projeto, e além de admirar o talento de Dali, adorava o artista como pessoa.

Enquanto trabalhava com a atriz Bette Midler no intervalo entre números de *Fantasia 2000* que fez referência à arte de Dali, o produtor executivo Roy E. Disney pensou em usar essas peças de arte para promover o filme:

> Durante a filmagem, soube por um dos advogados que nós não éramos os donos legítimos das obras de arte de Dali, porque o contrato assinado em 1945 declarava que elas só se tornariam propriedade da empresa quando o filme fosse feito. Quando eu contava essa história, algumas pessoas pensavam que minha motivação era ganhar uma fortuna adquirindo as peças de arte famosas. O interessante nisso tudo, na verdade, era a ideia de terminar algo que havia crescido quase até atingir proporções míticas, e apresentá-lo ao público.

Roy Disney decidiu completar o filme com a ajuda de Hench. Aproximadamente 20% do filme completo incluíram arte gerada em computador para ajudar a movimentar a câmera virtual em torno dos objetos. O filme foi dirigido por Dominique Monfery e produzido por Baker Bloodworth, que explicou:

> Algumas coisas nele [a arte] eram incompreensíveis. Dali sempre havia dito: "Se vocês entenderem isso, é sinal que eu fracassei." Nós compusemos a história de amor e a comprimimos. E mesmo assim, há uma longa sequência fazendo referência ao beisebol que ninguém poderia compreender, e que nós somente retocamos. Procuramos ser fiéis à aparência do que Salvador Dali havia criado. Dali começava com uma imagem, que virava outra, e no mo-

> mento exato em que pensávamos que poderíamos nos agarrar a essa segunda imagem, ela se tornava ainda outra. Monfery pegou os melhores desenhos e depois voltou às obras de Dali para tentar encontrar coisas em comum.

Sobre a famosa sequência de beisebol, Dali comentou:

> O beisebol é fascinante. Sobre esse jogo em si eu não sei nada. Mas como artista, tenho verdadeira obsessão por ele!

Destino foi exibido em vários festivais de cinema em 2003, inclusive o Festival de Cinema de Telluride, o Festival de Cinema de Nova York e o Festival de Cinema de Chicago, e foi nomeado para um Oscar, mas não venceu. Algumas pessoas adoram o filme, outras o consideram incompreensível e chato, mas não há como negar que é uma realização única de dois inovadores artísticos inigualáveis.

ALICE NO PAÍS DAS MARAVILHAS QUE NUNCA EXISTIU

*Ele [*Alice no País das Maravilhas*] me fascinou da primeira vez que o li quando estava na escola, e depois que comecei a fazer desenhos animados, comprei os direitos para criar uma animação baseada neste livro. Carroll, com aquele seu absurdo e fantasia, conseguiu encontrar um equilíbrio entre a seriedade e o divertimento do qual todos precisavam na época e ainda precisam hoje em dia.*

— Walt Disney, *American Weekly*, 11 de agosto de 1946

Houve três versões mudas das *Aventuras de Alice no País das Maravilhas* (1903, 1910, 1915), e embora Walt Disney nunca tenha mencionado alguma delas, é possível que ele tenha assistido a pelo menos uma, para se preparar para sua própria versão. Mas o livro, ele havia lido.

Ele também não só leu, como estudou e recomendou o livro *Animated Cartoons* (1920), de E. G. Lutz. No último capítulo deste livro, Lutz analisa o futuro da animação:

> A *Alice no País das Maravilhas* de Lewis Carroll é um bom exemplo do tipo de história fantasiosa a figurar na lista dos desenhos animados que poderiam ser feitos para as crianças. O Chapeleiro Maluco seria um personagem admirável na tela. Um artista que desejasse ser autor desta história animada estruturada com base no modelo dos clássicos de Carroll precisaria de uma imaginação exuberante e uma tendência ao fantástico. E, além disso, essa pessoa também precisaria, se quisesse criar personagens à altura das ilustrações de Tenniel, de mais do que as qualificações ordinárias de um artista de desenhos animados normal.

Esta sugestão talvez tenha inspirado Walt a intitular essa série animada bem-sucedida sobre uma menininha de verdade interagindo com um mundo fantástico de personagens de desenho animado de *Alice Comedies*[1] e a chamar sua primeira parte de *Alice's Wonderland.*[2]

O ano de 1932 marcou o centenário do nascimento de Lewis Carroll (pseudônimo do Reverendo Charles Dodgson), que escreveu as aventuras de Alice, inspirado pela menina Alice Liddell. Naquele ano, Liddell, que se transformou depois de adulta na Sra. Alice Hargreaves, visitou os Estados Unidos para receber um diploma universitário honorário e para participar de alguns eventos. Em junho de 1932, ela assistiu a três desenhos do Mickey Mouse em uma tela de cinema e gostou muito deles. Ela achava que Carroll teria gostado do novo meio de comunicação com que se podiam contar histórias.

Naquela época, a estrela do cinema mudo, Mary Pickford, um dos membros fundadores da United Artists, pediu a Walt Disney para fazer um longa-metragem baseado na história de *Alice no País das Maravilhas*, sendo que Mary desempenharia o papel de Alice em um País das Maravilhas animado, criado por Disney e seus artistas. Pickford estava animadíssima para realizar esse projeto, fez testes de filmagem com as fantasias e publicou *press releases*. O filme devia ser preto e branco, embora alguns dos testes de filmagem que sobreviveram tenham sido filmados em Technicolor de três bandas. Walt não pareceu se entusiasmar tanto quanto ela diante dessa perspectiva, e quando ouviu dizer que a Paramount Pictures estava produzindo um filme com atores reais, em que figuravam astros e estrelas do cinema, e que ia ser lançado em dezembro de 1933, parou de trabalhar no projeto de Pickford.

Walt disse à revista *The New York Times Magazine* (3 de junho de 1934):

> Pediram-nos para fazer *Alice no País das Maravilhas* com Mary Pickford. Porém, nós não somos favoráveis a essa ideia, porque ainda não estamos prontos para filmar com atores de carne e osso.

---

[1] Comédias de Alice. (N.T.)

[2] O País das Maravilhas de Alice. (N.T.)

Por causa do sucesso de *Branca de Neve e os Sete Anões*, Walt adquiriu vários projetos para fazer desenhos animados no futuro, inclusive os direitos de filmagem de *Alice no País das Maravilhas*, em 1938, e, em particular, os direitos de reprodução dos desenhos originais de Tenniel. Uma vez mais, Walt repetiu à *The New York Times Magazine* (março de 1938):

> *Alice no País das Maravilhas* nunca deveria ter sido produzido como um filme realista utilizando atores de carne e osso [referindo-se ao filme de 1933 da Paramount], pois o encaramos como uma história que tipicamente se presta a ser transformada em desenho animado.

Entre dezembro de 1938 e abril de 1941, Walt realizou pelo menos onze reuniões documentadas com membros de sua equipe para discutir as possibilidades de filmar *Alice no País das Maravilhas*.

Numa reunião de 4 de janeiro de 1939, para falar da história, Walt comentou:

> Vou lhes dizer o que há de errado com todas essas produções das histórias de Carroll. Elas costumam depender do diálogo criado por ele para serem engraçadas. Se vocês puderem usar algumas das frases engraçadas de Carroll, usem-nas. Se não forem engraçadas, desfaçam-se delas. Há um espírito por trás da história de Carroll. Trata-se de fantasia, imaginação, lógica ilógica... mas precisa ter graça. Quero dizer, ter graça para um público americano. Ao diabo o público inglês ou as pessoas que adoram Carroll... Eu gostaria de fazer uma versão mais 1940 ou 45, mais atual. Não poria na história nenhuma gíria moderna, que não faria sentido, mas podemos modernizar a história. Quero investir em algo que possa ser apresentado em Podunk, Iowa, e fazer a plateia de lá rir por ter passado por essa experiência. Eles não iriam rir de um monte de provérbios ingleses que nunca ouviram antes, ou que não significam nada para eles. Sim, podemos manter a história fiel ao estilo de Carroll, manter o espírito da narrativa.

Al Perkins, roteirista da Disney, pesquisou Carroll e sua obra e produziu uma análise de 161 páginas de *Alice no País das Maravilhas*, dividindo o livro capítulo por capítulo e assinalando as possibilidades de animação. Algumas de suas sugestões foram depois usadas no filme, inclusive a ideia de que o Coelho Branco deveria usar óculos porque Carroll uma vez comentou que achava que o Coelho Branco devia ter óculos, mesmo que Tenniel jamais tenha desenhado o personagem dessa forma. Perkins também achava que o Gato Risonho deveria ser aproveitado em outras cenas da história, e que o relógio consertado pelo Chapeleiro Maluco e a Lebre de Março deveria pertencer ao Coelho Branco.

A partir de junho de 1939, o artista britânico David Hall passou aproximadamente três meses produzindo mais ou menos 400 pinturas, desenhos e esboços baseados na análise de Perkins, que ele usou como um guia. Hall tinha experiência como produtor artístico na indústria cinematográfica, com participação em filmes como *Rei dos Reis*, de DeMille (1927). As conferências para discutirem a história de Alice não ajudaram muito Hall, pois a equipe de Walt não estava captando o espírito da narrativa.

Por exemplo, eles haviam sugerido eliminar a partida de críquete e colocar em seu lugar um jogo de futebol americano. Segundo as anotações da conferência sobre a narrativa, Walt considerou essa abordagem do humor uma "piada de Pato Donald", e afirmou que:

> Acho que o livro é mais engraçado do que vocês pensam. Leiam-no e estudem os personagens e as personalidades, pois é daí que virá o verdadeiro humor.

Em novembro de 1939, os Estúdios Disney filmaram um rolo Leica (um filme dos desenhos conceptuais e esboços da história, com trilha sonora, para dar uma ideia da continuidade e do fluxo da narrativa), usando as criações de Hall. A trilha sonora incluía a voz de Cliff "Grilo Falante" Edwards, dando vida à Garrafa Falante (que depois, no filme, passou a ser uma maçaneta falante). Após ver o filme (que sumiu depois disso) Walt declarou:

> Há certas coisas aí das quais gosto muito e há outras coisas que penso que devíamos simplesmente jogar fora. Acho que não haveria mal em deixar isso de molho durante algum tempo. Ninguém está muito criativo agora. Quando assistirem a este teste novamente, talvez tenham outra ideia base-

> ada nele. É assim que eu faço as coisas. Ainda acredito que podemos seguir *Alice no País das Maravilhas* bem de perto, fazê-lo parecer com o livro e dar a impressão de que o filme é o original, entendem?

David Hall saiu dos Estúdios Disney em janeiro de 1940.

Numa reunião em 8 de abril de 1941, Walt trouxe o projeto à baila outra vez:

> Andei pensando se não podíamos fazer isso com uma menina real. Aí está a vantagem em se usar uma menina de verdade em vez de uma animada. Nós podemos fazer uma menina de desenho animado, fazê-la correr por aí etc., mas conduzir essa narrativa já são outros quinhentos. A menina é a protagonista da história, e tentar fazer o enredo com uma personagem animada vai ser barra. Podíamos, no filme inteiro, ter uma dúzia de cenas com uns truques de câmera mais complicados e no resto a gente usaria *close-ups* e contornaria as dificuldades. Podemos conseguir alguns personagens interessantes e colocar boas canções. Há tantos modos de se produzir as coisas na nossa indústria – podíamos fazer tudo girar em torno dessa menina.

Na reunião, sugeriu-se que a atriz Gloria Jean, que na época contava quatorze anos e tinha acabado de estrelar como a sobrinha de W.C. Fields no filme *Never Give a Sucker an Even Break*, devia ser candidata ao papel de Alice.

O início da II Guerra Mundial interrompeu o trabalho no projeto. Em 1944, os Estúdios Disney criaram uma arte de capa mostrando um imenso cogumelo e a famosa lagarta para um álbum baseado em *Alice no País das Maravilhas*, e lido pela atriz Ginger Rogers, que na época tinha 33 anos. O disco incluía canções originais compostas por Frank Luther e interpretadas sob a batuta do maestro Victor Young. Além de Rogers, as vozes no álbum incluíam Lou Merrill, Bea Benaderet, Arthur Q. Bryan, Joe Kearns, Ferdy Munier e Martha Wentworth.

No outono de 1945, Walt pediu ao escritor Aldous Huxley para trabalhar no roteiro com uma mistura de atores reais/animação, que se transformaria em *Alice e o Misterioso Sr. Carroll*. A ideia era que o filme estrelasse a atriz Luana Patten, que depois apareceu no filme *Canção do Sul* da Disney (1946) e *Tão Perto do Coração* (1949). Huxley era um escritor inglês muito conhecido e prolífico, famoso por seu romance *Admirável Mundo Novo*, escrito em 1932 sobre a distópica Londres de 2540 D.C., onde o espírito humano está sujeito a condicionamento e controle.

Altamente admirado por suas ideias, bem como por suas obras, Huxley, através de sua amiga, a romancista Anita Loos, passou algum tempo em Hollywood na década de 1940, trabalhando em roteiros como *Madame Curie, Orgulho e Preconceito* e *Jane Eyre*, da MGM, embora sua obra nem sempre tenha sido citada ou integralmente usada.

Os Estúdios Disney concordaram em pagar a Huxley 7.500 dólares para que ele escrevesse um argumento para *Alice*. Eles lhe pagaram 2.500 dólares no dia 18 de outubro de 1945, e lhe pagariam o restante quando ele entregasse a versão final da história, no máximo no dia 15 de janeiro de 1946. Huxley entregou seu argumento de 14 páginas no dia 23 de novembro de 1945. Os Estúdios Disney também deram a Huxley a opção de escrever o roteiro definitivo por 15.000 dólares, um trabalho no qual ele deveria incluir "todos os acréscimos, alterações e revisões". Huxley entregou o primeiro rascunho do *script* no dia 5 de dezembro de 1945.

Walt Disney andava pensando seriamente em diversificar para filmes com atores reais, pois a II Guerra Mundial havia lhe mostrado como era vulnerável a sua empresa, quando seus talentosos animadores foram convocados para o serviço militar e quando os mercados estrangeiros se fecharam para os seus filmes. Ficou claro que o processo demorado e caro de produção de desenhos animados não proporcionaria uma renda constante para o estúdio. Pensava-se que os filmes de atores reais poderiam ser feitos mais rapidamente e com menos investimento inicial.

Um resultado dessa maneira de pensar foi *Canção do Sul*, que era principalmente um filme com atores reais mas com partes animadas para apoiar a história. O roteiro de Huxley era no mesmo estilo, sendo a história de Carroll e Alice contada por atores reais, com segmentos de desenho animado, quando Alice procurava segurança para enfrentar seus problemas em seu País das Maravilhas imaginário. Huxley tentou partir do princípio de que tanto Carroll como Alice adoravam a fantasia, mas sua felicidade pessoal tinha sido coibida por pessoas sérias e sem imaginação que controlavam suas vidas.

Eis uma paráfrase da sinopse de Huxley para *Alice e o Misterioso Sr. Carroll*, de novembro de 1945:

> Uma carta declara que a Rainha da Inglaterra deseja conhecer o autor de *Alice no País das Maravilhas* e encontrar-se com ele. Disseram-lhe que ele é um professor de Oxford, e ela deseja que o vice-reitor da universidade, Langham, descubra sua identidade.
>
> Langham deixa a carta de lado, pois tem outras preocupações, inclusive o Reverendo Charles Dodgson que está lhe solicitando a vaga de bibliotecário. Dodgson adora livros e quer parar de dar aulas, pois gagueja muito quando está nervoso. (O Dodô do País das Maravilhas foi inspirado no nome de Dodgson, que, às vezes, por causa de sua gagueira, se apresentava como Do-Do-Dodgson.) Langham não está inclinado a endossar Dodgson para o novo emprego porque sente que não é apropriado para o bom reverendo estar interessado em teatro e em fotografia. O assistente de Langham, Grove, que conhece Dodgson muito bem e o considera um tanto excêntrico, tenta interceder por ele, inutilmente.
>
> Grove é o guardião sem grande força de vontade de uma menininha chamada Alice, cujos pais estão temporariamente fora do país, na Índia. Grove contratou a Srta. Beale para tomar conta de Alice. A Srta. Beale, uma pessoa rigorosa e sem imaginação, não gosta de Dodgson, porque ele enche a cabeça de Alice com coisas sem sentido. Huxley comenta que é importante mostrar Alice como uma órfã temporária à mercê de uma governanta e um homem idoso que não entendem bem a menina, nem a amam.
>
> Dodgson convida Alice para ir com ele ao teatro, para ver *Romeu e Julieta*, cuja protagonista é uma de seus ex-alunas, agora transformada numa atraente e talentosa jovem, Ellen Terry. A Srta. Beale fica indignada e manda Alice escrever para Dodgson informando-lhe que não pode ir por causa dos seus "princípios religiosos".
>
> Dodgson visita Terry no teatro e ela imediatamente se pergunta se ele não seria o misterioso autor Lewis Carroll, porque ele costumava lhe contar histórias do Gato Risonho quando ela era criança. Dodgson lhe suplica que guarde seu segredo, pois está se candidatando a um cargo de bibliotecário e, se fosse revelado que ele era o autor do livro infantil, ele iria se dar mal. Ele também fala que vai trazer Alice para assistir à peça no dia seguinte.

A Srta. Beale descobre que Alice não mandou a carta a Dodgson, mas a escondeu, para poder sair de fininho e ir ao teatro com ele. Furiosa, Beale tranca Alice na estufa. Quando Grove expressa preocupação com essa punição severa imposta à menina, a Srta. Beale assegura-lhe que sempre se agiu assim nas famílias melhores e mais piedosas. Grove termina concordando, como sempre faz quando enfrenta alguém com uma personalidade mais forte do que a sua.

A Srta. Beale então levanta a questão de que é preciso submeter sua pensão ao Bispo dentro de alguns dias (senão, ela teria que esperar mais dois anos pela próxima oportunidade). Grove a aconselha, dizendo que o Bispo era bom amigo do pai de Dodgson e, portanto, talvez o reverendo pudesse escrever uma carta de recomendação para ela. A Srta. Beale então se mostra visivelmente abalada.

Alice fica apavorada por estar trancada na estufa, mas a Srta. Beale lhe informa que se ela não parar de gritar e socar a porta, vai ficar trancafiada ali dia e noite. Para fugir desse pavor, Alice começa a imaginar que uma corda pendurada é uma lagarta do livro e a cabeça de um tigre de pelúcia é o Gato Risonho. Finalmente, lembrando-se de que no País das Maravilhas há "um jardim no fundo de cada toca de coelho", ela encontra uma janelinha com venezianas e foge.

Ela desce correndo a rua na direção do teatro, mas passa por situações apavorantes, inclusive um ataque de moleques de rua e a tentativa de escapar de um guarda depois de se lembrar "dos relatos horripilantes da Srta. Beale sobre o que acontece com as crianças que caem nas garras da lei".

Alice termina encontrando seu caminho para o teatro, e corre às lágrimas para Ellen Terry e os atores que a cercam, que estão descansando no palco durante o intervalo da peça. Ela então começa a contar sua história, aos soluços, de forma incoerente. Terry pede para alguém chamar Dodgson, indignada com a forma como Alice foi tratada. Alice confessa que seu "sistema de superar o medo consiste em fingir que está no País das Maravilhas".

Ellen Terry diz que o teatro serve justamente para isso, para "tirar as pessoas da Terra da Mesmice das Preocupações" e levá-las para o "País das Maravilhas". Terry, a quem acabam se unindo os outros atores, narra a história do jogo de críquete da Rainha Vermelha, e o filme se transforma em desenho animado. Dodgson chega para levar Alice para casa, mas Terry insiste para que Alice fique até que ela tenha tido uma oportunidade de falar "com aquela bruxa velha" que anda perseguindo a menina. Dodgson concorda e começa a também contar histórias, o que transforma o filme em outro segmento de desenho animado.

No ponto da história animada onde a Rainha Vermelha berra "Cortem-lhe a cabeça!" o filme volta às cenas com atores reais, e a Srta. Beale aparece, seguida por Grove e dois policiais. Grove é persuadido a mandar os policiais embora, e Terry eloquentemente convence Beale da necessidade de ser mais amável com Alice. Durante a conversa, Alice deixa escapar que Dodgson é na verdade Lewis Carroll. Grove, decepcionado e frustrado, proclama que essa é a última gota, o motivo que faltava para eliminar Dodgson da disputa pela vaga de bibliotecário. Grove sai para levar a notícia a Langham.

Langham, porém, não tem tempo para falar com Grove porque lhe informaram que a Rainha está chegando naquela mesma tarde, para conhecer o autor de *Alice no País das Maravilhas*, e ele teme que a reação dela à sua incapacidade de encontrar o autor seja negativa. Grove anuncia que pode apresentar o autor e volta ao teatro. Ali, sem lhes dizer o motivo, a não ser que Langham precisa falar com eles imediatamente, reúne Beale, Alice e Dodgson e os leva de táxi para a Universidade.

Langham e os outros dignitários estão prestando homenagens à Rainha. Quando Langham está prestes a admitir que não sabe quem é Carroll, Grove chega e empurra Dodgson para a frente. Alice fica apavorada, pensando que a Rainha vai lhe cortar a cabeça, mas ela fica muito feliz. Quando ela sai, Dodgson constata que os homens que antes o estavam encarando com desprezo agora o estão adulando.

Até mesmo a Srta. Beale pede desculpas, e timidamente pede que Dodgson escreva uma carta de recomendação para ela dar ao bispo sobre sua pensão. Depois que lhe dizem que uma pensão permitiria que a Srta. Beale se aposentasse e não ensinasse mais nenhuma criança no futuro, Dodgson logo concorda, com todo o prazer.

Enquanto os aduladores se aglomeram em torno de Dodgson, eles todos parecem, aos olhos de Alice, transformar-se nos residentes do País das Maravilhas, sendo que apenas Dodgson continua sendo humano.

Um breve epílogo mostra um pórtico gótico com a palavra "Bibliotecário" pintada na porta, e Dodgson sentado confortavelmente lá dentro, a uma escrivaninha, escrevendo, e cercado por montes de livros. Um escoteiro entra e anuncia que a carruagem está pronta, e Dodgson parte para visitar um parque vizinho, onde crianças estão em uma festa que inclui um espetáculo de Punch e Judy. Alice corre até Dodgson para apresentar sua nova governanta, uma "moça jovem e encantadora", que parece estar se divertindo tanto quanto Alice na festa.

Uma mulher de meia-idade, parruda, aproxima-se de Dodgson para lhe contar o quanto adorou seu maravilhoso livro. Dodgson cumprimenta-a com uma mesura, sorri e lhe entrega um cartão que tirou do bolso, depois se afasta. No cartão se lê: "O Reverendo Charles L. Dodgson não assume responsabilidade por qualquer publicação que não tenha sido feita com o seu nome verdadeiro." A mulher olha para trás para ver Dodgson se afastando com Alice e os personagens animados do País das Maravilhas.

No dia 7 de dezembro de 1945, quarto aniversário de Pearl Harbor, Walt e Huxley se encontraram nos Estúdios Disney (juntamente com Dick Huemer, Joe Grant, D. Koch, Cap Palmer, Bill Cottrell e Ham Luske) para discutir o roteiro de Huxley, completamente alheios ao significado histórico daquela data.

Huxley havia feito modificações significativas no *script*. Por exemplo, o cenário da transição para o País das Maravilhas mudou do teatro para o estúdio de Dodgson, onde Alice está lendo provas do livro *Alice no País das Maravilhas*. Quando Dodgson começa a lhe contar a história, a cena desaparece gradualmente, e quando a imagem reaparece Alice está entrando no País das Maravilhas. Mas como essas eram apenas as primeiras trinta e uma páginas do novo roteiro, quaisquer outras mudanças que Huxley tenha feito talvez jamais sejam conhecidas.

Joe Grant sugeriu Harold Lloyd para o papel de Carroll/Dodgson mas Walt preferia Cary Grant. Disney também queria insinuar um possível clima de romance entre Carroll e a atriz Ellen Terry:

> Não queremos dar a entender que ele possa ser *gay*, já que é solteiro. Mas também não quero que descambemos para o erotismo... Nada de erotismo neste roteiro.

Cap Palmer acrescentou:

> Só um interesse saudável de um homem por uma mulher feita.

Walt insistia na importância de deixar bem claro o absurdo:

> Estamos explorando uma outra questão subjacente, ou seja, muitas vezes, o melhor sentido é o sem sentido. Gostaria de terminar tudo trazendo à tona um pouco de absurdo que faça muito sentido, e a implicação seria "pronto, é isso que nós estávamos tentando lhes dizer".
>
> Eu gostaria de lidar com esta questão de forma a haver apenas uma coisa pesada no filme, a Beale, e podemos atribuir tudo a ela. Não há mais nada pesado, entende? O que faz a história toda compensar é o conflito entre Beale e sua teoria sobre como as crianças devem ser criadas. Não pode haver absurdo nenhum, tudo tem que se ser muito prático.

Havia vastas diferenças de opinião sobre como exibir a vilania da Srta. Beale: ciúme de Ellen Terry, o prazer em exercer sua impiedosa dominação sobre Grove (alguns até queriam transformá-lo em tio ou pai de Alice, em vez de apenas seu guardião), os castigos desumanos impostos a Alice, ou apenas a descoberta da identidade de Carroll para fazer chantagem com ele. Walt declarou:

> Mas para reforçar isso tudo, Beale está tentando criar essa menina de uma forma mais rígida. Quando ela volta da casa de Dodgson, a criança retorna com umas ideias meio sem sentido e uma certa filosofia que acompanha essas ideias. Se ele disse, por exemplo, "Passar pela vida sem nada além da razão é como tentar correr em uma corrida com um pé só." Ora, isso é um conselho terrível para se dar a uma criança, ou seja, vai contra o que Beale está tentando fazer.

Na cena final, Walt sugeriu:

> Talvez na cena final o Sr. Carroll possa estar cercado de um bando de personagenzinhos e, de repente, virar o personagem que queremos que ele seja.

Podemos simplesmente optar por um final conciso e feliz. De repente, tudo muda. Fazemos uma superposição entre a realidade e a fantasia, e não há mais nenhuma outra cena. Todos ficam felizes. O Grove deixa de ser o bicho--papão, e quando a Rainha aparece, Ellen Terry e sua mãe podem aparecer também. E todos estão felizes enquanto isso está rolando. É natural que eles se reúnam assim para comemorar.

Antes, porém, Walt havia sugerido:

Há uma possibilidade de haver uma cena final onde todos vão a um piquenique onde estão Dodgson, Grove, Alice, Ellen Terry, a Sra. Terry e a nova governanta. E a nova governanta não é tão feia assim, o que é uma mudança grande para Grove, que, então, se torna uma figura divertida, de certa forma. Ou há uma outra peça. Pode-se insinuar que a Sra. Terry e Grove se tornam muito amigos. Mas podemos fazer o mesmo através da nova governanta que é um personagem totalmente diferente. Esse poderia ser um cenário bem alegre e os espectadores iriam para casa se sentindo satisfeitos.

Alguns acreditam que Walt rejeitou o *script* de Huxley porque era "literário" demais, e ele só conseguia entender uma palavra em cada três. Com base nas anotações feitas na reunião sobre o roteiro, é mais provável concluir que Walt simplesmente tenha sentido que o *script* não captava o que ele queria. Pelo jeito, Disney realmente comentou que a abordagem era "literária demais" para o seu gosto, mas ele estava motivado em transformar a história em algo que funcionasse.

A esposa de Huxley, Maria, declarou depois: "Este foi o primeiro filme que ele [Huxley] gostou de fazer."

Infelizmente, um violento incêndio destruiu em 1961 mais de quatro mil dos livros e documentos anotados de Huxley, inclusive os que ele produziu durante seu envolvimento com o projeto Alice. Felizmente, os Arquivos Disney possuem algumas das anotações sobre as reuniões de roteiro, alguns memorandos, o argumento de 14 páginas e as 31 páginas do roteiro de Huxley.

No fim da II Guerra Mundial, Walt estava louco para começar a produzir desenhos animados de longa-metragem, e começou a trabalhar em *Cinderela*, *Alice no País das Maravilhas* e *Peter Pan*. Portanto, em vez de fazer uma mistura de personagens da vida real com os de desenho animado, *Alice* se tornou simplesmente um desenho animado, e das ilustrações de Tenniel originais evoluiu para o trabalho mais modernista de Mary Blair. Quando o desenho animado foi lançado, em 1951, não continha nenhum elemento do trabalho de Huxley.

Ward Kimball, que foi o animador do Gato Risonho e da cena do chá do Chapeleiro Maluco para o filme, revelou:

> Acho que talvez a decisão de fazer Alice tenha se baseado cinquenta por cento no fato de que precisávamos muito de outro desenho animado na época, porque muitos animadores precisavam se manter ocupados. Disney tinha muitos, mas muitos artistas mesmo trabalhando para ele durante esse período, e preferia mantê-los trabalhando nos seus próprios projetos do que deixá-los procurar emprego em outro lugar, entre um filme e outro. Certamente um fator econômico que influiu nisso foi a combinação da boa reputação de Alice como personagem famosa e o fato de que muitos animadores estavam desempregados. Além disso, por causa da natureza episódica da história, Walt podia rapidamente distribuir trabalho para pessoas diferentes fazerem sequências diferentes ou personagens diferentes, sem se preocupar muito com as transições entre as cenas.

O público e os críticos não ligaram muito para o filme quando ele foi lançado, e até Kimball se referiu a ele como:

> Um espetáculo de *vaudeville* exagerado e espalhafatoso. Não há como negar que há muitas passagens encantadoras na nossa Alice, mas ela é desprovida de calor humano e as histórias são desconexas, não há unidade no filme.

O roteirista Winston Hibler declarou:

> Walt achava que o desenho não tinha apelo emocional. E como ele mesmo disse, *Alice* não tinha coração. A plateia realmente não conseguia se conectar com ela. Ela era uma menina travessa que gostava de se arriscar, e as pessoas nunca sentiam pena genuína dela. Eu realmente acho que ele fez *Alice*

quase como se sentisse obrigado para com o público, como se as pessoas esperassem que ele fizesse esse filme e, portanto, ele o fez. Acho que ele trabalhou com extremo afinco nele, e provavelmente deu tudo de si mesmo no esforço de torná-lo satisfatório e compensador para si próprio.

O que Huxley achou do desenho animado quando ele foi lançado? Hibler comenta:

Ele era um fã sincero de *Alice*, e elogiou principalmente a sequência da maçaneta falante. Depois que ele comentou que aquela cena era certamente muito típica de Carroll, Walt respondeu: "Mas isso foi invenção nossa. Não havia maçaneta falante no livro." O que é a pura verdade.

AS ORIGENS SECRETAS DE *ARISTOGATAS*

O FILME *ARISTOGATAS* ESTREOU no dia 24 de dezembro de 1970, há mais de quarenta anos, e raramente se fala dele, embora esse tenha sido o primeiro desenho animado feito inteiramente após a morte de Walt Disney. *Mogli, o Menino Lobo* foi lançado um ano após a morte de Walt, mas como ele ainda estava vivo durante a produção, a percepção foi de que o filme refletia seu espírito e sua orientação direta, e foi um tributo final a sua arte.

Em uma resenha escrita para o *Los Angeles Times* (9 de abril de 1987), o historiador de animação Charles Solomon afirmou:

> *Aristogatas* revela como Walt Disney era essencial para compor os desenhos animados do estúdio, e a falta enorme que ele fez. *Aristogatas* foi o primeiro filme feito inteiramente após a morte dele. O enredo meramente conecta precariamente uma série de episódios vagamente relacionados.

Certamente, há problemas graves na narrativa, pois dois gansos ingleses meio malucos se acham em plena França da Belle Époque, juntamente com seu tio bêbado (regado a vinho branco – última dublagem do talentoso Bill Thompson, conhecido por dublar o Little Ranger, o Coelho Branco e o Sr. Smee), e dois cachorros sulistas burros (dublados pelos conhecidos artistas *country* Pat Buttram e George "Goober" Lindsey). O que diabo, exatamente, todos esses personagens diferentes fizeram para contribuir para o desenrolar da história ou o desenvolvimento dos personagens principais?

Como foi que um gato dos anos 1960, com um colarzinho de contas *hippie* e óculos escuros, foi parar em um conjunto de *jazz* composto apenas por gatos, contendo estereótipos de mau gosto (lembra-se do Gato Chinês de olhos puxados e dentes salientes, dublado por Paul Winchell?), enquanto o *jazz* americano só se popularizou na França após a I Guerra Mundial? Lembre-se de que esta história supostamente acontece na Paris do pré-guerra, em 1910.

Parece que houve "empréstimos" generalizados de momentos de outros filmes da Disney, inclusive dando a impressão de que a música "Todos Querem ser um Gato" está fazendo uma força danada para imitar a música "Quero ser Como Você", do *Mogli, o Menino Lobo*. Além disso, a derrota de um dos mais fracos vilões da Disney até hoje, Edgar, o Mordomo (Por que é que ele sente aquela vontade profunda de matar os gatos enquanto a Duquesa ainda está bem de saúde? Será que ele também planeja matar a Duquesa?) pelos animais lembra bastante a derrota de Horácio e Gaspar nos *101 Dálmatas.*

O filme foi lançado em dezembro de 1970. Embora fosse sucesso de bilheteria, os críticos ficaram mais do que apenas decepcionados, principalmente depois do sucesso que foi o lançamento anterior da Disney, *Mogli, o Menino Lobo.* Hoje em dia, a gatinha branca Marie é a preferida dos fãs japoneses da Disney, e existem milhares de produtos onde ela aparece. Em 2003, o Canal Disney pensou em transformar Marie e seus irmãos em adolescentes e usá-los em uma série de tevê com distribuição para múltiplos canais. Em 2005, a Disney anunciou uma continuação do filme *Aristogatas* direto em vídeo, sem passar pelo cinema, mas cancelou o projeto em 2006, juntamente com várias outras propostas de continuações.

Aristogatas prova que todo filme da Disney é o favorito de alguém, pois este filme tem muitos fãs ardentes. Talvez a coisa mais fascinante com relação a este filme seja a sua origem.

Aristogatas era originalmente uma história com atores reais, em duas partes, para o programa de tevê *Walt Disney's Wonderful World of Colors.* Walt estava profundamente engajado nesse programa, e foi ele quem decidiu que a história ficaria melhor como desenho animado.

Tudo começou com um senhor chamado Harry Tytle, que passou 40 anos nos Estúdios Disney e terminou virando um produtor de filmes *live-action.* Ele era muito querido e próximo de Walt Disney.

No dia 9 de dezembro de 1961, Tytle estava em Londres, onde Tom McGowan, que havia dirigido *The Hound That Thought He Was a Racoon*

(1963)[1] e outros filmes de animais para o *Maravilhoso Mundo de Disney*, morava com sua família. (McGowan também desenvolveu *A História de Elsa* e a ofereceu aos Estúdios Disney, que não aceitou o projeto.) Walt estava em Londres na época, e sugeriu que Tytle fechasse um contrato com McGowan para ele encontrar histórias sobre animais para os Estúdios Disney.

Quando chegou o Ano Novo, McGowan já havia encontrado várias histórias, uma delas tirada de um livro infantil, sobre uma gata e seus filhotinhos que moravam em Nova York. Tytle achou o fato de a história se passar em Londres em *101 Dálmatas* havia acrescentado um interesse significativo a ela, e sugeriu que a história do filme *Aristogatas* se passasse em Paris.

McGowan e Tytle criaram um rascunho do enredo, presumindo que seria um filme com personagens de verdade, que iria ao ar na televisão, em duas partes. Depois, essas duas partes seriam combinadas para serem lançadas no cinema, como havia sido feito com outros episódios de duas partes da televisão.

Originalmente, a história girava em torno de dois criados, um mordomo e uma empregada, que estavam na fila para herdar a fortuna de uma patroa excêntrica depois que seus gatos de estimação morressem. A história se concentrava em suas tentativas ridículas e inúteis de eliminar os felinos. Depois havia uma parte onde a mãe tentava esconder os gatinhos em várias casas e lugares diferentes em Paris para protegê-los.

A ideia era fazer os gatos de verdade falarem uns com os outros, exatamente como no programa de grande audiência na tevê, o *Mr. Ed*, onde o astro era um cavalo falante. Walt aprovou o fato de os animais falarem, contanto que não fosse diante das pessoas. Ele achava que isso ajudava a desenvolver as personalidades dos animais e a contar a história.

Cerca de dois meses depois, quando Tytle estava em Roma supervisionando a filmagem de *Escapade in Florence* (1962), estrelando Annette Funicello, McGowan lhe trouxe a história, que tinha sido escrita por Tom Rowe, um autor americano que na época morava em Paris. McGowan havia pago do próprio bolso todas as despesas de Rowe. Rowe teve

[1] O cachorro que pensava que era guaxinim. (N.T.)

uma carreira curiosa como escritor: ele começou como crítico de cinema para a *Variety*, depois escreveu roteiros para programas de televisão como a *Ilha da Fantasia* e filmes como *O Lodo Verde* (*The Green Slime*, 1968) e *Tarzan, O Filho das Selvas* (1981). Ele também foi pintor, com diversas mostras em Paris.

Tytle e McGowan passaram alguns dias revisando o roteiro de Rowe. Em agosto, eles já haviam enviado o roteiro completo para Burbank, de onde foi devolvido pelos Estúdios Disney, que o rejeitaram.

A rejeição não partiu de Walt, que não havia visto o argumento, mas de subordinados. Tytle hesitou em contatar Walt, mas isso não demoveu McGowan, que procurou Disney em Londres e colocou o argumento em um envelope, que deixou no balcão da recepção do hotel de Walt, o Conaught.

Walt gostou da história e ligou para McGowan em sua casa, antes mesmo de McGowan ter sequer retornado após deixar o envelope no hotel. Walt disse que ia falar com Tytle em Lisboa e eles iriam examinar o argumento juntos. Tytle se encontrou mesmo com Disney em Lisboa e, na viagem de avião de volta a Londres, Walt disse a Tytle para comprar a história e prepará-la para ser transformada em um filme com atores, que McGowan dirigiria e Tytle produziria. Walt sugeriu eliminar o gatinho músico do roteiro; também achava que havia ação demais, além de especificar outros cortes e correções.

Começando em 30 de agosto de 1962, Tytle e McGowan trabalharam seis dias seguidos na elaboração de um contrato. O escritório da Disney em Londres acrescentou uma emenda ao contrato prevendo pagamento de *royalties* a McGowan na venda de produtos baseados no filme (isto não constituiu problema quando o filme ainda era *live-action*, mas quando ele virou um projeto para desenho animado, a Disney recomprou os direitos de McGowan).

Em janeiro de 1963, Tytle se internou num hospital londrino para uma cirurgia. Durante o tempo de recuperação, ele trabalhou nas revisões em seu quarto de hospital, com McGowan e Rowe. O roteiro foi terminado no dia 1º de fevereiro, e Tytle voltou a Burbank para se preparar para as filmagens em Paris.

Em junho, Walt mostrou a Tytle uma carta de Rowe que, aparentemente, estava descontente com as revisões no roteiro, especialmente com Tytle, acusando-o de ser um "menino de recados" de Walt, enviado para corromper a obra. Walt, porém, estava satisfeito com o trabalho de Tytle, e permitiu que ele próprio respondesse à carta. Tytle informou a Rowe que era apenas uma diferença de opinião e que sentia muito por frustrar Rowe no seu intento, mas que Walt gostava das alterações e elas não seriam removidas.

Por diversos motivos, os Estúdios Disney engavetaram a história. McGowan tentou comprar os direitos de volta, mas Disney não concordou em vendê-los.

Como histórias para desenhos animados estavam se tornando mais raras, Tytle sugeriu a Walt que *Aristogatas* daria um bom longa-metragem animado. Eles consultaram Woolie Reitherman, que então era o diretor e supervisor do departamento de desenhos animados, e também alguns animadores importantes. Todos concordaram.

Em agosto de 1963, Walt pediu uma cópia do roteiro de *Aristogatas*. Dois dias depois, Card Walker anunciou que esse seria o próximo desenho animado de Walt Disney, embora o trabalho no projeto só fosse ser retomado em maio de 1964.

Em uma anotação feita no seu diário com data de 25 de novembro de 1964, Tytle relata uma conversa entre ele e Walt Disney:

> Passamos algum tempo discutindo a ideia. Eu lhe contei as várias piadas e cenas que não estavam no roteiro porque, quando estávamos planejando fazer um filme com atores, nós as consideramos muito "típicas de desenho animado", mas que agora poderiam ser usadas. Por exemplo, a cena onde a mamãe gata usa seus bigodes como radar, protegendo-se assim dos dois criados. A outra cena que mencionei para ele foi o momento em que os criados estavam na adega. Eles ficam trancados (a mamãe gata empurra a porta e a fecha), enquanto estão cavando um buraco onde pretendem enterrar os gatos; a pá acerta o cano de entrada da água da rua e inunda a adega. O mordomo agarra uma garrafa de vinho que passa flutuando, não consegue despejar o conteúdo da garrafa na água, que já está subindo, então bebe

todo vinho e coloca dentro dela uma mensagem (pedindo ajuda) e depois a empurra para fora pela janela da adega. Após fazer isso umas duas vezes ele fica "alto" e não se importa mais se alguém vai vir socorrê-lo ou não. Walt achava que no filme *Aristogatas* os animais deveriam se comportar da mesma forma que no filme dos Dálmatas. Ele disse que seria bom se os gatos pudessem conversar entre si, mas nunca diante dos humanos. Ele parecia gostar especialmente dos vários artistas da história e dos personagens. Ele disse que quando começarmos, gostaria que os Sherman viessem e compusessem algumas canções. Nós discutimos Waterloo (um dos gatinhos) e algumas das primeiras cenas que Walt havia eliminado. Temos que nos limitar a (apenas) três gatinhos porque há ação demais no tratamento original. Walt pareceu concordar que a história (da família) dos gatos escrita pelo Tom Rowe era boa, mas irrelevante.

A enfermeira do estúdio, Hazel George, pediu uma cópia do roteiro (aparentemente por sugestão do Walt), leu-a e devolveu-a alguns dias depois, dizendo que tinha gostado muito dele, e também disse isso ao Walt. Disney valorizava a opinião dela. Grace Bailey, chefe do departamento de Contorno e Pintura, e outra funcionária da Disney cuja opinião Walt respeitava, também leu o roteiro e gostou dele.

Este processo demorado de aprovação do filme enquanto a equipe trabalhava em outros projetos causou alguns problemas após o falecimento de Walt. Tytle recebeu a ordem de concentrar-se em filmes com artistas de verdade, e lhe disseram que Winston Hibler assumiria o projeto *Aristogatas*. Quando Hibler começou a enfrentar problemas de produção, Woolie Reitherman assumiu o projeto, e Hibler nunca mais foi chamado para tratar de projetos de animação. Fizeram-se grandes modificações na história.

Tytle recordou:

A parte da história que mais fascinava o Walt, ou seja, a adoção dos gatinhos por famílias, de acordo com os talentos dos bichinhos, foi eliminada. Na minha opinião, o filme resultante perdeu o espírito que tentamos construir, o clima e os personagens parisienses, todo aquele charme francês. Francamente, acho que a história original que Walt comprou era muito melhor.

> Não tínhamos um rato na história original. Eu achava que era um clichê e que não era essencial para uma história com gatos. Eu queria fazer uma história de gatos sem ratos, para variar.

Elsa Lanchester, que participou de inúmeros filmes, inclusive *Mary Poppins*, tinha sido escolhida como referência de dublagem para compor a personagem Elvira, a criada que queria eliminar os gatinhos. Porém, depois do falecimento de Walt, mudaram-se os dubladores e o papel de Elsa foi eliminado. Grande parte das cenas originais foi removida e substituída por outras coisas, inclusive os gansos.

Tytle afirmou:

> Teria significado muito mais se a história que McGowan, Walt e eu escrevemos tivesse chegado às telas, e os espectadores pudessem julgá-la. Foi assim que deixei de trabalhar com desenhos animados.

Após a morte de Walt, Rowe processou o estúdio, alegando que, porque ele havia escrito partes do filme, a lei francesa lhe concedia os direitos autorais daqueles personagens, mesmo ele reconhecendo que a ideia original não era sua. Ele perdeu.

No filme definitivo, Tom McGowan e Tom Rowe recebem crédito pela história, juntamente com os roteiristas da Disney, Larry Clemmons, Vance Gerry, Ken Anderson, Frank Thomas, Eric Cleworth, Julius Svendsen e Ralph Wright.

Walt trabalhou um pouco na história de *Aristogatas*, mas, no fim, o que ele fez foi descartado e não entrou na versão final. Na divulgação do lançamento, enunciaram que o filme já estava em produção havia quatro anos e tinha custado mais de quatro milhões de dólares.

Talvez, se o filme tivesse incluído uma parte do trabalho feito anteriormente, ele pudesse ter sido um verdadeiro pulo do gato, termo antigo que significa "segredo do sucesso", em vez do que alguns consideram uma "gatunagem" (embuste).

TÃO PERTO DO CORAÇÃO

Venham todos! Venham todos à Feira Rural de Walt Disney! Cheia de música, risos e emoção!

— Dizeres do cartaz que anunciou o filme *Tão Perto do Coração*

Foi o filme que inspirou a criação da exposição itinerante de miniaturas "Disneylandia" e também do parque temático Disneyland [Disneylândia]. Parte dela terminou no quintal do animador Ward Kimball, mas resultou em alguns problemas incomuns. Uma parte significativa da infância de Walt Disney em Marceline é fisicamente representada no filme, inclusive uma estrutura clássica que proporcionou a Walt incontáveis horas de divertimento pessoal em sua própria casa até sua morte. O filme inclui uma música que foi indicada ao Oscar de Melhor Canção, interpretada pelo "cantor preferido de baladas dos americanos", uma música que foi gravada no seu primeiro compacto simples de sucesso. A adaptação do filme para livro resultou na primeira obra infantil com ilustrações do legendário roteirista Bill Peet, que depois teria uma carreira de sucesso como escritor e ilustrador de livros infantis.

Entretanto, esta história simples de um menino e seu carneiro preto está quase esquecida hoje, muito embora tenha ganho o Prêmio de Bilheteria da revista *Parent's Magazine*. *Tão Perto do Coração*, cujo lançamento nacional foi no dia 19 de janeiro de 1949, pela RKO Radio Pictures, é um instantâneo sentimental de um tempo passado muito querido de Walt Disney. Deveria ser um retrato afetuoso e respeitoso da vida rural do país na virada do século – não uma oportunidade para se fazer comédia usando-se os caipiras como estereótipos.

Não há um conflito melodramático intenso. Nenhum vilão vai tirar a fazenda da família por falta de pagamento da hipoteca. Nenhum desastre natural ou doença irá ameaçar a família. Não há traumas também, pois os pais do menino, aparentemente, já morreram há bastante tempo. Embora a avó seja prática e temente a Deus, o garotinho consegue tudo que quer e supera com relativa facilidade obstáculos como abelhas, pântanos, um bichinho de estimação perdido e a pobreza.

Em comparação a outros filmes da Disney, e apesar de ser fundamental em muitos aspectos, *Tão Perto do Coração* vem sendo ignorado e falta documentação a respeito dele; mas, mesmo assim, surpreendentemente, foi um filme que influenciou muitas outras áreas da história da Disney.

Sterling North era um autor aclamado de livros como o *best-seller* de 1963, *Rascal*, uma autobiografia que acompanha o crescimento de um filhote de guaxinim que terminou sendo transformado em um filme de longa-metragem da Disney. O livro de 1943 de North, *Midnight and Jeremiah*, deu origem ao filme *Tão Perto do Coração.*

Passado em 1903, na cidade fictícia de Fulton Corners, Indiana, *Tão Perto do Coração* conta a história de um rapaz chamado Jeremiah Kincaid (Bobby Driscoll, que tinha acabado de participar de *Canção do Sul*), que adota um carneirinho preto rejeitado e travesso chamado Danny (em homenagem ao famoso cavalo campeão de corridas Dan Patch, que também era preto). O sonho de Jeremiah de colocar Danny para concorrer com outros animais na Feira Rural de Pike quase termina devido às objeções de sua carinhosa porém severa avó, Vovó Kincaid (papel interpretado pela atriz nomeada duas vezes ao Oscar Beulah Bondi).

O único aliado adulto de Jeremiah parece ser o ferreiro, o tio Hiram Douglas (Burl Ives em um de seus primeiros papéis cinematográficos), embora Jeremiah também receba incentivo de seus sonhos animados, onde figura a Velha Coruja Sábia, a qual magicamente surge de seu álbum de recortes. Ele também recebe apoio de sua melhor amiga, Tildy (Luana Patten, de *Canção do Sul*), embora nós nunca vejamos os pais dela, nem mesmo na Feira. Naturalmente, há desafios árduos durante o processo, principalmente quando Danny, depois de crescido, como é típico nos filmes de Walt Disney, se torna comicamente destrutivo e arma a maior confusão na fazenda e na loja local. Jeremiah acaba ganhando dinheiro suficiente para inscrever Danny na Feira, e o desfecho é inteligente e satisfatório.

Em um depoimento feito para a campanha de divulgação do filme, Walt alegou:

> Vi que havia encontrado a história perfeita para um novo tipo de filme quando li esse livro.

Em 1945, Walt encontrou-se pela primeira vez com o roteirista Edwin Justis Mayer para conversar com ele sobre a adaptação da história. Nos créditos finais consta que o roteiro é de John Tucker Battle (o mesmo roteirista responsável pelo ainda assustador *Invasores de Marte*, de 1953), com adaptação de Maurice Rapf e Ted Sears (ambos trabalharam anteriormente no roteiro de *Canção do Sul*). Naquele mesmo ano, no verão de 1945, o produtor Perce Pearce tinha ido a Indiana para estudar o clima do lugar para *Tão Perto do Coração.* Pearce mais tarde trabalharia um pouco na direção de cenas de ação para o filme.

Os primeiros roteiros, inclusive um de dezembro de 1945, não continham nenhuma animação. Porém, os roteiros de 1946 incluíam partes onde se podiam inserir cenas animadas, que estavam refletidas no orçamento oficial do filme. Um artigo de 30 de junho de 1946, do *Los Angeles Times*, declarou que o filme seria:

> [...] mais ou menos 90% filmado com atores reais. Neste filme, Walt usará desenhos animados só quando a natureza não puder oferecer os recursos necessários.

O representante de vendas da RKO argumentou que seria difícil vender um filme de Walt Disney sem desenhos animados, portanto alguns acreditam que Walt estava sendo pressionado a acrescentar algumas sequências curtas de animação que dão a impressão de serem excessivas. Na realidade, o contrato de Walt com a RKO exigia que os filmes que ele fizesse para distribuição pela empresa "fossem desenhos animados ou parte filmagem de vida real e parte desenho animado". Não havia nenhuma cláusula que previsse um filme totalmente feito com atores reais. Quando o público vê o nome "Disney" eles esperam ver animação, e esse pode ser o motivo pelo qual os primeiros dois minutos do filme são em desenho animado.

Numa entrevista concedida algum tempo depois, Walt comentou:

> Eu via os personagens de desenho animado como frutos da imaginação de um garotinho, e acho que dessa forma eles se justificavam.

O detentor do prêmio Disney Legends, Hamilton Luske, era diretor supervisor dos desenhos animados, que, segundo o *pressbook*, só representavam 15% do filme. A história foi atribuída a Marc Davis, Ken Anderson e Bill Peet; a animação a Eric Larson, John Lounsbery, Hal King, Milt Kahl, Les Clark, Don Lusk e Marvin Woodward; e a direção de arte a Mary Blair, John Hench e Dick Kelsey.

Muitas das pinturas de arte conceptual de Blair, feitas em um estilo inspirado em colchas de retalho, ainda existem, e há uma forte conexão entre esses desenhos e os desenhos do filme definitivo, tais como a aparência da loja Grundy.

É interessante observar que as sequências de animação surpreendentemente boas jamais são discutidas. Além da animação de personagens padronizados – desde uma aranha dançarina escocesa até uma serpente marinha ameaçadora, incluindo uma Velha Coruja Sábia com ar professoral –, há algumas cenas impressionistas e interessantes que se destacam em um desenho animado. Embora o filme em si frequentemente seja esquecido, é intrigante o fato de algumas dessas lições de animação autônomas não terem sido "reutilizadas" em outros projetos, como os programas de televisão da Disney.

Walt Disney gostava muito do filme *Minha Amiga Flicka* (1943), dirigido por Harold Schuster, o qual, com o passar dos anos, tinha passado de ator a *cameraman* e finalmente a diretor. Aliás, a esposa de Walt e suas filhas adoravam tanto esse filme que o exibiam muitas vezes na tela de cinema que tinham em casa. Contratado pela 20th Century Fox, Schuster foi emprestado aos Estúdios Disney para fazer as cenas com atores reais de *Tão Perto do Coração*. "A ideia de trabalhar com Walt Disney me fascinava demais", declarou Schuster quando concordou em participar do projeto.

Schuster mais tarde alegou que o carneiro era o mais difícil de dirigir, mesmo que costumassem usar comida para instigá-lo e obter dele as reações certas. O carneiro roubou tantas cenas que o ator Burl Ives descreveu o animal como "um canastrão vestido de carneiro". Depois de filmar uma cena do concurso de carneiros da Feira Rural, o pequeno Bobby Driscoll comentou: "Carneiros e atores, voltem para suas baias!" E a equipe de filmagem caiu na gargalhada. Driscoll recebeu um Oscar especial como "Jovem Ator de Destaque" tanto por seu trabalho neste filme como em um filme de terror, que não era da Disney, *The Window*.

O cinegrafista Winton Hoch mais tarde filmaria *A Lenda dos Anões Mágicos* (1959), mas Walt conhecia seu trabalho como diretor de fotografia para sequências de *live-action* do filme *O Dragão Dengoso* (1941) e na animação *Tempo de Melodia* (1948).

As filmagens de *Tão Perto do Coração* começaram em 30 de abril de 1946 e continuaram até 23 de agosto de 1946. Gravações adicionais foram feitas entre 5 de fevereiro de 1947 e 28 de março de 1947, e ainda mais filmagens foram feitas em maio e agosto de 1947. Como as filmagens iniciais acabaram entrando verão adentro, a paisagem tinha começado a ficar com aparência ressecada, então, toda noite, vinte e sete jardineiros regavam o solo e as plantas para deixá-los com aparência fresca e verdejante para as filmagens do dia seguinte. As temperaturas excediam os 40 graus e enquanto o elenco e os figurantes morriam de calor com aqueles trajes de época de várias camadas, as baias e cercados dos animais eram refrigerados.

O filme foi elaborado, segundo o material promocional oficial, em torno das casas e fazendas "entre os campos de cereais, os pomares e vinhedos, os pastos de alfafa e o curral de gado, sob os grandiosos olmos de copa imensa perto de Tulare, Visalia e Porterville", no Vale de San Joaquin, mais ou menos 250 milhas ao norte de Hollywood. Supostamente, parte da fotografia foi feita no Parque Nacional das Sequoias, também. O diretor Schuster descreveu o Vale de San Joaquin como "um dos vales mais lindos do mundo".

Schuster sugeriu que Beulah Bondi fizesse o papel da vovó. Embora tivesse apenas 56 anos na época, Bondi tinha reputação de desempenhar papéis de matriarcas, como a mãe dos personagens de Jimmy

Stewart em quatro filmes, inclusive *A Felicidade Não Se Compra* (1946) e *A Mulher Faz o Homem* (1939). Ela desempenhou seu primeiro papel de "senhora" quando tinha apenas vinte anos. Em *Tão Perto do Coração*, Bondi aprendeu como cuidar de carneiros, arar um campo, fiar lã e tecer em um tear. No filme acabado ela faz tudo isso e mais outras atividades, como se tivesse passado a vida inteira fazendo-as.

Schuster também escolheu o adorado ator Harry Carey, acostumado a desempenhar papéis excêntricos, para fazer o papel de juiz da Feira Rural. Carey era famoso por seu trabalho em filmes mudos de faroeste, onde costumava encarnar o homem íntegro detentor de autoridade, e foi por isso que Schuster o escolheu. Infelizmente, Carey faleceu antes que o filme fosse lançado, mas após toda a fotografia principal haver sido terminada.

Excepcionalmente, alguns cenários interiores, como a loja Grundy, acabaram sendo construídos em locação, pois os Estúdios Disney tinham apenas um palco pequeno na época.

Schuster disse ao famoso historiador de filmes Leonard Maltin:

> Eles encontraram uma loja de ferragens velha, mas bota velha nisso, perto da cidade de Porterville. Estava fechada e as mercadorias dentro dela foram todas compradas e transferidas para a loja Grundy. Tanto o estábulo quanto a casa da vovó foram construídos na locação. A estação ferroviária já estava lá, bem como os trilhos da ferrovia. Nós alugamos a locomotiva antiga e os vagões da Paramount, que os havia usado no filme *Union Pacific* (1939).

Segundo a propaganda da Disney:

> A velha locomotiva número 99 da Ferrovia de Evansville e Indianapolis, que foi o número colocado nela [para o filme em Technicolor] era na realidade uma das veneráveis locomotivas da Ferrovia Virginia e Truckee, que já estava aposentada havia muito tempo.

Segundo os registros, a locomotiva entrou em funcionamento em 1875.

Perto de quinhentos residentes locais se reuniam diariamente no cenário para desempenhar seus papéis de figurantes "vestidos com roupas de época de seus antipassados [sic], cumprindo suas tarefas cotidianas e fornecendo os animais, bem como reproduzindo o comportamento de fazendeiros em suas fazendas e piqueniques há meio século atrás. Disney supervisionou pessoalmente grande parte da ação". Pelo menos Walt supostamente "supervisionou grande parte da ação" segundo as peças publicitárias que também falavam de como Disney ajudou a supervisionar as cenas com trens.

Schuster contou a Maltin:

> Walt às vezes aparecia nos fins de semana. Nós tomávamos café da manhã no domingo e conversávamos sentados no capim. Ele era um senhor muito entusiasmado, com quem dava gosto conversar. Sempre dava suas sugestões como meras sugestões. Ele me deixava segurar as rédeas firmemente nas mãos.

Quando o filme foi lançado, Walt alegou:

> *Tão Perto do Coração* foi um filme muito especial para mim. Afinal, ele reproduz a vida que eu e meu irmão tínhamos quando éramos crianças no Missouri. O grande cavalo de corrida, Dan Patch, era o nosso herói. Nós tínhamos o neto do Dan Patch na fazenda do meu pai.

Para promover o filme, Walt, Beulah Bondi e as crianças partiram numa viagem que incluiu paradas em Nashville e Chicago. Embora o filme em si não fosse tão lucrativo no momento de seu lançamento como outros filmes do estúdio, inspirou muitos momentos cruciais da história da Disney.

Eis aqui alguns deles:

O estábulo do filme foi recriado no quintal de Walt e lhe proporcionou muitas horas intermináveis de prazer.

Na época, John Cowles Jr., filho do Dr. John Cowles, que deu suporte financeiro ao primeiro estúdio da Disney, que produziu os desenhos animados Laugh-O-Gram, trabalhou como arquiteto nos Estúdios Disney. Além de seus projetos de cenários, Cowles Jr. também ajudou a planejar muitos dos edifícios permanentes do Estúdio, assim como planejou e desenho o projeto da ferrovia do quintal de Walt, a Carolwood Pacific.

Cowles Jr. projetou o autêntico estábulo vermelho de *Tão Perto do Coração* que fazia Walt recordar o de sua infância em uma fazenda de Marceline, Missouri. Walt pediu a Cowles Jr. que adaptasse essa mesma construção para a oficina do quintal de sua casa. As únicas variações foram um alicerce de laje de concreto, janelas ao longo da parede leste e um quartinho que abrigava o painel de controle central da ferrovia de seu quintal. Este pedaço de *Tão Perto do Coração* permaneceu próximo a Walt até sua morte, e era um de seus lugares preferidos para fugir das tensões do trabalho e simplesmente se divertir.

A estação ferroviária do filme acabou indo parar no quintal do animador Ward Kimball.

Um aficionado por ferrovias durante grande parte de sua vida, Kimball projetou o prédio da bilheteria e sala de espera da estação ferroviária de *Tão Perto do Coração*, com base em uma estação de Lehigh Valley, em Nova York. Depois das filmagens, Walt (talvez de bom humor depois de uma viagem com Kimball à Feira Ferroviária de Chicago) decidiu que a ferrovia Grizzly Flats, que Kimball tinha no quintal, precisava de uma estação e, por isso, um caminhão dos Estúdios Disney entregou a estação ferroviária desmontada do filme na casa de Ward em San Gabriel. Foi um presente inesperado e bem recebido, até Kimball tentar remontar a estação.

Kimball reclamou que foi como tentar montar as peças sem marcas de um gigantesco quebra-cabeça em uma base de concreto. Ele ficou ainda mais frustrado quando mandou um imenso guindaste colocar o telhado na construção terminada e tudo veio abaixo. Era apenas um cenário de filme, portanto, só tinha três lados, sem suporte suficiente para o peso. Ele precisou começar tudo de novo, do princípio, mas foi capaz de aproveitar o telhado, as janelas e as portas. Kimball nunca revelou a Walt, na época, quanto trabalho e quanta despesa ele teve para reconstruir a estação.

Anos depois, Walt decidiu que a estação seria a parada perfeita da linha de trem na Terra da Fronteira, no parque temático da Disneylândia, que naquele tempo estava sendo construída. Então, Disney simplesmente pediu para Kimball devolver a estação ferroviária, imaginando que com isso poderia economizar um pouco de dinheiro. Kimball recusou-se e finalmente revelou como havia reconstruído completamente a estação. Walt então mandou construir a estação na Terra da Fronteira segundo a mesma planta, porém adicionando portas duplas, plataformas de carga cobertas em ambas as extremidades e um escritório à parte para fretes. Décadas depois, a estação foi usada como um dos cenários do curta *Two Brothers* exibido nos parques temáticos da Disney, e no filme *Grandes Momentos com o Sr. Lincoln,* exibido antes do filme principal na Disneylândia.

Antes da Disneylândia, Walt havia idealizado um conceito chamado Disneylandia[1] onde várias mostras tridimensionais em miniatura seriam montadas em vagões de carga de trens e viajariam por todo o país. Walt imaginou as pessoas, especialmente estudantes, visitando a estação de trem local para aprender sua história e tradições. O filme *Tão Perto do Coração* serviu de inspiração para o primeiro vagão.

Walt era muito habilidoso na confecção de miniaturas. Trabalhando com base em projetos que o *imagineer* Ken Anderson adaptou de *Tão Perto do Coração*, Walt construiu pessoalmente uma maquete da cabana da vovó Kincaid, em uma escala $^1/_8$, que está atualmente exposta na atração "O Sonho de um Homem", no parque Hollywood Studios da Disney. Walt exibiu seu modelo construído à mão no Auditório da Los Angeles Pan Pacific em novembro de 1952 como parte do espetáculo Festival da Vida.

Para construir a chaminé, Walt catou pedrinhas na sua casa de verão, a Fazenda Smoke Tree, em Palm Springs. Dentro dela, um tapetinho de trapos tecido a mão cobria um piso de tábuas do tamanho de palitos de fósforos. Uma bacia com jarra de porcelana, um violão com cordas finas como bigodes de gato e uma pequena Bíblia se encontravam sobre a mesa. Uma minúscula espingarda de pederneira pendurada na parede e uma roca com um fardo de linho se encontravam a um canto. A cena dava a

[1] "Disneyland" é o parque que chamamos de Disneylândia em português; mas essa primeira mostra itinerante se chamou Disneylandia, em inglês, sem o acento. (N.T.)

impressão de que a vovó em pessoa tinha acabado de se levantar de sua cadeirinha de balanço e saído, mas os espectadores ouviam a voz da vovó descrevendo aquela cena aconchegante. Walt havia gravado uma narração de Beulah Bondi, que havia desempenhado o papel da Vovó no filme.

Em uma entrevista concedida em 1953, Walt explicou:

> Esta cabaninha faz parte de um projeto no qual estou trabalhando e foi exibida apenas como teste para obter a reação do público a meus planos para construção de uma aldeia inteira.

Mais tarde, Walt se convenceu de que a sua Disneylandia miniaturizada não poderia gerar renda suficiente para manter suas mostras, e que apenas um grupo de pessoas poderia admirar as cenas ao mesmo tempo. A Disneylandia das miniaturas evoluiu e acabou se tornando a Disneylândia de tamanho natural que conhecemos hoje.

Tão Perto do Coração ofereceu ao roteirista Bill Peet sua primeira oportunidade de ilustrar um livro infantil.

Em 1950, a editora Simon & Schuster lançou um Golden Story Book de 126 páginas (GS-12) do filme, com texto de Helen Palmer e ilustrações de Bill Peet (foi um de uma série de vinte livros que incluiu dois outros títulos da Disney: *Mystery in Disneyville* e *Donald Duck and the Hidden Gold*)[2]. Peet, mais tarde, faria sucesso se tornando um elogiado autor e ilustrador de livros infantis. Em geral, dizem que seu primeiro sucesso foi *Hubert's Hair-Raising Adventure* (1959)[3], mas, na verdade, este foi apenas o primeiro livro infantil publicado com ilustrações de Peet. Ele forneceu desenhos a bico de pena e aquarelas para quase todas as páginas do livro no mesmo estilo que usaria depois em seus próprios livros. Não era incomum os artistas da Disney fazerem bico como ilustradores, principalmente para livros e histórias em quadrinhos relacionadas aos filmes da Disney. Outros artistas da empresa, inclusive John Hench, Mary Blair, Bill Justice e Retta Scott, realizaram obras extraordinárias para livros li-

[2] Mistério na Aldeia Disney e O Pato Donald e o Tesouro Escondido. (N.T.)

[3] A Aventura Horripilante de Hubert. (N.T.)

gados aos filmes da Disney. Infelizmente, como *Tão Perto do Coração* não foi um sucesso, sua adaptação para livro jamais foi reimpressa.

Tão Perto do Coração foi também uma oportunidade para o "cantor preferido de baladas dos americanos" (como o *pressbook* descreveu na época o cantor Burl Ives) gravar seu primeiro compacto simples de sucesso.

Burl Ives era um colecionador e cantor de músicas folclóricas autenticamente americanas, e era, na época do filme, mais conhecido por suas apresentações no rádio e em vários concertos. Ele já era ator fazia mais de uma década quando gravou canções para o filme *Tão Perto do Coração*. "Lavender Blue (Dilly Dilly)" era uma música folclórica inglesa do século XVII e uma balada infantil que os compositores da Disney Eliot Daniel e Larry Morey adaptaram para o filme. Cantada por Ives, recebeu indicação ao Oscar de Melhor Canção.

Daniel e Morey contribuíram com mais duas outras canções para a trilha sonora: "Ol' Dan Patch" e "Stick-To-It-Ivity". (Daniel foi depois responsável pela música tema da série de tevê *I Love Lucy*.) A canção título do filme, "So Dear To My Heart" era de Ticker Freeman e Irving Taylor. Mel Torme forneceu a letra para a melodia que Robert Wells compôs para "County Fair". Bondi e Ives cantam um dueto na música folclórica tradicional "Billy Boy". Embora a publicidade do filme proclamasse que Ives também cantaria a tradicional canção folclórica "Sourwood Mountain", essa música não aparece no filme acabado. Aparentemente, outras canções folclóricas também foram eliminadas.

O aspecto mais importante do filme *Tão Perto do Coração* é a lição que ele diz ensinar: "O que importa é o que você faz com o que você tem." Certamente essa filosofia foi importante na época, um tempo mais inocente, mais benigno, mas é ainda mais importante hoje em dia. O historiador da animação John Culhane alegou que essa era uma frase que Walt repetia frequentemente. É fácil imaginá-la como parte da filosofia de Disney.

Entre outras razões, Walt quis reviver as lembranças nostálgicas de sua meninice com este filme para recordar-se de como ele próprio usou os dons que recebeu.

E O OSCAR VAI PARA... WALT DISNEY

DURANTE TODA A SUA VIDA, Walt Disney ganhou mais estatuetas Oscar do que qualquer outra pessoa na história desse cobiçado prêmio da indústria do cinema. Trata-se de uma façanha incrível que ainda não foi superada, mesmo cinco décadas depois do seu falecimento.

A Academia de Artes e Ciências Cinematográficas foi concebida pelo finado produtor de cinema Louis B. Mayer, o qual achava que uma organização assim era necessária para conferir *status* e respeito à indústria cinematográfica. Com a ajuda de outras figuras proeminentes de Hollywood, criou-se a Academia e ela distribuiu seus primeiros prêmios, ainda sem nome, em um banquete no dia 16 de maio de 1929.

Os Prêmios de Curta Metragens foram entregues pela primeira vez em 1932 em três categorias: Desenho Animado, Comédia e Inovação. Supostamente, a categoria de desenhos animados foi criada acima de tudo para prestar homenagem ao trabalho de Walt Disney. Durante vários anos, a maioria dos indicados e vencedores nesta categoria foram curtas animados de Walt Disney, com uma indicação meramente simbólica ou duas de outros produtores de animação, como Leon Schlesinger.

Por exemplo, em 1938, quatro desenhos animados de Disney foram indicados: *O Alfaiatezinho Valente*, *Mother Goose Goes Hollywood*, *Good Scouts* e, finalmente, o vencedor, *Ferdinando, o Touro*, um desenho que também gerou uma boa quantidade de mercadorias. Disney venceu na categoria de curtas-metragens todo ano, desde 1932 (*Flores e Árvores*) até 1939 (*O Patinho Feio*).

Esta série de vitórias teve fim em 1940 quando o filme *The Milky Way* da MGM, sobre três gatinhos que perderam as luvinhas e sonham em visitar a Via Láctea em uma cesta atada a três balões, levou o prêmio. Nenhum desenho da Disney foi indicado naquele ano. Os outros dois indicados foram *Puss Gets the Boot* da MGM (que foi possivelmente o primeiro desenho animado do Tom e Jerry) e *A Wild Hare* da Warner (possivelmente o primeiro desenho animado "oficial" do Coelho Pernalonga).

Cerimônia de Entrega dos Prêmios da Academia de 1932

Mickey Mouse e *Flores e Árvores*

Em 1932, além de *Flores e Árvores*, os outros dois indicados na categoria de curta animado foram o *Pai de Órfãos* da Disney, e *It's Got Me Again* da Warner.

Também naquele ano, Walt recebeu um Oscar especial pela criação do Camundongo Mickey. O ator Charles Chaplin devia lhe entregar a estatueta, mas decidiu ficar em casa. Este momento foi um marco na história do Oscar, pois foi o primeiro ano em que um homem recebeu dois prêmios na mesma cerimônia, e apenas a segunda vez em que um Oscar especial foi entregue (na primeira, quem recebeu o prêmio especial foi Chaplin).

Walt Disney sabia que ia receber dois prêmios. Até 1941, os vencedores eram informados com antecedência para ajudar os repórteres a cumprirem os prazos de entrega de suas reportagens.

No dia 18 de novembro de 1932, o Quinto Banquete da Academia de Artes e Ciências Cinematográficas foi realizado no Salão Fiesta do Hotel Ambassador no bulevar Wilshire. Novecentos convidados compareceram.

Como parte das festividades e para agradecer as homenagens que ia receber, Walt produziu um curta de desenho animado colorido para ser exibido aos convidados. Intitulado *Parade of the Award Nominees* [*Desfile dos Indicados ao Prêmio*], era um filme de dois minutos e meio estrelando Mickey Mouse e apresentando caricaturas dos artistas indicados às categorias de Melhor Ator e Melhor Atriz.

Mickey Mouse, de bermuda verde, liderava o desfile dos indicados ao Oscar (com um pouco de animação reciclada das *Melodias da Mamãe Gansa*, uma *Silly Symphony* de 1931), caminhando sobre um tapete vermelho. Foi a primeira aparição do Mickey em um filme colorido, vários anos antes de *The Band Concert*.

Um jornal relatou que o desenho causou "boas gargalhadas". Outro periódico comentou:

A julgar pelos aplausos, o público se entusiasmou mais com Walt Disney, o criador do Mickey Mouse, e Helen Hayes (que ganhou o prêmio de "Melhor Atriz").

Cerimônia de Entrega dos Prêmios da Academia de 1939

Branca de Neve e os Sete Anões

No dia 23 de fevereiro de 1939, Walt Disney aguardava, nervoso, no Hotel Biltmore, em Los Angeles. Ele já havia recebido sete prêmios da Academia em anos anteriores. Naquela noite, Walt ia receber um prêmio honorário da Academia por *Branca de Neve e os Sete Anões*, uma "significativa inovação no cinema, que encantou milhões de espectadores e foi o pioneiro de um imenso campo novo de entretenimento para os desenhos animados".

Branca de Neve era na época o filme de maior bilheteria de todos os tempos e havia se tornado tão amplamente popular e aclamado pela crítica que a Academia de Cinema sentia que o filme merecia algum tipo de reconhecimento, mas não queria dar um Oscar de melhor filme para um desenho animado (nem indicá-lo para concorrer naquela categoria).

Segundo sua autobiografia, o Presidente da Academia (e diretor de cinema lendário) Frank Capra veio com a ideia de conceder um prêmio especial sob forma de uma estatueta do Oscar de tamanho normal e sete estatuetas que iam ficando cada vez menores. Embora Walt tivesse fincado pé e dito que não fazia filmes só para crianças, acharam que a atriz infantil mais famosa da época, Shirley Temple, seria a melhor pessoa para representar os jovens fãs de Walt Disney, e a mais adequada para lhe entregar o prêmio.

Uma foto distribuída para os jornais pelo *Wide World Photos' Los Angeles Bureau* tinha a seguinte legenda:

> Demorados aplausos receberam Shirley Temple quando ela foi até a tribuna para entregar um prêmio especial a Walt Disney por Branca de Neve e os Sete Anões, que foi reconhecido pela indústria como uma inovação na arte cinematográfica que inaugurou um novo ramo do entretenimento.

Capra jurou que a seguinte conversa fez a plateia "vir abaixo":

> Shirley Temple: Eu tenho certeza de que os meninos e meninas do mundo inteiro vão ficar muito contentes quando descobrirem que o pai da *Branca de Neve e os Sete Anões*, do Mickey Mouse, do Ferdinando e todos os outros personagens vai receber essa bela estatueta [retira a capa que cobre o prêmio]. Não é linda, tão brilhante e lustrosa assim?
> Walt Disney: Ah, sim, ela é uma beleza.
> Shirley Temple: Não está orgulhoso, Sr. Disney?
> Walt Disney: Estou tão orgulhoso que acho que vou explodir. Sabe, acho que o Mickey Mouse, o Ferdinando, a Branca de Neve e todos os anões vão ficar muito orgulhosos de saber que foi você que entregou este prêmio.
> Shirley Temple: Que bom!

Com Ferdinando, Shirley estava se referindo ao protagonista de *Ferdinando, o Touro*, o curta animado de Disney que havia vencido naquele ano.

Entrevistada pelo historiador da animação John Culhane em fevereiro de 1988, Shirley Temple Black recordou-se:

> Eu achava que a estatueta grande era para o Walt e que os Sete Anões eram as estatuetas menores, ao seu lado, que iam diminuindo de tamanho. E também fiquei ressabiada pois achei que a Branca de Neve não iria receber um prêmio... Eu tinha onze anos. Fiquei preocupada com a Branca de Neve na época, porque ela mesma não tinha recebido um Oscar. É que a estatueta grande é aquela que se costuma entregar para a pessoa de verdade, né? E a Branca de Neve não estava lá... Ele [Walt] era um cara muito especial e eu o adorava. Fiquei triste por nunca ter podido trabalhar para ele.

Cerimônia de Entrega dos Prêmios da Academia de 1942

O Prêmio Thalberg

O Prêmio Em Memória de Irving G. Thalberg é entregue a "produtores criativos, cuja obra reflete uma alta qualidade constante na produção de filmes".

O prêmio recebeu o nome do falecido Irving Thalberg, lendário vice-presidente da Divisão de Produção da Metro Goldwyn-Maryer, responsável por desenvolver as maiores produções da MGM. O prêmio, um busto de Thalberg sobre uma base triangular, é considerado um "Oscar honorário", embora não seja concedido todos os anos. O primeiro a recebê-lo foi Darryl F. Zanuck, na cerimônia de entrega dos prêmios da Academia de 1937 (que aconteceu em 1938). Três outros também receberam o prêmio entre 1939 e 1942: Hal B. Wallis (1938), David O. Selznick (1939) e Walt Disney (1942), que foi o mais jovem produtor já contemplado.

O produtor David O. Selznick entregou o prêmio a Walt, que ficou tão emocionado que chorou abertamente. Aqui está o relato de um artigo intitulado "Walt Disney chora ao receber Oscar", publicado na edição de 27 de fevereiro de 1942 do jornal especializado em cinema *Daily Variety:*

> [Walt] teve dificuldade de falar e só conseguiu dizer com a voz embargada pela emoção: "Quero agradecer a todos os presentes. Este é um voto de confiança da indústria inteira."

Na verdade, Walt disse um pouco mais do que isso. Selznick, que lhe entregou o prêmio, elogiou Walt por usar música clássica de Bach, Beethoven e Tchaikovsky em *Fantasia*, declarando que isto "contribuiu para a educação musical do público espectador". No seu discurso, ao receber o troféu, Walt respondeu:

> Muitíssimo obrigado por este prêmio. Talvez eu deva receber uma medalha por intrepidez. Todos cometemos erros. *Fantasia* foi um deles, mas foi honesto. No futuro, pretendo voltar a me dedicar a meus velhos ideais.

A atriz Norma Shearer, a viúva de Thalberg, aproximou-se de Walt quando ele voltou à sua cadeira e lhe deu um beijo. Ela não gostava do busto de seu marido, que fizeram para o troféu, e por isso encomendou uma nova escultura e pagou a despesa. Ela enviou a nova versão aos primeiros quatro ganhadores, inclusive Walt, e esse novo busto se tornou o padrão durante muitos anos.

Cerimônia de Entrega dos Prêmios da Academia de 1949

Seal Island

Já na década de 1940, Walt estava preocupado com o desaparecimento de culturas primitivas e por isso pediu aos casal de fotógrafos Alfred e Elma Milotte, que possuíam uma loja de câmeras no estado do Alasca, para se aventurarem no agreste do estado e tirarem fotos de tudo que pudessem, desde esquimós até atividades comerciais e qualquer outra coisa, na tentativa de documentar o espírito desse povoado distante da civilização, em vias de extinção.

Estudando rolos e rolos de fotos desencontradas, Walt viu que havia imagens de focas e pediu aos Milottes para enfatizar o ciclo biológico desses mamíferos, sem nenhuma indicação da presença humana.

O filme resultante, o primeiro da série *Aventuras da Vida Real*, não convenceu a RKO, a distribuidora de filmes da Disney na época, que achava que os espectadores não se sentiriam atraídos por um documentário sobre a natureza. Além disso, eles achavam que o nome Disney estava tão intimamente relacionado com animação que o reduzido público que viesse assistir ao espetáculo ficaria decepcionado vendo apenas animais de verdade.

Walt pediu a um amigo, dono do Pasadena Crown Theater, para passar o filme *Seal Island* [Ilha das Focas] durante uma semana em dezembro de 1948, para que houvesse possibilidade de ele ser indicado a um prêmio da Academia.

Com 27 minutos de duração, um tempo muito mais longo do que um documentário normal, *Seal Island* não só foi indicado ao Oscar, como também venceu na categoria de Melhor Documentário.

No dia seguinte, Walt levou o Oscar até o escritório de Roy O. Disney e disse:

> Pronto, Roy, leve isto na RKO e bata com ele na cabeça deles.

Ao se confrontar com aquele impressionante Oscar, a RKO distribuiu o filme.

Cerimônia de Entrega dos Prêmios da Academia de 1953

Apresentador do Oscar de Música

Walt Disney entregou o Oscar três vezes. Em 1937, ele entregou o prêmio de Curtas-Metragens, e em 1943 entregou o Prêmio Thalberg ao produtor Sidney Franklin.

No dia 19 de março de 1953, Walt Disney entregou o Oscar de Música na 25ª Cerimônia de Entrega dos Prêmios da Academia realizada no RKO Pantages Theatre em Hollywood. Foi o primeiro ano em que as cerimônias foram transmitidas pela televisão. O anfitrião, Bob Hope, apresentou Walt:

> Sabem, quando ligamos para o Walt Disney e lhe pedimos para entregar o prêmio de música esta noite, nós dissemos: "Walt, com todas as canções que você encomendou para seus filmes e com o *Fantasia* e tudo mais, você seria o homem certo para isso. Afinal, pense em quanto você fez pela música e por Hollywood."
> E a calorosa resposta do Walt foi: "Não me diga, eu achava que era justamente o contrário." Mas, mesmo assim, Walt atravessou com dificuldade sua sala de estar atulhada de estatuetas do Oscar e compareceu esta noite. Um dos grandes inventores do cinema dos tempos modernos, o Sr. Walt Disney.

Walt pronunciou errado o nome de vários candidatos ao Oscar. Miklos Rosza virou "Miklos Rosca". O regente Adolph Deutsch tentou ajudar Walt com cochichos audíveis, dando as pronúncias corretas, de onde estava, no poço da orquestra, mas não adiantou. Walt mudou o título da música "Am I in Love? " para "I Am in Love!" e não conseguiu ler o nome de Dimitri Tiomkin. O cúmulo mesmo foi quando Alfred Newman, que venceu na categoria de Melhor Trilha Sonora de Filme Musical, se afastou da tribuna esquecendo-se de levar o seu Oscar.

Cerimônia de Entrega dos Prêmios da Academia de 1954

Quatro Prêmios

Walt Disney alcançou um marco no dia 25 de março de 1954, na cerimônia de entrega dos prêmios tornando-se a pessoa que mais ganhou prêmios Oscar (quatro) em um só ano, até aquele ponto. Ele levou o Oscar em quatro categorias (todas por filmes lançados em 1953):

- Melhor curta animado: *Toot, Whistle, Plunk and Boom*
- Melhor documentário de curta-metragem: *The Alaskan Eskimo*
- Melhor Documentário: *O Drama do Deserto*
- Melhor Curta de Dois Rolos: *Bear Country*

O ganhador do prêmio Disney Legends, Ward Kimball, diretor de *Toot, Whistle, Plunk and Boom,* estava na esperança de aceitar o Oscar, mas lhe disseram que, como Disney havia obtido indicações para múltiplos prêmios "ia ser um espetáculo muito melhor se apenas Walt recebesse todos os prêmios. E foi mesmo", resmungou Ward quando eu o entrevistei em 1996.

Depois de receber seu quarto Oscar da noite, Walt disse ao público presente:

> Eu só tenho mais uma coisinha a dizer. É maravilhoso, mas acho que já está na hora de eu me aposentar.

A sobrinha da esposa de Walt, Patty, se recorda:

> Tom Jones, relações públicas dos Estúdios Disney, recebeu a incumbência de levar Walt até a cerimônia dos prêmios da Academia. Walt disse [a sua esposa] Lilly que não precisava comparecer ao evento porque ele achava que não ia ganhar nada. Então Walt foi à cerimônia e recebeu tantos prêmios que a imprensa tirou fotos dele segurando todas aquelas estatuetas. Quando Tom o levou de volta para casa, Lilly não queria deixá-lo entrar porque estava furiosa por ele tê-la mandado ficar em casa. Ela ficou danada da vida porque tinha sido uma cerimônia excelente para ele e ela não tinha podido estar ao seu lado. Então, Tom precisou levar Walt à Disney e ele foi obrigado a dormir em seu apartamento do Estúdio naquela noite.

A maior coleção individual de estatuetas Oscar fora de Hollywood está no Museu da Família Disney, em São Francisco. O saguão do museu exibe vários prêmios que Walt ganhou durante sua vida, inclusive os troféus Oscar.

No início da década de 1960, Walt mandou fazer uma pulseira de ouro 18 quilates muito especial, com vinte estatuetas Oscar em miniatura, cada qual com o nome do filme premiado gravado debaixo dela. Walt precisou obter permissão da Academia para reproduzir as estatuetas, porque o Oscar é uma marca registrada. Originalmente, ele pretendia dar a sua mulher Lillian um colar desses mini-Oscars, mas Lilly disse que preferia uma pulseira – e ela passou a usar aquela pulseira frequentemente. Ela agora está em exposição no Museu da Família Disney.

O único longa que Walt produziu indicado ao Oscar de Melhor Filme foi *Mary Poppins* (1964). O filme concorreu em treze categorias e ganhou em cinco delas, na noite do Oscar de 5 de abril de 1965, inclusive Melhor Atriz para Julie Andrews. Sobre essa vitória, Walt comentou:

> Conhecendo Hollywood, nunca tive alguma esperança de que o filme [*Mary Poppins*] recebesse algum prêmio. Aliás, a Disney nunca fez exatamente parte de Hollywood, como vocês sabem. Tenho a impressão de que eles se referem a nós como "aquele lugarzinho, lá no milharal de Burbank".

TERCEIRA PARTE

HISTÓRIAS DOS PARQUES DA DISNEY

Sempre que visito o Walt Disney World com um bom amigo meu que também é uma autoridade reconhecida da Disney, ele fica fascinado pelas histórias que lhe conto sobre as diversas atrações. Ele adora contar aos milhares de fãs do seu *podcast* que estas são histórias que "só o Jim Korkis conhece".

A princípio, sentia-me lisonjeado por esse cumprimento, mas quando parei para pensar nele a sério, me deu um medo cada vez maior. Com o passar das décadas, consegui entrevistar muitos dos *imagineers* que criaram as atrações dos parques temáticos da Disney. Trabalhei e conversei com Membros do Elenco[1] que ajudaram a montar a Disneylândia e o Walt Disney World. Eles partilharam comigo algumas histórias sensacionais e fatos que eu depois descobri que nunca haviam sido documentados antes. Felizmente, anotei muitas coisas com cuidado, e costumava também gravar essas conversas.

Seria verdade que eu talvez fosse uma das últimas pessoas a conhecer as histórias dessas atrações? Seria por isso que algumas mudanças arbitrárias haviam sido feitas nos parques temáticos da Disney sem levar em consideração as tradições originais? Será que não havia ninguém que trabalhasse na Disney Company que fosse o "guardião das histórias" ou estivesse numa posição de comunicar essas tradições aos administradores?

De repente, senti necessidade de contar essas histórias a tantas pessoas quantas fosse possível, só para manter as tradições vivas. Em vez de confiar apenas nas memórias daqueles com quem venho conversando ao longo dos anos, tentei confirmar essas histórias junto a outras fontes. Fiquei chocado ao descobrir que alguns documentos haviam sido destruídos por economia nos custos de armazenagem ou porque uma atração havia sido desativada ou nunca tinha sido construída. Felizmente,

[1] Os chamados Cast Members, ou Membros do Elenco, são os funcionários da Disney que trabalham nos parques e lojas da empresa. (N.T.)

integrantes do elenco costumavam guardar materiais como esses como lembranças pessoais, e eu consegui acessar essas fontes para conferir as informações.

Porém, alguns fatos jamais haviam sido sequer registrados, porque, no calor do momento, para se cumprirem os prazos, ninguém teve tempo de fazer isso, principalmente se algo tivesse que ser modificado na última hora. Sempre havia existido uma tradição de "histórias orais" nos Estúdios Disney e nos Parques da Disney. Acreditava-se que se alguém tivesse alguma dúvida, sempre apareceria alguém dotado de conhecimento o suficiente para responder a essa pergunta. Ninguém pensou no que aconteceria quando as pessoas que tinham adquirido esse conhecimento morressem ou se aposentassem. A situação piorava ano após ano, à medida que gente talentosa ia saindo da empresa.

Portanto, eis algumas das histórias sobre os parques temáticos da Disney que eu talvez seja uma das poucas pessoas a conhecer. Não quero levar essas narrativas fantásticas comigo para o túmulo. Agradeço aos que me contaram essas histórias (e tantas outras), mas me arrependo de não ter sido mais agressivo e astuto, para conseguir ainda mais informações quando elas estavam disponíveis. Talvez esses relatos permitam que aqueles que têm visitado as atrações dos parques temáticos da Disney inúmeras vezes as apreciem de uma nova forma.

O CARROSSEL DOURADO DA CINDERELA

No DIA 1º DE JUNHO DE 2010, a Disney Company criou uma nova narrativa para o popular Carrossel Dourado da Cinderela na Terra da Fantasia, na Disneylândia. Como parte do novo enredo, o nome da atração foi modificado para O Carrossel Real do Príncipe Encantado. Não se fizeram mudanças físicas, só se colocou um cartaz novo.

Em um folheto de divulgação, a Disney explicou:

> Depois do seu romance de conto de fadas e casamento, onde eles foram felizes para sempre, Cinderela e o Príncipe Encantado resolveram morar no Castelo da Cinderela. Com paz no reino inteiro, o Príncipe Encantado tinha tempo de praticar para as justas – combates de lanças sobre cavalos. No campo, próximo ao castelo, ele construiu um dispositivo de treinamento composto de esculturas de cavalos, sobre os quais ele podia praticar a arte de passar a lança pelo anel, um evento do torneio onde um cavaleiro cavalga a toda a velocidade, com a lança na mão, até um anelzinho que pende de um galho de árvore, com o objetivo de atravessar o anel com a lança. Este evento ficou conhecido por vários nomes naquelas terras, mas, de modo geral, começou a ser chamado de "carrossel".
>
> O dispositivo de carrossel chamou a atenção dos aldeões, que sentiam vontade de dar uma voltinha neste incrível engenho giratório. Então, o Príncipe Encantado mandou construir um segundo Carrossel perto do castelo, onde todos pudessem usar essa maravilhosa invenção. Em vez de ser um dispositivo de treinamento em pleno funcionamento, porém, este novo carrossel foi construído de acordo com sua localização privilegiada no Pátio do Castelo. Os cavalos de treinamento rústicos foram substituídos por alazões fogosos totalmente decorados e engalanados com capacetes e escudos dourados, guirlandas de flores, penas e outros ornatos. O Príncipe Encantado convida todos a testarem sua perícia em equitação e a terem seus próprios finais felizes.

Alguns fãs da Disney acharam desnecessária essa mudança, pois durante 40 anos o ícone adorado logo na entrada da Terra da Fantasia, no Magic Kingdom, teve uma história detalhada, começando pela predileção que o próprio Walt sentia pelos carrosséis.

Em 1963, Walt revelou de onde ele havia tirado a ideia da Disneylândia:

> Ora, ela surgiu quando minhas filhas eram muito jovens e o sábado era sempre o dia do papai, para ser passado com as duas filhas. Então nós saíamos e tentávamos ir a algum lugar, fazer coisas diferentes. Eu as levava para andar de carrossel, em lugares variados, e ficava sentado, observando-as enquanto elas se divertiam. Ficava só sentado num banco, sabe, comendo amendoins. Eu achava que devia existir um lugar no qual os pais e as crianças pudessem se divertir juntos. E foi assim que começou a Disneylândia.

O famoso carrossel que inspirou Walt ainda está em funcionamento no Parque Griffith, em Los Angeles. Situado no Park Center, entre o Zoológico de Los Angeles e a entrada do parque de Los Feliz, o Carrossel do Parque Griffith já vem sendo uma atração para as famílias há cinco gerações. Foi construído em 1926 pela firma de engenharia Spillman, e é o único carrossel construído pela Spillman que ainda existe. A maioria de suas peças e a sua pintura ainda são originais.

A família Spreckles originalmente comprou o carrossel para se divertir na praia de Mission, perto de San Diego, mas quando as pessoas pararam de ir à praia, na época da Depressão, o carrossel foi transferido para o Parque Balboa, ali perto, para a Exposição Internacional California Pacific. Quando terminou a exposição, em 1936, Ross Davis comprou o carrossel e em 1937 ele o transferiu para o Parque Griffith, onde ele tem estado desde aquela época. Davis ajudou Walt a obter e reformar outro carrossel para a Disneylândia, que se tornou o famoso Carrossel do Rei Artur.

O Carrossel do Parque Griffith conta com 68 esculturas de cavalos feitas à mão, bem detalhadas, todos eles empinados. Todas as quatro fileiras de cavalos têm freios cravejados de joias, mantas minuciosamente elaboradas e decorações de girassóis e cabeças de leão. Além disso, há duas carruagens, supostamente com pinturas de Adão perseguindo Eva, sendo que em uma delas há uma placa com os dizeres:

Restaurado em memória de Walt Disney através da generosidade da Fundação da Família de Walt Disney.

Um realejo tipo Banda Militar Stinson 165, o qual, segundo se afirma, é o maior realejo de carrossel da Costa Oeste, toca mais de 1.500 marchas e valsas.

Em 1984, o carrossel foi comprado por Rosemary West e Warren Deasy, que juntos começaram a tarefa imensa e dolorosamente lenta de restauração, usando os lucros que obtinham com a venda de entradas para o carrossel para pagar a reforma. O estrago causado pela passagem do tempo ficou muito evidente nesta atração antiga.

Na Galeria Disney, na Disneylândia, contra a parede de entrada da Opera House, na Main Street, se encontra um banco de madeira, desses de parque (emprestado da coleção particular do *imagineer* Tony Baxter) com uma plaquinha onde se lê:

O banco de parque original perto do Carrossel do Parque Griffith, em Los Angeles, onde Walt Disney sonhou pela primeira vez em criar a Disneylândia.

Talvez o carrossel mais magnífico de qualquer parque temático da Disney seja o do Magic Kingdom, do Walt Disney World. Sua história requintada e seus detalhes refinados são insuperáveis.

Todos os dias, visitantes do Walt Disney World, sem de nada suspeitar, embarcam nesta antiguidade genuína, montados num cavalo que talvez valha mais de cem mil dólares e é folheado a ouro 23 quilates. Durante dois minutos, eles são transportados à alegria de sua infância ou a uma fantasia de pertencerem à realeza, onde montam heroicamente um corcel que gira ininterruptamente, através de uma terra encantada. Essa experiência originalmente custava apenas um bilhete tipo "A", ou dez centavos, o preço mais baixo cobrado por qualquer atração da Disney. Hoje em dia, essa volta de carrossel é gratuita.

A maioria dos historiadores concorda que a ideia de carrossel começou na década de 1.100, quando italianos e espanhóis da Cruzada observaram cavaleiros árabes e turcos jogarem um jogo muito sério a cavalo (o qual, na verdade, era um exercício de preparação da cavalaria), que os cruzados apelidaram de "batalhazinha" ou "guerrinha". A palavra equivalente em italiano é "garosello" e, em espanhol, "carosella".

Os franceses adaptaram o jogo, transformando-o em uma exibição extravagante de perícia equestre que substituiu as justas. Chamaram essa nova modalidade de competição de "carrousel". Tanto os cavaleiros quanto os cavalos usavam trajes primorosos e os cavaleiros realizavam rotinas coreografadas com os cavalos, para entreter os membros da realeza. Em uma das rotinas, um homem a cavalo tentava atravessar com a lança um anel minúsculo que pendia de um galho de árvore ou de um poste.

Há aproximadamente 300 anos, os franceses construíram um dispositivo giratório que se movimentava para cima e para baixo, e onde havia esculturas de cavalos e charretes suspensas por correntes que partiam de um poste central. Ele era usado para treinar os jovens da nobreza para o evento sem lhes cansar os cavalos.

Por volta do final do século XVIII, havia diversos carrosséis (movidos a homens, mulas ou cavalos) espalhados em toda a Europa, que eram usados apenas para divertimento em feiras e lugares especiais. Na década de 1860, Gustav Dentzel foi o pioneiro do carrossel moderno nos Estados Unidos, inspirando outros artesãos talentosos.

Os carrosséis americanos eram maiores e mais enfeitados do que os europeus. Os cavalos e carruagens desses carrosséis eram decorados de forma extravagante, segundo a tradição de que o carrossel devia entreter a realeza. Os cavalos de carrossel americanos são bem mais ativos do que os seus equivalentes europeus, com olhos expressivos, crinas eriçadas e poses arrojadas simulando movimento. É realmente uma arte esculpir uma peça de madeira para que ela dê a impressão de estar viva.

Os avanços tecnológicos possibilitaram a inclusão de uma plataforma circular estacionária sobre a qual as pessoas podiam andar; o acréscimo de animais estacionários (cavalos parados ou empinados); e engrenagens e alavancas para movimentar os cavalos, para cima e para baixo, em torno de uma coluna central.

Durante a Crise de 1929, com a Grande Depressão, o declínio do movimento nos parques de diversões resultou no abandono ou na destruição de vários carrosséis, pois as poucas empresas que os construíam passaram a fabricar outras coisas ou fecharam as portas. Os carrosséis passaram a ser considerados coisa de criança, em vez de algo que os adultos também podiam apreciar. Com o enorme interesse pelas coleções de animais de carrossel, oferecidos como antiguidades durante a década de 1970, muitos dos carrosséis restantes foram desmontados para que os cavalos fossem vendidos separadamente, por milhares de dólares.

Durante a Era de Ouro do capitalismo (antes da Crise de 29), talvez houvesse bem mais de quatro mil carrosséis ativos. Atualmente, nos Estados Unidos, só há cem carrosséis ainda intactos.

A única artesã da Disney que supervisionou e fez a manutenção do carrossel do Walt Disney World durante mais de duas décadas desde sua instalação foi uma senhora extremamente talentosa chamada Isle Voght. Há mais ou menos dez anos, a Disney a transferiu de lá, mas eu a visitei muitas vezes no fim da década de 1990, para vê-la trabalhar. Ela sempre estava ávida por me contar a história do carrossel da Disney e falar do seu trabalho. Eu assistia assombrado enquanto ela exercia seus poderes mágicos.

Isle compôs um memorando com data de 18 de setembro de 1990, sobre a história do carrossel do WDW, e enviou-o a vários endereços, inclusive o da Universidade da Disney, de modo que a verdadeira história pudesse ser arquivada e documentada. Na época, Isle estava trabalhando no carrossel da Eurodisney. O anel externo daquele carrossel tinha novos cavalos de madeira esculpidos por um artesão de Ohio, ao passo que os anéis internos tinham cavalos de fibra de vidro feitos com base nos cavalos de madeira do carrossel do Walt Disney World. Como ela havia feito com o *imagineer* John Hench para o carrossel do WDW, Isle estava encarregada de escolher as cores de cada cavalo.

Dois parágrafos de seu memorando de duas páginas foram usados para publicidade, muitas vezes, durante os últimos vinte anos. O documento original em si desapareceu.

Como pano de fundo, é bom saber que na Era de Ouro dos Carrosséis Americanos eles apresentavam três estilos preponderantes: o Filadélfia (inspirado pela obra de Dentzel e a Philadelphia Toboggan Company), o Coney Island e o County Fair.

Isle me contou o seguinte:

O Carrossel do Walt Disney World, no Reino Mágico, foi construído em 1927 pela Philadelphia Toboggan Company, que criou alguns dos mais belos cavalos da época. Foi esculpido por escultores alemães e italianos para expressar o patriotismo que prevalecia nos Estados Unidos depois da I Guerra Mundial. O carrossel se chamava Liberdade, e era um dos maiores carrosséis que já haviam sido construídos, com pouco mais de 18 metros de diâmetro.

O primeiro lugar onde instalaram o Carrossel Liberdade foi o Detroit Palace Garden Park, onde ele ficou até ser restaurado na Filadélfia em 1928 e colocado no Parque Olímpico de Maplewood, Nova Jérsei, onde permaneceu durante os 39 anos seguintes.

O Carrossel Liberdade originalmente tinha 72 cavalos e duas carruagens (não quatro, como alguns artigos divulgaram). Os cavalos distintamente americanos eram pretos, castanhos, cinzentos e brancos. Suas selas continham detalhes que homenageavam a fronteira americana, inclusive imagens de búfalos e bisões agora pintados de prateado e dourado, rostos de índios americanos, arcos, flechas e até coldres com pistolas ou espingardas.

Esculturas da Estátua da Liberdade segurando escudos com um emblema onde havia uma bandeira vermelha, azul e branca decoravam o círculo superior interno. Havia dezoito pinturas de paisagens americanas. Logo abaixo delas via-se uma série de painéis ao redor de toda a coluna, decorados com águias americanas. Mas, com o passar dos anos, artesãos menos habilidosos acabaram aplicando outras camadas de tinta e verniz sobre os cavalos, e terminaram cobrindo os detalhes intrincados e especialmente entalhados naquelas peças.

A Philadelphia Toboggan Company construiu apenas oitenta e nove carrosséis antes de 1929 e da Crise. O Carrossel Liberdade (número 46) é um de apenas uma dúzia, mais ou menos, daqueles carrosséis originais clássicos que ainda estão em funcionamento.

Em 1965, quando o Parque Olímpico fechou, o Carrossel Liberdade tinha passado algum tempo sem manutenção, de maneira que estavam planejando destruí-lo. Cavalos de carrossel antigos são tão procurados que os donos costumam vendê-los individualmente, assim como as peças decorativas. Estudos demonstraram que quando um parque de diversões vende ou remove seu carrossel, o parque em geral fecha permanentemente dentro de um ano. Em 1967, a Disney já havia localizado e adquirido o Carrossel Liberdade, uma antiguidade e verdadeira obra-prima, para o Magic Kingdom.

Isle me contou o seguinte:

> Todos os cavalos foram enviados para as oficinas da Disney onde artesãos se surpreenderam diante dos detalhes e da graciosidade artística que descobriram quando todos os anos de camadas de tinta e sujeira foram removidos e revelaram a lustrosa madeira de ácer original. A reabilitação, feita por artesãos da Disney, durou vários meses. As carruagens foram removidas e o carrossel foi preenchido até o número atual de 90 cavalos depois que a Disney comprou alguns cavalos antigos que foram feitos por dois outros produtores de carrosséis famosos, a Dentzel Co. e a Parker Co.

Os cavalos foram cuidadosamente lixados até chegar à madeira original, de forma que não se perdesse nenhum detalhe. O lixamento até encontrar a superfície de madeira original em si poderia ter resultado em danos e perda de detalhes, portanto a prática padronizada hoje em dia é lixar apenas até o nível do *primer*, sem passar disso. Aí se aplicou uma base nos cavalos, que depois foram pintados de branco.

Os cavalos são brancos por dois motivos. Primeiro, como é o carrossel da Cinderela, os cavalos brancos fazem referência aos cavalos brancos que puxaram a carruagem de abóbora da Cinderela. Em segundo lugar, uma das coisas que a Disney descobriu observando o Carrossel do Rei Artur na Disneylândia é que, quando as pessoas andam de carrossel, elas primeiro tentam montar nos cavalos brancos, porque eles são considerados os "cavalos dos heróis". Durante mais de uma década, o carrossel da Disneylândia continha cavalos de diversas cores, até o *imagineer* John Hench decidir pintá-los todos de branco gelo, porque na Disneylândia, todos os visitantes, não importa seu tamanho, têm a oportunidade de serem heróis. Walt também queria que os visitantes pudessem montar em cavalos "empinados" em vez de "parados", por isso alguns dos cavalos do carrossel da Disneylândia foram reformados de modo a parecerem que estavam correndo.

Para o carrossel do WDW, John Hench e Isle Voght selecionaram uma paleta de cores específica para cada cavalo. Cada arreio tem uma trama de cores diferente e numerada em seu freio. Certa vez, Isle tentou testar minha capacidade de distinguir as cores e me pediu para olhar com bastante cuidado para a sela que ela estava pintando e adivinhar qual era a cor. Imediatamente respondi que era azul, um azul-escuro imperial. Ela riu e disse que eu não estava reparando bem, porque embora fosse mesmo azul, também tinha um pouquinho de vermelho, não o suficiente para transformá-lo em roxo, porém o bastante para ser diferente de outra sela azul que ela me mostrou ali por perto. Depois que ela apontou para a outra sela, ficou bem óbvio que as cores eram distintas.

Uma das coisas de que me arrependo é que quando conheci a Isle eu estava mudando de emprego, tinha novas responsabilidades e portanto não pude passar tanto tempo com ela quanto teria gostado. Ela me contou que ela e Hench tinham determinado o sexo de cada cavalo (não, a gente não olha embaixo deles para ver qual é), e se cada um deles era um potro ou um adulto. Ela estava planejando me ensinar como distinguir entre os machos e as fêmeas e os potros e adultos, mas não voltei lá para que ela pudesse me mostrar isso. Isle talvez ainda tenha essa documentação guardada em algum lugar.

Ela também ia me ensinar como verificar se o cavalo era de madeira ou fibra de vidro. Todos os cavalos são de madeira, mas a Disney fez moldes de fibra de vidro de onze dos cavalos de madeira antigos (depois pintou-os usando o mesmo processo usado para os cavalos de madeira), para que eles servissem como "substitutos". Esses substitutos são colocados no lugar dos cavalos do carrossel quando os originais precisam ser consertados ou retocados. Os cavalos sofrem desgaste e danos durante o uso pelos visitantes. Em geral, retira-se do carrossel uma fileira completa de cinco cavalos, embora cada um deles possa ser retirado de fileiras diferentes. Isle me mostrou que batendo no ponto certo do peito dos cavalos, perto do pescoço, se podia fazer a distinção entre madeira e fibra de vidro, pois a fibra de vidro é oca enquanto a madeira é sólida.

Uma "fileira" de cavalos não é a sequência de figuras que contorna o carrossel inteiro, mas sim o conjunto que vai da beirada do carrossel até o centro. No carrossel do WDW uma fileira consiste em cinco cavalos, sendo que o cavalo maior, que é o "A", é aquele mais perto da borda externa, enquanto o cavalo chamado "E" é o menor, da borda interna.

Como os cavalos "A" são os que os visitantes veem primeiro, eles são mais detalhados e intrincados. Os cavalos ficam progressivamente menos detalhados ao se aproximarem do centro do carrossel. Além disso, o lado do cavalo (seja ele um "A" ou um "E") que fica de frente para os visitantes é mais detalhada do que o lado que fica voltado para o centro, e é conhecida como o lado "romântico". É o mesmo conceito que é aplicado no cenário de um filme ou peça. Embora a diferença entre os dois lados do cavalo "E" não seja tão perceptível quanto a diferença entre os lados do cavalo "A", que são bem maiores, ela continua existindo.

Isle me disse (para uma palestra que eu estava ministrando em 1998):

> Cada ano, entre cinquenta e sessenta cavalos são completamente reformados, e essa reforma custa de 2.500 a 3.000 dólares. Todos são pintados à mão, e tudo que parece ouro é realmente ouro. Usamos apenas folhas de ouro de 23 quilates, além de folhas de prata, cobre e alumínio. Os cavalos de madeira antigos do carrossel valem entre 20.000 e 100.000 dólares, dependendo do tamanho, grau de detalhamento do entalhe e idade.

Cavalos menores podem levar de dois a três dias para reformar, mas os cavalos "A" podem levar uma semana ou mais. Quando a Disney Company comprou o carrossel, quase todas as peças originais foram substituídas por metal, mas os cavalos, as decorações e o realejo (de uma das fábricas mais famosas da Itália) foram poupados.

Durante a construção do Magic Kingdom, o irmão de Walt, Roy O. Disney, costumava inspecionar o parque. Da estação ferroviária, ao olhar a Main Street, ele via, através do portão aberto do Castelo, que o Carrossel parecia não estar bem centralizado. Quando fizeram uma medição, mais tarde, percebeu-se que Roy estava certo; então, o carrossel foi recentralizado. Segundo a lenda, o carrossel havia se deslocado apenas cerca de 30 a 60 centímetros.

Quando foi inaugurado, ele virou uma atração na qual o visitante precisava apresentar um bilhete "A", e foi chamado de Carrossel Dourado da Cinderela. Na placa se viam os dois ratinhos, Tatá e Jaq, talvez esperando a Fada Madrinha voltar e transformá-los de novo em cavalos brancos. Ou talvez esse fosse um lembrete zombeteiro de que aqueles corcéis brancos talvez fossem na realidade camundongos, e Tatá e Jaq estão ali para visitar seus amigos que preferiram continuar sendo nobres cavalos brancos.

Cerca de dez anos atrás, surgiu o mito urbano de um "cavalo da Cinderela", possivelmente inventado por Membros do Elenco que tentavam criar "momentos mágicos" para os visitantes. Na época, perguntei à Isle se existia mesmo um cavalo da Cinderela e ela riu. Ela me garantiu que nunca se planejou que Cinderela tivesse um cavalo especial. Cinderela nunca montava a cavalo no desenho animado. E os cavalos do carrossel eram todos visivelmente americanos. Se a Disney quisesse um cavalo da Cinderela, teria criado um cavalo especial ou feito uma cirurgia radical em um cavalo existente para incluir detalhes como o brasão da Cinderela na sela.

O cavalo que tem uma fita dourada na cauda, que costumava ser chamado de cavalo da Cinderela, é um cavalo "B", e certamente Cinderela teria montado um cavalo "A", bem mais elaborado, sobre o qual ela pudesse ser vista pelos seus súditos, não um escondido na segunda fileira e menos elegante. Porém, como a maioria dos mitos urbanos da Disney, este persiste com tal intensidade que infelizmente agora até aparece em livros e *websites* aprovados pela Disney.

O carrossel da Disneylândia realmente tem um cavalo especial da Julie Andrews, chamado Jingles. Esse cavalo apresenta um emblema bem decorado na sela, onde se incluem as iniciais da Julie e a silhueta de uma Mary Poppins voando. É um dos cavalos "A", claramente visto e facilmente encontrado no carrossel, e a Disney realizou uma cerimônia de dedicação formal, declarando que ele era o cavalo da Julie Andrews.

Felizmente Isle ainda estava trabalhando quando ocorreu o "final feliz" do Carrossel Dourado da Cinderela. Quando o carrossel estava sendo preparado para o Walt Disney World, as duas carruagens autênticas foram removidas de forma que se pudessem instalar mais cavalos para os visitantes. E como acontece muitas vezes, uma dessas carruagens sumiu, e mesmo depois de se passarem vários anos, Isle não havia ainda sido capaz de localizá-la.

Como as coisas mudam com o tempo, a Disney achou que crianças pequenas ou visitantes com problemas de mobilidade podiam preferir usar uma carruagem. Houve um debate onde se pensou em criar réplicas de fibra de vidro baseadas em fotos existentes e em pinturas das carruagens, mas Isle fincou pé e disse que queria as originais, pois todos os outros adereços do carrossel eram originais. Ela colou fotos das carruagens no seu cubículo, entrou em contato com tantas pessoas quantas foi possível, e tentou de tudo para localizar as carruagens perdidas.

Em 1996, um Membro do Elenco que era amigo de Isle e sabia da sua busca estava passando por um depósito da Disney na Califórnia, procurando outra coisa. Por um motivo que ele não consegue explicar até hoje, ele olhou para o alto, às suas costas. Ali, pendurada nos caibros, viu o que parecia ser uma das carruagens, sem etiqueta e aparentemente "perdida", segundo os registros dos livros. Ele tirou uma foto dela e a enviou para Isle, que imediatamente confirmou que era uma das carruagens perdidas.

A carruagem foi rapidamente reformada. John Hench tratou de selecionar o esquema de cores da carruagem e ela foi consertada, repintada e instalada no carrossel do WDW em 1997. Quando perguntei a Isle se ela iria usar esse original como molde para um modelo em fibra de vidro para usar do outro lado do carrossel, ela me olhou com firmeza e disse: "Só aceito originais." Ela achava que a outra carruagem iria aparecer em algum canto de outro dos vários depósitos da Disney. "Afinal, levamos só vinte e cinco anos para localizar esta", brincou ela. A carruagem tomava o espaço de quatro cavalos, portanto o carrossel passou a ter 86 cavalos e podia ser usado por todos os visitantes.

Seja qual for seu nome oficial ou sua história, o carrossel proporciona satisfação aos visitantes de todas as idades que, durante dois minutos, são transportados para um mundo fantástico, onde possantes corcéis conduzem nobres para viver magníficas aventuras.

CIRCARAMA 1955

Um desenvolvimento cinematográfico avançado, o Circarama, consistindo de uma imagem contínua projetada numa tela de 360 graus, será introduzido no Parque da Disneylândia no dia 17 de julho pela American Motors Corporation, produtora dos automóveis Hudson, Nash and Rambler e dos eletrodomésticos Kelvinator.

— Comunicado de Imprensa da Disney de 27 de junho de 1955

Em 1960, Ub Iwerks, que recebeu um prêmio Disney Legends, foi homenageado com a Medalha de Ouro Herbert T. Kalmus concedida pela Sociedade de Engenheiros Cinematográficos e Televisivos (SMPTE) por suas contribuições notáveis para a tecnologia utilizada nos equipamentos e para os processos destinados à produção de filmes coloridos. Essas realizações incluíram a criação da impressora colorida de dois cabeçotes, o processo de uso de máscaras para correção de cores, o processo xerográfico para animação, e o sistema Circaram de projeção em tela de 360 graus.

O Circarama! Como tantos projetos dos *imagineers* para a Disneylândia no seu começo, esta era outra experiência inovadora, à qual infelizmente não se deu o devido valor e que foi muito mal documentada ao longo dos anos.

O filme original para Circarama, *A Tour of the West*[1], passou nos cinemas de 1955 a 1960, no edifício situado na entrada da Terra do Amanhã, logo à esquerda do famoso relógio que informava as horas de todo o mundo.

Conforme as lembranças de Iwerks, uma certa tarde, enquanto ele trabalhava no filme de *live-action* da Disney *Odisseia no Oeste* (1956), parou em um corredor dos Estúdios Disney em Burbank para falar com

[1] Viagem ao Oeste. (N.T.)

Walt Disney sobre os desafios na adaptação de certos filmes para o processo de Cinemascope.

Supostamente, Walt incentivou Iwerks a desenvolver um novo formato para apresentação de filmes que ia cercar completamente a plateia com uma série de telas.

Homenageado com um prêmio Disney Legends, Roger Broggie se lembrou de que depois de ver o novo processo do Cinerama no teatro Hollywood Pantages, onde três telas grandes eram sincronizadas para apresentar filmes como *A Conquista do Oeste* e *Deu a Louca no Mundo,* Walt chamou Broggie e o especialista em efeitos especiais Eustace Lycett para virem a seu escritório e lhes indagou se seria possível expandir o sistema de três telas adjacentes para que a tela cercasse a plateia inteira.

A especulação de Walt resultou na criação da primeira sala de exibição do Circarama, uma das poucas atrações da Disneylândia que funcionou bem para os visitantes, no dia da inauguração, 17 de julho de 1955.

Muito embora uma primeira versão de um filme projetado em tela de 360 graus tivesse debutado décadas antes na Exposição de Paris de 1900, o processo da Disney era tão inovador que Walt e Iwerks solicitaram uma patente conjunta para ele, no aniversário de um ano da Disneylândia, que foi concedida quatro anos depois, em 28 de junho de 1960.

Eles chamaram o processo de Circarama, não só como alusão ao Cinerama (motivo pelo qual Disney renomeou o processo "Circle-Vision" em 1967, porque as palavras eram muito semelhantes), mas também porque o filme era patrocinado pela American Motors, que usava os Estúdios Disney para produzir comerciais de tevê com desenhos animados para seus produtos, e que também patrocinava tanto o programa semanal para tevê da Disneylândia quanto o próprio Circarama. O cartaz original do lado de fora da atração tinha a palavra "Circarama" em grandes letras pretas, exceto as letras C A e R, eram vermelhas.

(A American Motors Corporation, ou AMC, foi formada no dia 17 de janeiro de 1954, via fusão da Nash-Kelvinator Corporation e da Hudson Motor Car Company. Fechou em 1968).

A nomenclatura usada na Disneylândia durante os primeiros anos costumava variar, ou seja, nos artigos de jornais, publicações internas, mapas, guias e outros documentos da época, o Circarama era às vezes chamado de Mostra Circarama da American Motors, A American Motors Apresenta o Circarama, e Circarama, U.S.A.

À parte seu nome oficial, ficou evidente que o Circarama era o espetáculo da American Motors na Disneylândia. O patrocínio da Richfield, Kaiser Aluminum, Monsanto e outras empresas financiava a Terra do Amanhã, que foi construída apenas seis meses antes de o parque ser inaugurado. Sem dinheiro desses locatários (como os participantes eram conhecidos no começo), a Terra do Amanhã não teria sido nem construída, pois Walt tinha gasto todo o seu dinheiro e mais um pouco no resto do parque.

Em uma nota à imprensa do dia 27 de junho de 1955 sobre o Circarama, o presidente e diretor-geral da General Motors, George Romney, afirmou:

> Esta combinação de habilidades fotográficas e talentos da indústria do entretenimento promete um espetáculo fora do comum para visitantes da Disneylândia. Estamos felizes por estarmos desempenhando esse papel no processo de tornar o Circarama possível. Como ele representa mais prazer e valor para o público, o patrocínio do Circarama é mais um passo avante em nosso programa para aumentar a importância da American Motors para os americanos.

No chão, dentro da atração, cinco automóveis AMC estavam em exibição em locais de destaque juntamente com eletrodomésticos da Kelvinator como a geladeira futurista Foodarama ("a última palavra em estocagem de alimentos"), com um congelador onde cabiam 75 quilos de carne e com um compartimento para o café da manhã onde se podiam guardar ovos, bacon e duas jarras de suco; além disso, continha também compartimentos para queijo e manteiga; um dispensador de papel-alumínio e até um compartimento sem refrigeração para bananas!

Como eram confeccionados os filmes a serem exibidos nessa sala, uma experiência inédita em matéria de cinema?

Onze câmeras de 16 mm Cine Kodak Special com cartuchos de 60 metros de filme previamente inseridos nos rolos eram montadas em uma plataforma circular formando um arco de 360 graus. Os eixos de acionamento das câmeras eram interligados mecanicamente através de uma única cremalheira.

Um tacômetro permitia um controle preciso da velocidade de filmagem, passando por toda uma gama de regulagens, de oito a 24 quadros por segundo. A energia para movimentar o conjunto era fornecida por baterias e um dispositivo com um botão dentro do carro para começar a filmagem, parar e controlar as câmeras. Basicamente os botões de controle que controlavam a câmera ficavam no painel do carro.

Este extraordinário conjunto de câmeras foi atado ao teto de um American Motors Rambler para registrar um diário em vídeo de uma viagem pelas novas vias expressas de Los Angeles até o Monument Valley e o Grand Canyon, incluindo uma visita a Las Vegas.

Peter Ellenshaw, que recebeu um troféu Disney Legends, diretor de arte do filme original, lembra-se:

> Era um diário de viagem gravado em vídeo, sobre o sul da Califórnia e o Oeste. Eles montaram onze câmeras em uma plataforma circular em cima de uma caminhonete. Eu era o diretor de arte. Meu maior problema é que eu achava uma composição linda, maravavilhosa, perfeita, mas as câmeras atrás dessa paisagem mostravam só lixo ou coisas inadequadas, que enfeiavam a paisagem. Era horrível. Eu não tinha nada a ver com a parte mecânica do processo. Isso era lá com o Iwerks. No Wilshire Boulevard nós pusemos as câmeras para funcionar na metade da velocidade para que quando o filme fosse passado a uma velocidade normal parecesse que éramos pilotos de Fórmula 1, voando baixo e parando miraculosamente exatamente na hora certa. Essa é a cena da qual a maioria das pessoas se lembra. Esse filme durou até mais ou menos 1959, e depois o substituíram.

A filmagem, desde o início, teve que enfrentar toda espécie de problemas. No caminho para o Monument Valley, em Utah, um obstáculo inesperado na estrada fez todo o conjunto de câmeras deslizar do teto do carro para a frente. Encontrar estradas boas e sem buracos no deserto era quase impossível. Também houve um desafio em termos de imagens, quando diante da equipe havia uma planalto ou pedra magnífica, mas ao lado ou atrás da caminhonete se viam cabos elétricos de transmissão, *outdoors* ou outros visuais ruins.

Realizou-se uma prévia do Circarama para a imprensa no final de junho, que recebeu uma crítica favorável no *Los Angeles Times*, o qual declarou, em parte:

> Espectadores localizados na assim chamada ilha no centro do palco onde o Circarama foi exibido na fábrica da Disney foram capazes de olhar em todas as direções e observar vistas do Grand Canyon, Monument Valley, Las Vegas, Balboa Bay e até as ruas congestionadas de Los Angeles.

O projeto inicial do cinema da Terra do Amanhã era uma gôndola central da qual doze imagens seriam exibidas em doze telas cercando a plateia. Com uma área de funcionamento de apenas 12 metros de diâmetro, lentes de projeção de um ângulo extremamente grande e distância focal curta teriam que ser usadas, provavelmente causado distorção das imagens. Uma disposição em formato de "rosca" com um número ímpar de telas resultou em perfeita projeção no círculo de 360 graus.

William McGaughey Jr. recorda-se:

> George Romney [presidente da American Motors] e o papai [assistente de Romney] foram os anfitriões na inauguração da Mostra Circarama que começou às 8 da noite do dia da pré-estreia. Uma fila estava à porta. Papai viu o Frank Sinatra e o convidou para entrar. Havia um homem de cor com o Sinatra, atrás dele. Papai convidou-o para entrar também. E descobriu-se que esse homem era o Sammy Davis Jr. Depois de ver o Circarama, Sinatra comentou com o papai que aquilo era o máximo em matéria de cinema.

Como foi essa experiência quando chegou a hora de mostrar *Uma Viagem ao Oeste* ? Eis o que visitantes da Disneylândia viam em 1955, depois de entregarem um bilhete "C", cujo preço era 30 centavos.

Em doze horas de funcionamento diário, Disney apresentava três espetáculos por hora, cada um com aproximadamente 12 minutos de duração, e separados por intervalos de 8 minutos durante os quais os espectadores entravam e saíam do cinema. O filme, naturalmente, era projetado em Kodachrome comercial.

Os espectadores ficavam em uma área circular, asfaltada, de 12 metros de diâmetro, sendo que as telas de 2,40 m ficavam a mais ou menos dois metros e meio do chão. Não havia grades onde as pessoas se apoiarem naquela época. Como mencionamos, viam-se carros AMC e eletrodomésticos Kelvinator em exibição em torno do cinema, contornando-lhe o perímetro.

A tela circular era dividida, com tiras verticais de aproximadamente 15 cm, em onze telas menores de 2,40 x 3,35 m nas quais a imagem do filme era projetada continuamente ao redor dos espectadores, por onze projetores Eastman Modelo 25 de 16 mm com rolos de filme de rebobinamento automático em sincronia perfeita.

Esses projetores eram equipados com uma lente de foco variável de 15 mm. Não eram necessários atendentes para operar os projetores, apenas para substituir lâmpadas queimadas no trocador de lâmpadas automático, bem como rolos de filme que se rompessem. Tanto o projeto quando a gravação do som eram sincronizados por controles motorizados Selsyn. Os projetores ficavam entre as faixas de 15 cm pretas que separavam as onze telas.

Os painéis pretos de separação aumentavam a ilusão de continuidade entre partes adjacentes do filme, porque eliminavam o irritante tremor entre telas adjacentes que se podia notar no Cinerama, onde a imagem era projetada em três telas, bem como davam a impressão que o espectador estava olhando pelas janelas de um carro.

Este primeiro sistema tinha seus "pontos cegos". Uma pessoa ou monumento podia subitamente desaparecer em um ponto cego e aparecer magicamente na tela adjacente. A tira preta que separava uma tela da outra ajudou a resolver esse problema visual.

Como os projetores ficavam mais ou menos a 3,65 m um do outro, era impossível interligá-los mecanicamente, como se fazia com o sistema Cinerama. Em vez disso os projetores eram munidos de motores síncronos de rotor ranhurado sincronizados um com o outro através dos ciclos alternados da corrente alternada que os movia. Para compensar flutuações de voltagem, que poderiam retardar ou acelerar um ou outro dos projetores, e também para sincronizar os projetores com um reprodutor de som de quatro faixas, havia uma unidade de controle motorizada Selsyn sobreposta ao sistema de projetores.

A unidade Selsyn automaticamente retardava ou acelerava a velocidade do motor defasado até que se atingisse uma sincronia perfeita. Conseguia-se tudo isso em menos de dois segundos, sem permitir que a imagem defasada "pulasse" na tela.

Se o filme de um dos projetores se rompesse ou se rasgasse, o projetor parava instantaneamente, e uma luz de advertência piscava no painel de controle principal para mostrar ao atendente que era preciso substituir o rolo danificado com um reserva. Essa tela ficaria preta até que se instalasse um outro rolo no projetor.

Sempre que uma lâmpada se queimava, um mecanismo de reposição automática de lâmpadas no projetor removia a lâmpada queimada e a substituía com uma nova para que o filme reaparecesse em menos de dois segundos. Como no caso do filme rompido, uma luz de advertência piscava no painel de controle principal para alertar o atendente, mostrando que ele precisava colocar uma lâmpada nova no soquete de reserva.

O som era gravado em quatro canais magnéticos e transmitido para um banco de quatro alto-falantes de 15 cm montado atrás de cada projetor. Em consequência disso, o cinema recebia som de todos os alto-falantes ou o som podia ser distribuído em um padrão direcional em apenas uma parte do cinema. Ambos os esquemas eram usados durante a exibição do filme.

A Ralke Company de Los Angeles instalava e fazia a manutenção da unidade do Circarama, e a firma de engenharia Urbran de Hollywood aperfeiçoou a sincronização dos projetores e do sistema de som. A Kinevox Inc de Hollywood montou a parte sonora da apresentação. Bill Anderson, que recebeu o troféu Disney Legends (e cujo nome na lista de créditos era William H. Anderson) supervisionou todo o filme.

Quando o filme começava, um narrador explicava o meio de projeção e apresentava a linha de eletrodomésticos Kelvinator. James Algar redigiu essa apresentação:

> Dentro de alguns momentos vocês verão a apresentação de cinema mais espetacular já criada. Vocês serão completamente cercados pelo filme ao qual vão assistir. Esperamos que gostem.... do Circarama.

Slides coloridos dessas maravilhas da AMC e da Kelvinator eram projetados em rápida sucessão em cada uma das onze telas, e isso era feito de forma que a plateia seguisse a progressão de imagens até todas as telas estarem preenchidas e os espectadores condicionados, esperando que algo fosse projetado em cada tela.

Então as telas ficavam pretas e aparecia um título em uma das telas da "frente", anunciando *A Tour of the West*. Desse ponto em diante começava o verdadeiro espetáculo, e em todas as onze telas viam-se imagens contínuas de cenário observado de um automóvel cruzando Beverly Hills e indo para o Wilshire Boulevard, seguindo até o sistema rodoviário de Los Angeles e viajando até o Grand Canyon, Monument Valley e finalmente Las Vegas.

Quando o filme começava, os espectadores tendiam a olhar para a frente, assistindo ao deslocamento do cenário apenas frontalmente, mas à medida que a viagem continuava, as pessoas se acostumavam à ideia de estarem em um "carro" e começavam a olhar para os lados e pelo "para-brisa" traseiro, à medida que objetos interessantes passavam ao longo da estrada, uma ilusão reforçada pelas faixas pretas que separavam as telas, semelhantes às divisões entre as janelas de um carro.

Provavelmente, a parte mais memorável do filme era a "corrida" pelo Willshire Boulevard. Na realidade, o carro estava indo a cerca de 30 a 40 km/h. O efeito de "alta velocidade" era conseguido através de um velho truque de Hollywood, diminuindo a velocidade do filme à medida que ele passava na câmera, o que resultava em menos quadros por segundo, de modo que quando o projetor passava o filme, em velocidade normal, parecia que o carro estava voando baixo. Basicamente, eles filmavam oito quadros por segundo e depois projetavam o filme numa velocidade de 24 quadros por segundo.

Ellenshaw afirmou:

> O efeito era surpreendente. De repente todos se viam dentro de um carro de corrida, voando pelo Willshire Boulevar a 160 quilômetros por hora, disparando nos sinais verdes e parando de repente, a apenas alguns centímetros dos carros à sua frente.

Durante essa viagem acelerada pelo Wilshire, um carro de polícia, com a sirene ligada, perseguia o carro da filmagem. O carro com a câmera costura direto pelo tráfego, indo para a direita e de repente guinando para a esquerda, alternadamente reduzindo a velocidade e acelerando, evitando acidentes com golpes de direção numa fração de segundo.

Na verdade essa era uma verdadeira aventura virtual para os espectadores de meados da década de 50, sobre a qual eles faziam comentários depois de saírem do cinema. O barulho da sirene da polícia era adicionado à trilha sonora depois da produção para reforçar a ilusão de perigo.

Depois da Wilshire Boulevard, a cena passa para o deserto, dando a impressão de que os espectadores não estão só assistindo a um cenário magnífico mas também participando dele.

Para garantir que o público olhasse todas as telas, Disney usou uma manipulação sutil. Nas cenas de Las Vegas, à beira da piscina de um dos hotéis, a câmera filmou duas jovens muito bonitas em maiôs que lhes destacavam as formas femininas de maneira bastante agradável. Começando pelas telas da frente, as mocinhas se separavam, requebrando-se confiantes, e percorriam lados opostos da sala de projeção, por todo o círculo de telas, até se encontrarem outra vez na tela traseira. Grande parte, se não toda a plateia masculina, tentava desesperadamente acompanhar essa caminhada das moças pelas telas.

Em pouco mais de 11 minutos, os visitantes da Disneylândia viajavam pelo Oeste, começando pelo Sunset Boulevard, diante do Hotel Beverly Hills, depois desciam o Wilshire Boulevard a uma velocidade estonteante, e depois prosseguiam pelas vias expressas de Los Angeles até o Monument Valley, no Arizona. A aventura continuava através de Newport Harbor na Califórnia (dessa vez com as câmeras montadas em uma lancha, em vez de um carro) e depois terminava em Las Vegas e no Grand Canyon.

Uma crítica feita em 1955 na revista *Popular Photography* especulou:

> O Circarama tem futuro? Ele certamente não parece viável como meio de entretenimento, para simplesmente narrar histórias. Por outro lado, tem possibilidades infinitas sob a forma pela qual apareceu na Disneylândia, como um dispositivo que pode ser usado para filmar diários de viagem, para

apresentar aos espectadores uma experiência incomum tanto em termos visuais quanto emocionais.

Em 1958, Walt criou *America the Beautiful* (A Bela América), um filme de Circarama inédito, para a Feira Mundial de Bruxelas. O novo filme apresentava o país inteiro. Em junho de 1960, o novo filme estreou na Disneylândia, patrocinado pela Bell Telephone.

Em 1967, o processo de filmagem mudou, com a inauguração da nova Terra do Amanhã: passou a se utilizar uma cópia de 35 mm ampliada a partir do filme de nove (em vez de 11) câmeras de 16 mm. Algumas cenas do Bicentenário foram acrescentadas em 1975. Este filme ficou em cartaz no Circarama até janeiro de 1984.

Outros filmes, inclusive *Wonders of China* (Maravilhas da China) e *American Journeys* (Jornadas Americanas) foram exibidos no cinema até 1996. *America the Beautiful* voltou para uma temporada de julho de 1996 até setembro de 1997, e depois o cinema fechou de vez.

Tudo começou, porém, com a primeira apresentação do Circarama, no dia 17 de julho de 1955, com o filme *A Tour of the West*. Quando perguntaram a William McGaughey Sr. em 1998 o que achava da atração inovadora que patrocinou em 1955, ele respondeu:

> Quando terminou a apresentação do Circarama, Sinatra deu seu veredito. Ele virou para o Sr. Davis e disse: "Esta é a onda do futuro. A tela única do cinema é obsoleta, e os filmes futuros usarão esta empolgante tecnologia inovadora." Naturalmente, ele estava errado. No entanto, suas palavras eram encorajadoras, e, de certa forma, me redimi diante do meu patrão, o Sr. Romney, que tinha aceitado minha recomendação de pagar o aluguel salgado das mostras da Disneylândia.

LIBERTY STREET 1959

Dedicamos a Disneylândia aos ideais, aos sonhos e aos feitos comprovados que criaram os Estados Unidos da América.

– Walt Disney, discurso de inauguração da Disneylândia, 17 de julho de 1955

EM UMA ENTREVISTA DE 1957 concedida à colunista Hedda Hopper, Walt declarou:

> Há um tema americano por trás de todo esse parque. Acredito em enfatizar a história do que tornou os Estados Unidos um grande país, e o que o manterá grande.

Mesmo à mesa do jantar em sua casa, Walt procurava inspirar a família a conversar sobre a Constituição. Portanto, não é de se admirar que Walt quisesse dedicar uma parte da Disneylândia à fundação dos Estados Unidos.

À esquerda da Opera House, na Disneylândia, Walt queria uma rua que corresse paralelamente à Main Street, chamada Liberty Street [Rua da Liberdade]. Ele não queria que os visitantes a usassem para acessar outros pontos, de modo que ela era uma rua sem saída, com a Main Street sendo o único caminho para outras terras.

A propaganda e os cartazes da Disneylândia anunciavam que a Liberty Street seria inaugurada em 1959, e a área permaneceu nos mapas dos parques da Disney durante vários anos como "futura atração". Originalmente, a rua deveria ser chamada de International Street, com uma variedade de edifícios representando diferentes países. Esse projeto foi anunciado para 1958. Porém, já em 1957, Walt havia decidido usar o terreno para uma mostra dos "Pais Fundadores" da nação americana.

O lançamento, em 1957, do filme de *live-action* da Disney *Johnny Tremain* (que a princípio era para ser um episódio em duas partes para o programa de televisão da Disneylândia) pode ter influenciado Walt a desenvolver uma área do parque para captar aquela época histórica, principalmente porque o planejamento da Liberty Square [Praça da Liberdade] começou oficialmente durante aquele mesmo ano.

A Liberty Street deveria ser uma mistura arquitetônica de várias cidades americanas de acordo com a planta delas durante a Era Revolucionária. A uma certa altura, precisariam existir 13 prédios, um para cada uma das treze colônias originais.

A Liberty Street e a Liberty Square deveriam ser pavimentadas com paralelepípedos, e os visitantes encontrariam ali um ferreiro, um boticário, um vidraceiro, um tecelão e uma gráfica, bem como uma seguradora, um ourives e um carpinteiro. Todas as lojas e vitrines representariam os tipos de negócios e atividades que se podiam encontrar no final do período colonial americano. As lojas também mostrariam as pessoas não só vendendo como também praticando suas atividades para que os visitantes as apreciassem.

Em um dos primeiros mapas da Disneylândia, algumas áreas da Liberty Square eram identificadas por nomes, como o Cais do Griffin (supostamente o local da famosa "Festa do Chá" de Boston), com escunas de três mastros no porto; a Ourivesaria de Paul Revere, a gráfica do *Boston Observer*, e uma Árvore da Liberdade na praça da cidade.

O esboço original do projeto declarava que:

> [...] o público vai percorrer essa rua que segue na direção da Galeria da Independência onde o Sino da Liberdade vai estar tocando continuamente.

(Felizmente, na Flórida, alguém sabiamente concluiu que um Sino da Liberdade tocando o tempo todo seria mais irritante do que jubiloso, quando instalaram sua própria réplica do sino.)

Uma das mostras existentes na Liberty Square expunha um modelo em escala reduzida do edifício do Capitólio. Os visitantes de longa data da Disneylândia talvez se lembrem da maquete que passou muitos anos sendo exibida na antessala do cinema onde se projeta o filme *The Walt Disney Story*, na Opera House. Essa maquete foi comprada pelo próprio Walt Disney de um artesão que havia dedicado 25 anos de sua vida a esculpi-la em pedra.

A Galeria da Liberdade (chamada de Galeria da Independência em algumas versões) era a peça central da Liberty Square e a entrada das duas principais atrações daquela Terra: a Galeria da Declaração da Independência e a Galeria dos Presidentes dos Estados Unidos. Um amplo saguão com cenários representando várias cenas famosas da Era Revolucionária serviria de entrada comum aos dois imensos auditórios.

A Galeria da Declaração da Independência apresentaria a dramática história do nascimento dos Estados Unidos através de três cenas baseadas em três quadros famosos. Essas cenas seriam três cenários emoldurados com figuras humanas tridimensionais, esculpidas em tamanho natural, vestidas com roupas de época. Esperava-se que as figuras se movessem realisticamente, mas de maneira limitada. A narração (cheia de citações da Declaração da Independência) explicaria cada quadro e falaria de sua importância histórica, acompanhada por iluminação e música dramáticas. Cortinas se abririam e fechariam no início e no fim de cada cena.

A primeira cena foi inspirada pela pintura *The Drafting of the Declaration of Independence* [Redação da Declaração de Independência], de J. L. G. Ferris, mostrando Benjamin Franklin e John Adams conversando com Thomas Jefferson enquanto ele redige a Declaração da Independência.

A segunda cena seria baseada na tela *Signing of the Declaration of Independence* [Assinatura da Declaração de Independência], de John Trumbull, e a terceira cena, na tela *Ringing of the Liberty Bell* [O Soar do Sino da Liberdade] de Henry Mosler.

Naturalmente o teatro também tentaria captar o clima da época, contendo bancos de madeira onde se poderiam sentar quinhentos visitantes. Acima deles, treze estrelas representariam as treze colônias originais, iluminando o auditório.

Porém, a principal atração da Galeria da Liberdade deveria ser a Galeria dos Presidentes dos Estados Unidos. Em 1963, o *imagineer* Wathel

Rogers, que estava trabalhando em uma figura áudio-animatrônica do presidente Abraão Lincoln, disse:

> Lincoln faz parte de um projeto da Disneylândia chamado *One Nation Under God* [Uma Nação Obediente a Deus]. Vai começar com uma apresentação de Circarama dos grandes momentos das crises constitucionais. O Circarama é uma técnica de cinema especial que Walt desenvolveu para a Disneylândia e a Feira Mundial de Bruxelas. O Circarama da Bell Telephone que está agora na Disneylândia conta a história das grandes paisagens dos Estados Unidos. Tem uma tela de 360 graus. O público fica cercado pela ação contínua, como se estivesse se movendo com a câmera, e é capaz de assistir em todas as direções. O Circarama para o espetáculo *One Nation Under God* vai ter uma tela de 200 graus. Após o filme uma cortina vai se fechar, depois tornar a se abrir e revelar a Galeria dos Presidentes. O visitante vai ver todos os presidentes em tamanho natural. Vai pensar que está num museu de cera, até o Lincoln se levantar e começar a falar.

Walt encarregou James Algar (que depois comporia o discurso final para os "Grandes Momentos com o Sr. Lincoln", tirando passagens de uma variedade de discursos de Lincoln) de pesquisar informações sobre os presidentes americanos, particularmente a Constituição, que devia ser a base do espetáculo. A apresentação do Circarama apresentaria principalmente ampliações de pinturas que retratavam momentos decisivos do início da história americana, sendo o clímax uma violenta batalha da Guerra Civil.

O *imagineer* Sam McKim se recorda:

> Walt queria uma artilharia que atirasse de uma tela para o inimigo que estivesse em outra tela do lado oposto, sendo que os espectadores veriam as coisas se explodindo e depois sentiriam cheiro de pólvora. Era um espetáculo para todos os sentidos!

No auditório da Galeria dos Presidentes dos Estados Unidos, as luzes do palco se intensificariam e as cortinas se abririam parcialmente, revelando estátuas em tamanho natural, vestidas com roupas de época dos Presidentes dos Estados Unidos. Elas todas apareceriam como se fossem silhuetas, menos a principal: não a de Lincoln, mas a de George Washington.

O espetáculo *One Nation Under God* foi planejado como uma apresentação teatral da "fantástica jornada da História Americana". O *imagineer* David Mumford escreveu:

> Marchas tocariam e enquanto isso os refletores iluminariam o rosto de Washington, criando uma sensação de realismo. Narrativas das provações, decisões e da formação da herança americana seriam complementadas por trechos de discursos presidenciais. Ao final, se veriam todos os presidentes do país [que em 1957 eram 34] no imenso palco contra uma imagem retroprojetada do Capitólio americano, com nuvens passando pelo céu, e um número musical encerraria o espetáculo.

O espetáculo dependia muito do desenvolvimento da Áudio-Animatrônica, uma tecnologia que ainda estava começando a se desenvolver. A WED tinha começado a produzir protótipos, incluindo a cabeça de um velho chinês para um personagem que Walt havia originalmente pensado em colocar em um restaurante chinês na Main Street, perto da Market House. Um chinês idoso teria justificado e escondido quaisquer movimentos trêmulos, vagarosos ou desajeitados quando a estátua começasse a se mover.

Walt precisava de uma boa quantia em dinheiro para desenvolver mais essa técnica, então, em junho de 1961, ele saiu à procura de uma empresa que patrocinasse *One Nation Under God*, para a Feira Mundial de 1964 em Nova York.

O departamento de *imagineering* compilou uma apresentação que incluía um teatrinho modelo e uma apresentação de *slides* de 32 minutos, com o fim de motivar empresários que talvez estivessem interessados em patrocinar o projeto. Um *kit* promocional de imprensa apresentava uma fada Sininho sorridente e minúscula, de chapéu de três pontas, sentada em um cartaz que proclamava: "Liberty Street na Disneylândia!"

Um trecho dessa proposta, com data de 29 de junho de 1961, declarava:

> Como se encontra atualmente planejado, *One Nation Under God* será um filme *live-action* de 27 minutos, dramatizando episódios significativos da história americana, interligados com uma narração em *off*. Começando pela

adoção da Constituição, o filme descreve o desenvolvimento de nosso governo, através de provações e tribulações, até o presente.

A técnica usada é derivada da ideia do Circarama, e nela, cinco projetores, em vez de três, serão usados e com isso as imagens serão projetadas sobre uma tela de 260 graus, ou seja, bem além do campo da visão humana. Como no Circarama, a plateia tem a sensação de estar bem no meio de tudo. Essa sensação se intensifica pelo uso de múltiplas trilhas estereofônicas, e até "cheiros" (por exemplo, o cheiro de pólvora durante uma batalha).

Em uma sequência sobre a era espacial, acrescentamos uma nova dimensão; o filme se expande até uma cúpula acima das cabeças de todos. E, no encerramento, descerramos a "Galeria dos Presidentes". Ela consiste em bonecos de tamanho natural de 32 presidentes, que falam e se movem, uma tecnologia inédita atualmente em desenvolvimento nos Estúdios Disney.

A proposta continuava durante mais alguns parágrafos, mas infelizmente o custo de uma atração assim era proibitivo, e até aqueles patrocinadores que ficaram impressionados com a apresentação sentiam que ela não tinha nada a ver com os seus produtos.

O departamento de *imagineering* estava trabalhando em um protótipo do presidente Lincoln, o favorito de Walt, para a Galeria dos Presidentes dos Estados Unidos, quando, em abril de 1962, Robert Moses (que estava promovendo a Feira Mundial de Nova York) passou pelos Estúdios Disney para verificar como iam as outras atrações. Ele também testemunhou uma demonstração improvisada do boneco de Lincoln. Moses então negociou um financiamento junto ao governo do Estado de Illinois para ajudar a pagar o desenvolvimento do boneco para seu pavilhão estadual na feira.

Embora seja primitivo para os padrões atuais, o "Lincoln pisca-pisca", como um repórter o apelidou, encantou o público. Muitos espectadores se convenceram de que o Lincoln era um ator de verdade, e as crianças, desconfiadas, às vezes jogavam esferas de metal no boneco para tentar quebrar a concentração do ator.

Uma segunda versão dos Grandes Momentos com o Sr. Lincoln foi instalada na Disneylândia no dia 18 de julho de 1965, a apenas alguns metros de onde seria a futura entrada da Liberty Street.

Em vez de criar a Liberty Street em 1959, Walt Disney usou seu dinheiro e sua perícia para atualizar a Terra do Amanhã com o Monotrilho, a Viagem Submarina e o Matterhorn.

Porém, o departamento de *imagineering* nunca abandonou totalmente o sonho de Walt. A Liberty Square do Walt Disney World concretizou a essência dos planos de Walt para a Liberty Street na Disneylândia em 1959, inclusive com uma Galeria dos Presidentes dentro de um prédio inspirado pelo Palácio da Independência na Filadélfia, bem como outros edifícios cívicos no estilo federal que se poderiam encontrar na cidade durante aquela época.

James Algar, autor do roteiro original, afirmou:

> O espetáculo levou um bom tempo sendo produzido e interrompido, mas quando chegou a hora de realizá-lo para valer, constatei, ao desencavar o roteiro original, que ele havia sido escrito em 1961. E que a Galeria dos Presidentes era uma criação do próprio Walt. Ele tinha esse desejo enorme de apresentar para uma plateia todos os presidentes dos Estados Unidos reunidos num mesmo palco. Ele achava que essa ideia teria um imenso impacto e despertaria grande interesse, bem como fascínio no público, e, na verdade, ela desperta, sim.

Em maio de 1957, Walt Disney declarou:

> Como vocês sabem, a Disneylândia é uma espécie de monumento ao estilo de vida americano, mas depois de lermos *Johnny Tremain* percebemos que tínhamos nos esquecido de uma coisa importantíssima nos planos... um monumento às liberdades que haviam tornado tudo isto possível. E estamos erguendo esse monumento agora mesmo na Town Square e vamos chamá-lo de Liberty Street. Tudo ainda está sendo planejado, naturalmente. A Liberty Street vai, na realidade, ser inspirada na Boston de Johnny Tremain, de mais ou menos 1775.

Embora esse sonho nunca tenha se realizado na Disneylândia, o espírito das intenções de Walt finalmente se concretizou com a inauguração da Liberty Square no Walt Disney World.

ZORRO NA DISNEYLÂNDIA

DURANTE UMA CERTA GERAÇÃO, a canção tema do programa de televisão semanal *Zorro* ainda acelerava o sangue, quando as crianças se vestiam como seus heróis aventureiros. Em 1958, Ben Cooper, um dos maiores fabricantes de fantasias para o Dia das Bruxas do país, anunciou que sua fantasia do Zorro estava vendendo mais do que todas as outras, numa razão de 3 para 1. Hoje em dia, infelizmente, a maioria das crianças não sabe quase nada sobre o Zorro.

Walt pensou em muitos atores para os papéis de Zorro/Don Diego de La Vega e Capitão Enrique Sánchez Monastário (o principal adversário do Zorro nos primeiros treze episódios). Dezenas de atores fizeram o teste, inclusive Hugh O'Brian, John Lupton, Jack Kelly, Dennis Weaver, David Janssen e Henry Darrow, até que Guy Williams foi escolhido, juntamente com Britt Lomond.

Lomond tinha mais experiência teatral, e Walt, pelo que se sabe, queria que ele fosse o Zorro, mas o diretor e roteirista Norman Foster preferia Williams, que demonstrou que teria maior flexibilidade no personagem. Williams conseguiu o papel, sendo Lomond escolhido para interpretar o malvado Capitão. Os atores escolhidos para os papéis dos outros dois personagens importantes, Henry Calvin como Sargento Garcia e Gene Sheldon como o criado mudo Bernardo, eram quase tão populares junto ao público quanto Williams e Lomond nos papéis principais.

Atualmente, o lendário cenário externo atrás do estúdio onde Zorro lutava por justiça é um estacionamento.

Walt tinha fama de fazer promoções simultâneas, como apresentar os Mousekeetters e Fess Parker (no papel de David Crockett) na Disneylândia. Quando o programa de meia hora exibindo as aventuras do Zorro na ABC se tornou sucesso, Walt organizou apresentações especiais do elenco na Disneylândia chamadas "Dias do Zorro", que ele alardeava com enormes anúncios nos jornais locais. Anunciava-se que Williams, Lomond, Calvin e Sheldon estariam presentes.

Mas o que não se anunciava era a presença de Buddy Van Horn, que fazia acrobacias vestido como o Zorro na Disneylândia.

O dublê Wayne "Buddy" Van Horn foi contratado a princípio como o dublê de Guy Williams. A pedido de Britt Lomond, Van Horn praticou com o instrutor de esgrima Fred Cavens, que coreografou as cenas de esgrima (exatamente como ele tinha feito com Douglas Fairbanks, Errol Flynn, Tyrone Power e Basil Rathbone em muitos filmes clássicos) e treinou os atores. Ele também foi o coordenador de acrobacias em todas as outras cenas de ação.

Van Horn costumava ser o dublê de Williams nas cenas de cavalgada e em qualquer cena onde era preciso pular de paredes altas, correr pelos telhados ou balançar-se agarrado em cordas. Williams era atlético e capaz de fazer várias cenas ele mesmo, mas já havia sofrido contusões fazendo isso e o estúdio teria sofrido demoras prejudiciais na filmagem. Ironicamente, o estúdio publicou fotos de Van Horn vestido como Zorro presumindo que o público não notaria a diferença entre ele e Williams. Alguém brincou com Williams, dizendo que ele deveria ter cuidado, porque a Disney podia vestir qualquer um de Zorro.

Era Van Horn, vestido como Zorro, que fazia algumas das acrobacias audaciosas nos espetáculos da Disneylândia, como correr sobre os telhados da Golden Horseshoe Revue. Quando o Zorro precisava se apresentar ao vivo diante do público, Van Horn acompanhava Williams para fazer demonstrações de esgrima, assumindo o papel de vilão, e às vezes o próprio Van Horn desempenhava o papel de Zorro quando Williams não podia comparecer.

Houve cinco apresentações do Zorro na Disneylândia que se destacaram, logo depois da inauguração do parque: 26-27 de abril de 1958; 30 de maio a 1º de junho de 1958; 27-30 de novembro de 1958; 26-29 de novembro de 1959 e, finalmente, de 11-13 de novembro de 1960.

Lomond não apareceu em novembro por causa de um conflito na agenda, e Williams se apresentou sozinho na Disneylândia durante as festas de fim de ano de 1958. O elenco do *Zorro* desfilou num carro alegórico no especial *Kodak Presents Disneyland 59*, que foi ao ar na televisão no dia 15 de junho de 1959.

Nas suas memórias bastante pitorescas, que foram publicadas por ele mesmo, *Chasing after Zorro* (2001) Lomond relembrou:

> As apresentações ao vivo de todos os atores principais do elenco do *Zorro* eram sempre muito importantes para Walt e para os outros executivos do estúdio. Eles todos sentiam que era fundamental para o elenco sempre estar em contato com seus admiradores. Isso se incluía no contrato de todos os novos artistas e também em muitos dos contratos do elenco de substitutos também.

Durante os Dias do Zorro, os atores participavam dos desfiles e faziam apresentações na Terra da Fronteira, em quatro espetáculos diários. Três dos espetáculos tinham um duelo entre Zorro e Monastário no qual eles corriam sobre os telhados da Terra da Fronteira, e que culminava em geral com um duelo de esgrima a bordo do barco *Mark Twain*, com alguns dos inimigos do Zorro caindo no rio artificial Rivers of America.

No quarto espetáculo, que se passava no Parque Magnólia, em geral havia uma sessão de autógrafos ou um duelo de esgrima improvisado com visitantes voluntários. Williams e Lomond uma vez mais duelavam para alegria dos espectadores, e Calvin e Sheldon divertiam o público com números de comédia e mágica.

O publicitário John Ormond declarou:

> Sugeri que convidássemos alguém da plateia para dar-lhe a oportunidade de duelar, ou "lutar com a espada" como chamamos essa atividade, contra o Zorro. Nós sempre tínhamos duas ou três pessoas que "topavam" em cada espetáculo, e queriam enfrentar o Guy. Essa participação da plateia funcionava bem na Disneylândia sempre que o Zorro se apresentava. E diga-se de passagem, estávamos usando espadas de verdade. Na Disneylândia, tínhamos um procedimento de segurança e inspeção para não perder o controle das coisas.

Durante uma entrevista, Lomond se recordou:

Disney sempre gostou que os artistas do elenco do seu espetáculo se apresentassem ao vivo na Disneylândia. Era ótimo para garantir a frequência do público no parque, e se vendiam muitos produtos com a marca do Zorro ao mesmo tempo. Coisas como fantasias de Zorro para crianças, espadas de brinquedo, quebra-cabeças, jogos e dezenas de outros itens relativos à série. Os cofres da Disney se enchiam de dinheiro. Essas apresentações ao vivo eram uma verdadeira fábrica de dinheiro para o estúdio e Walt sabia que isso certamente se refletia nas pesquisas de opinião, resultados positivos que traziam grande satisfação para a emissora ABC.

O Coordenador de Produção dos Estúdios Disney, Lou Debney, era quem tratava de todos os detalhes desses eventos. O programa que Lou tinha para Guy e para mim na Disneylândia era excelente. Havia uma réplica de um barco a vapor fluvial do Mississippi chamado *Mark Twain,* onde nós devíamos nos apresentar fantasiados, realizando uma das nossas rotinas de esgrima, no convés superior do barco. No final desse número, eu estaria desarmado e começaria a costumeira briga de socos, que o Monastário costumava acompanhar com muitas caretas ameaçadoras. Guy, enquanto isso, riria dos apuros do comandante e correria pela rampa de embarque até seu cavalo de confiança, saltaria na sela, acenaria para a multidão de fãs e sairia cavalgando na direção do sol poente (ou da camada de poluição da Califórnia). Todos nós então participaríamos de um desfile pela Main Street. Henry Calvin e Gene Sheldon se sentariam em um carro atrás de Guy e de mim, enquanto iríamos cavalgando nossos costumeiros cavalos preto e branco. Nós acenaríamos para os fãs, que se enfileiravam nas calçadas, dos dois lados da rua, nos aclamando enquanto passávamos por eles.

Tudo parecia fenomenal, tanto Guy e eu adoramos o programa que Lou havia apresentado. Nós praticamos uma de nossas rotinas de esgrima para a série durante diversos dias no quintal amplo da minha casa em Studio City. Minha casa era melhor para esses ensaios, porque o Guy ainda morava em um apartamento em Hollywood.

Finalmente chegou o dia de nossa primeira apresentação ao vivo na Disneylândia. Tudo saiu perfeito... quero dizer, quase tudo. Guy e eu lutamos com espadas no convés do *Mark Twain*, terminando com minha espada voando pelos ares, quando Guy me desarmou. Ele depois desceu confiante pela rampa e correu para seu cavalo preto, onde devia pular na sela, erguendo a espada vitorioso, e sair cavalgando. Excelente! Porém, quando nós tentamos fazer essa rotina pela primeira vez na Disneylândia, Guy não conseguiu acertar o cavalo e passou por cima dele, aterrissando no chão e deslizando até cair numa poça de água lamacenta do outro lado. Meio humilhante, né? O público e eu rimos, sem conseguirmos nos controlar. Foi lamentável, mas nós simplesmente não nos contivemos. A cara que o Guy fez e a lama ainda pingando do seu nariz foi demais para todos. Rapidamente levantei o braço, cantando vitória, e fiz uma graciosa reverência para a multidão que me aplaudia. Essa foi a única vitória do Comandante contra seu inimigo, o Zorro.

Para ser justo, os outros não se lembram desse incidente (ou pelo menos não da forma detalhada como Lomond se lembrou). John Ormond, que cuidava do espetáculo do Zorro bem como do Clube do Mickey Mouse, trabalhava nas apresentações da Disney e nas apresentações ao vivo de Guy Williams. Ele comentou:

> A série *Zorro* era filmada em sua grande parte em um estúdio, embora nós também trabalhássemos ao ar livre, em Oceanside, durante muito tempo, filmando em uma velha missão espanhola. Walt vinha assistir às filmagens dessa série e trazia a esposa consigo. Ele gostava de sanduíches de agrião, de modo que a Sra. Disney fazia questão de trazer uma boa quantidade deles para a locação onde filmávamos.
>
> À medida que as semanas iam passando, comecei a fazer amizade com o Guy Williams e percebi que tínhamos muito em comum. Ele gostava de jogar xadrez e eu gostava de buraco. Então nos revezávamos jogando xadrez ou buraco, lá mesmo no cenário. Depois, enquanto viajávamos juntos para promover o filme do *Zorro*, sempre jogávamos xadrez (magnético) nos aviões. Era muito difícil vencer o Guy no xadrez, mas quando jogávamos buraco quem ganhava era eu.

Guy Williams fez muitas outras apresentações em público como Zorro, inclusive a Parada das Rosas em Pasadena de 1958 e 1959, feiras estaduais, *shopping centers* etc. Ele afirmou:

O espetáculo vem sendo uma grande experiência, apesar de o Zorro ser um papel que eu ao mesmo tempo adoro e detesto. Não foi para isso que me preparei como ator. Porém, não me importo se alguém no futuro me contratar para fazer papéis semelhantes ao de Zorro, porque a experiência como um todo tem muitos aspectos agradáveis. Além disso, esse tipo de papel estereotipado é o que enche meu saco de compras no supermercado...

A ILHA DE TOM SAWYER

A Ilha de Tom Sawyer na Disneylândia passou por uma transformação radical em 2007, tornando-se o Covil dos Piratas da Ilha de Tom Sawyer, pegando carona no sucesso da franquia *Piratas do Caribe* e substituindo o encanto despretensioso do mundo de Tom Sawyer.

A Ilha de Tom Sawyer, na Terra da Fronteira do Walt Disney World, continuou a mesma durante 40 anos e ainda exibe algumas das ideias originais de Walt.

Quando um repórter da revista *Reader's Digest* lhe perguntou o que era a Ilha de Tom Sawyer, em 1960, Walt lhe respondeu:

> Eu pus nela todas as coisas que eu queria fazer quando menino... e não podia. Inclusive a entrada franca.

A Ilha de Tom Sawyer é a única parte da Disneylândia que Walt projetou totalmente sozinho. Ele sempre planejou uma ilha no meio do Rivers of America, mas não tinha certeza de que tipo de ilha ela ia ser.

Eis o que Walt disse na sua apresentação para os patrocinadores em 1953:

> Trata-se de uma Ilha do Tesouro. Mickey, a personalidade mais conhecida do mundo, tem o quartel-general do Clube do Mickey Mouse localizado na Ilha do Tesouro, no meio do rio, uma árvore oca fantástica com uma casa na árvore que serve como local das reuniões do clube. A árvore oca tem vários andares, com salas interessantes e mirantes para os sócios do clube. Há uma Enseada dos Piratas e tesouros enterrados na ilha... e é direto dessa locação que o clube apresenta o programa de televisão *O Clube do Mickey Mouse*.

A um certo ponto, os projetos para a ilha incluíam reproduções em miniatura dos principais marcos históricos americanos, como Mount

Vernon, Monticello e o Palácio da Independência, que teriam sido visíveis do barco a vapor *Mark Twain*.

Embora muitos fãs da Disney saibam que Herb Ryman confeccionou o mapa original da Disneylândia, e Peter Ellenshaw concebeu o mapa gigantesco da Disneylândia que Walt costumava usar no programa de tevê, poucas pessoas percebem que foi o *imagineer* Marvin Davis que labutou planejando dezenas de mapas e tentando encontrar o mapa ideal para a Disneylândia quando ela foi inaugurada em 1955. Ele tentou chegar a uma representação satisfatória do formato da Ilha de Tom Sawyer, mas não conseguiu agradar Walt.

"Me dá isso aí", disse Disney, segundo se lembra Davis. Naquela noite, Walt trabalhou durante horas na sua oficina que tinha o formato de um estábulo vermelho no quintal de sua casa, em Holmby Hills. Na manhã seguinte, ele estendeu uma folha de papel de seda na mesa de Davis e disse: "Olha aqui, é assim que a ilha deve ser." A ilha foi construída de acordo com o desenho de Walt.

Davis declarou:

> O formato genérico da ilha, suas curvas etc., foi tudo ideia do Walt. A ideia da Enseada dos Piratas na Ilha de Tom Sawyer também foi do Walt.

O *imagineer* Herb Ryman se recordou:

> Em princípio, recebi o encargo de dar nomes às coisas na Ilha de Tom Sawyer. O Walt chegou para mim e disse: "Herbie, será que dá para você me arranjar uns nomes?" Obviamente, a gente pensa em coisas como Vala dos Contrabandistas e Enseada dos Ladrões, e nomes sugestivos que as criancinhas ficariam agitadas ao ouvir. E aí, no dia seguinte, segundo Bill Cottrell me disse, ele e Walt contornaram a Ilha no *Mark Twain*, e o Walt ia olhando um mapa que tinha diante de si, onde estavam os nomes que eu havia sugerido. Então ele perguntou: "Por que a gente deve deixar o Herbie se divertir sozinho e colocar todos esses nomes na ilha? Por que não posso batizar esses lugares eu mesmo?" E Bill respondeu: "É, você podia, sim." E aí o Walt foi e trocou os nomes de tudo.

Em 1960, o *imagineer* Dick Irvine informou a um repórter da revista *Reader's Digest:*

> Quando você for à Terra da Fronteira, deve pedir ao Walt que o leve à Ilha de Tom Sawyer. Walt cresceu no Missouri, que era a terra de Mark Twain, e essa ilha é toda dele. O Walt não deixou ninguém ajudá-lo a planejá-la.

Na realidade, Vic Greene, diretor de arte original da Terra da Fronteira, trabalhou com os *imagineers* Herb Ryman e Claude Coats na produção dos primeiros planos da ilha, com base nas ideias de Walt, inclusive a ponte de barris que apareceu em 1957. Sam McKim deu alguns retoques no Velho Moinho, no Forte Wilderness e na casa da árvore. Bill Evans tratou da paisagem. Emile Kuri localizou alguns animais empalhados de "segunda mão" num museu para colocar na extremidade mais distante da ilha.

Durante a segunda semana de junho de 1956 surgiram anúncios onde uma jangada e uma bandeira pirata, com um crânio e ossos cruzados, se dirigia para a Ilha de Tom Sawyer. Os anúncios proclamavam:

> Uma NOVA ATRAÇÃO foi inaugurada na Disneylândia! A Ilha de Tom Sawyer! Atravesse o rio numa JANGADA... explore a CAVERNA DE INJUN JOE... com a PONTE SUSPENSA... visite o FORTE WILDERNESS... veja a CABANA EM CHAMAS DO COLONO. Reviva os dias emocionantes do passado majestoso dos Estados Unidos. Explore todos os mistérios mágicos de uma ilha construída apenas para o LAZER de toda a família na mais nova atração da Disneylândia: a Ilha de Tom Sawyer.

Durante a construção, um *outdoor* anunciava que a ilha seria inaugurada no dia 1º de junho de 1956. Mas não foi. As cerimônias de inauguração aconteceram no sábado, dia 16 de junho de 1956, no cais das jangadas na ilha. Dois jovens visitantes foram fantasiados como Tom Sawyer e Becky Thatcher, e apareceram em muitas fotos de jornais e revistas com Walt.

Perva Lou Smith e Chris Winkler, duas crianças de Hannibal, Missouri, tinham ganho o primeiro concurso, que agora é anual, de fantasias de Tom Sawyer e Becky Thatcher em Hannibal.

Embora eles não soubessem quando concorreram, um prêmio adicional para o Tom e Becky de Hannibal de 1956 era uma chance de viajarem para a Disneylândia, ficarem hospedados no hotel de lá, e presidirem as cerimônias de inauguração da Ilha de Tom Sawyer ao lado do próprio Walt Disney.

Perva Lou e Chris trouxeram consigo água do Rio Mississippi e terra da Ilha de Jackson (o modelo para a ilha frequentada por Tom e Huck nos romances de Twain). Com a ajuda de Walt, as duas crianças batizaram a jangada com uma jarra de água do Mississippi e plantaram uma caixa no solo da Ilha de Jackson, junto ao cais. A ilha então se tornou "oficialmente" parte do Missouri.

Depois da cerimônia de batismo, houve uma visita à ilha, inclusive à Caverna do Injun Joe (que na verdade era um prédio acima do nível do solo, coberto de terra e plantas, para dar a ilusão de que as pessoas estavam descendo para dentro de uma caverna); ao píer de pescaria do Huckleberry Finn (a água ao redor do píer recebeu um estoque de 15.000 bagres, percas e perca-sol de guelras azuis, para que os visitantes os pescassem, com uma vara de bambu e uma minhoca – Walt pescou um peixe para a imprensa naquele dia, mas ele fugiu antes que Walt pudesse içá-lo e colocá-lo no balde); ao Forte Wilderness e outros pontos turísticos.

Uma das maiores crianças presentes era mesmo o Walt Disney, o qual, depois que a ilha foi oficialmente inaugurada, costumava pegar uma vara e pescar no cais com as crianças. Um dia, depois de pescar durante algum tempo sem conseguir pegar nada, Disney virou-se para o assistente do cais e disse: "Não tem peixe nesse rio!"

O assistente replicou: "Tem peixe sim, mas a água está tão turva que eles nem conseguem ver a isca."

Walt respondeu: "Ora, eu pescava no Missouri, e lá tinha mais lama que aqui, só que os peixes de lá sem dúvida conseguiam ver a isca!"

E pouco depois eliminou-se a pescaria, pois se tornou muito difícil para os visitantes andarem pela Disneylândia durante o resto do dia carregando os peixes, que iam ficando cada vez mais fedorentos à medida que o tempo passava; o resultado era que os visitantes às vezes os jogavam fora em lugares inusitados.

Após a inauguração, todos entraram nas jangadas e voltaram pelo canal do Rivers of America para o terraço do Casarão, onde se serviu um "peixe frito à moda antiga" – cerca de vinte quilos de bagre fluvial autêntico, trazidos do Hotel Mark Twain, em Hannibal, para aquela ocasião.

A Câmara de Comércio de Hannibal tornou o concurso Tom e Becky um evento oficial do calendário da cidade nas comemorações locais do Quatro de Julho. Os vencedores que tinham sorte de conseguir vencer num ano em que a Disney estava inaugurando um novo parque temático, tal como o Magic Kingdom na Flórida ou a Disneylândia de Tóquio, participariam das cerimônias de inauguração da Ilha de Tom Sawyer do parque novo.

Perva Lou Smith e Christ Winkler ainda estão vivos. Eles voltaram a Hannibal em 2005 para a comemoração do 50º Aniversário do concurso, junto com outros Tom e Becky escolhidos ao longo dos anos. Smith ainda se lembra do seu almoço com Walt, na época.

As canoas índias foram introduzidas no dia 4 de julho de 1956. No verão de 1957, Castle Rock Ridge, a Ponte Flutuante e a Casa da Árvore de Tom e Huck (durante muitos anos "o ponto mais alto da Disneylândia") foram acrescentados para divertimento dos visitantes. Originalmente, havia apenas duas jangadas, Tom e Huck, mas com essa expansão vieram mais duas, Becky Thatcher e Injun Joe. Cada uma dessas jangadas navegava sem propulsão e levava até 45 visitantes. A ilha tinha dois ancoradouros e, quando o *Mark Twain* estava sendo reformado, as jangadas transportavam os turistas em torno da ilha inteira.

O Forte Wilderness foi inteiramente construído nos bastidores, depois desmontado, transportado em caminhão para a Terra da Fronteira e reconstruído depois que as vigas foram enviadas até a ilha, flutuando na água. Um modelo de madeira de tamanho real foi montado na ilha primeiro, para Walt e seus *imagineers* poderem ver como ficaria o forte no local planejado, e se ele seria visível de lugares de onde não se devia vê-lo.

Como era a ilha naqueles primeiros dias? Enquanto os Membros do Elenco estavam espalhados na ilha para ficar de olho nas crianças, Walt tinha dado ordens estritas para deixar as crianças se divertirem à vontade. Um segurança que levava sua ocupação a sério demais tentou manter as crianças quietas e bem comportadas. Após uma semana, ele foi transferido para um portão, no turno da noite.

O *Saturday Evening Post* (28 de junho de 1958) e outras revistas, inclusive *Parade* (7 de abril de 1957) noticiaram que um menino chamado Tom Nabbe havia surpreendido Walt em 1956. Nabbe vinha vendendo o jornal *Disneyland News* no parque desde o dia da inauguração da Disneylândia.

Eis o depoimento de Nabbe:

> Encontrei o Walt e lhe disse que eu era a cara do Tom Sawyer e que ele deveria me contratar para ser o Tom Sawyer da ilha. Ele não me contratou ali mesmo como eu esperava. Só que também não disse que não. Portanto, isso deixou a porta aberta para mim. Ele disse que ia pensar no caso. Sempre que eu encontrava o Walt no parque, lhe perguntava se ele ainda estava pensando no caso. Ele finalmente disse: "sabe, eu poderia colocar um manequim..." ou será que ele disse "boneco?" Eu poderia colocar um manequim, acho que ele disse, pois ele não iria querer ficar largando tudo a cada 15 minutos para tomar uma Coca e comer um cachorro-quente.

Mencionado em artigos como "o menino mais sortudo do mundo" Nabbe foi contratado para liderar outras crianças através da caverna escura e amedrontadora do Injun Joe, colocar iscas nos anzóis e responder a perguntas. Durante o verão e os fins de semana, Nabbe trabalhava em tempo integral, mas durante a semana ele precisava frequentar a escola e manter ao menos uma média "C" nas provas.

Na sua edição de 29 de junho de 1958, *The Saturday Evening Post* publicou uma história sobre a Disneylândia que girava em torno do papel de Nabbe no parque:

> "O Sr. Disney agora vem me pedir conselhos", gaba-se Tom Nabbe, sentado descalço no cais da ilha, vestido com uma camisa verde desbotada e uma jardineira. "Ora, quando ele quis colocar um escorregador aqui, eu lhe disse que não iria dar certo porque muitas crianças que vêm aqui estão vestidas com as suas melhores roupas. Então ele não colocou."

Tom Nabbe morava perto da Disneylândia, e ele e a mãe, que gostava de colecionar autógrafos, estavam diante dos portões no dia da inauguração, em 17 de julho de 1955. Quando Danny Thomas saiu do parque cedo, ele deu dois de seus passes gratuitos para Tom e sua mãe e eles entraram e se divertiram.

No dia seguinte, Tom, com doze anos, conseguiu emprego como jornaleiro ambulante anunciando o *Disneyland News* para os visitantes que vinham ao parque. Se ele vendesse um certo número de exemplares, podia entrar na Disneylândia de graça.

Ouvindo dizer que a Ilha de Tom Sawyer ia ser inaugurada, Nabbe tratou de falar com Walt sobre o papel de Tom Sawyer. Walt acreditava que as crianças que visitavam a ilha deviam imaginar que eram o Tom Sawyer, mas no final ele cedeu à insistência de Nabbe.

Um comunicado à imprensa da Disneylândia dizia:

> Não era fácil trabalhar o dia inteiro no sol quente, mas tinha muitas compensações, inclusive a inveja de todos os outros meninos que vinham visitar a ilha e a atenção de revistas nacionais e repórteres de jornais e noticiários.

Uma exigência importante do emprego era que Nabbe mantivesse média "C" na escola. Portanto, todo trimestre, ele trazia seu boletim diretamente a Walt para que ele o inspecionasse.

Depois de ficar grande demais para desempenhar o papel de Tom Sawyer, Nabbe foi ser gerente de outras atrações. Em 1964, Nabbe conheceu sua mulher, Janice, que trabalhava numa lanchonete do parque. Eles se casaram em junho de 1968. Ele continuou trabalhando para a Disney Company durante quase cinquenta anos (principalmente no Walt Disney World) e recebeu o prêmio Disney Legends em 2005.

Tom Nabbe relembrou:

> Infelizmente essa inauguração foi toda programada em torno dos vencedores do concurso de Tom Sawyer e Becky Thatcher de Hannibal, Missouri. Mas daquele ponto em diante, eu é que fui o único Tom Sawyer. Eles me deram um título de "assistente de visitantes". Esse era meu emprego. Comecei a trabalhar na área de Entretenimento, mas eles não sabiam o que fazer comigo, portanto me puseram nas Operações. Eles tinham estocado o canal do Rivers of America com percas e bagres, e nós tínhamos 25 varas de pesca em cada um dos dois píeres. Eu precisava garantir que as varas estivessem

lá toda manhã já com os seus respectivos anzóis e boias. Eu tinha que ver se as minhocas estavam nas latas e disponíveis para as pessoas colocarem-nas nos anzóis, e se elas não quisessem colocar as minhocas nos anzóis eu tinha que fazer isso para os visitantes.

Além disso, eu posava para fotos com os visitantes. Para dizer a verdade, eu parecia mais mesmo era com o Huck Finn, que tinha os cabelos ruivos e era sardento, e alguns visitantes pensavam que eu fosse o Huck Finn. O Tom Sawyer não era ruivo. Os visitantes pescaram na ilha até mais ou menos meados da década de 1960. A única mudança foi que, quando a Ilha de Tom Sawyer foi inaugurada, era permitido pescar e limpar os peixes, mas os peixes mortos que os visitantes deixavam não cheiravam muito bem, portanto mudamos para pesca e solta no fim do primeiro verão. Fiquei feliz com essa decisão, porque quem limpava os peixes era eu.

Trabalhei durante todo o fundamental até o ensino médio como Tom Sawyer. Quando eu tinha mais ou menos uns 17 anos, eles ficaram sem saber o que fazer comigo. Eu estava meio crescido demais para ser o Tom Sawyer, mas não era velho o suficiente para ser um operador de atrações. Quando completei 18 anos, me tornei operador de atrações. Precisei de muito pouco treinamento. Eu já operava as jangadas antes, de manhã cedo, quando os visitantes ainda não estavam no parque. Então foi fácil aprender a fazer isso.

Com o passar dos anos, a Ilha de Tom Sawyer não só sofreu mudanças como passou por tragédias e problemas, inclusive o afogamento de um rapaz que se escondeu na ilha depois da hora do parque fechar e tentou nadar de volta para a margem com seu irmão nas costas. Uma menina de seis anos perdeu o dedo indicador quando ele ficou preso num gatilho de espingarda do Forte Wilderness. Em consequência desses acidentes, a segurança da ilha aumentou e as espingardas foram eliminadas.

Depois de uma reforma da Ilha de Tom Sawyer da Disneylândia, em 2003, o Forte Wilderness foi fechado, e, em 2007, a Disney demoliu o forte devido a dano por cupins negligenciado há muito tempo e também a danos sofridos com as intempéries. Uma nova fachada para o Forte Wilderness, que não é acessível para os visitantes, foi construída com madeira compensada. Agora ela está sendo usada como área de descanso para Membros do Elenco e dos artistas.

Hoje em dia, a Ilha de Tom Sawyer apresenta uma semelhança mínima com a visão original de Walt Disney, em parte porque mudaram as coisas e algumas de suas atividades originais agora são consideradas perigosas. Mesmo assim, partes da ilha continuam a evocar Tom e Huck e fazem lembrar o *playground* rústico concebido pelo próprio Walt Disney e que encantou as crianças durante décadas.

A APRESENTAÇÃO "MICKEY MOUSE REVUE"

No dia 31 de dezembro de 1962, a revista *Newsweek* publicou uma declaração de Walt Disney sobre seus planos de criar uma atração na Disneylândia que incluísse "todos os personagens da Disney, para que todos possam vê-los. O que tenho em mente é um teatro de revista, e os bonecos não só vão estrelar o espetáculo como também se sentarão nos camarotes com os visitantes, interagindo com os que estão no palco, entende? Não sei exatamente quando farei isso."

Quase uma década depois, o espetáculo *Mickey Mouse Revue* estreou, no dia 1º de outubro de 1971, no Walt Disney World, como uma atração cuja entrada era um bilhete "E" da Terra da Fantasia.

A *Revue* começava com uma introdução de oito minutos mostrando a carreira do Mickey e como o som começou a ser usado nos desenhos animados. Ao final da introdução, o Mickey e o narrador têm o seguinte diálogo:

> Narrador: Agora vamos todos juntos entrar para uma apresentação da última conquista colossal na ilustre carreira do Mickey. Mickey Mouse, maior e melhor do que nunca, aparece em uma dimensão inteiramente nova, liderando seus amigos em um *pot-pourri* de destaques musicais dos filmes de Walt Disney.
> Mickey: Venham, pessoal! É hora da Revista Musical do Mickey Mouse! [E a porta do teatro se abre.]

Originalmente, o espetáculo, que durava mais ou menos dez minutos, ia se chamar *Mickey Mouse Musical Revue* [Revista Musical do Mickey Mouse], e esse foi o nome usado em alguns cartazes no princípio, bem como na introdução. No *show* em si, um boneco áudio-animatrônico do Mickey Mouse rege uma orquestra "só de personagens de desenhos animados" composta de 23 bonecos, mostrando cenas e canções de desenhos animados memoráveis de Walt Disney que eram exibidos em torno da orquestra.

Setenta e três personagens animados diferentes de Walt Disney participavam do espetáculo, incluindo o Mickey, Minnie, Donald, Pluto, Pateta, Urso Colimério, o rato Timóteo, Ursinho Puff, Balu, Tio Patinhas e muitos outros que enchiam o palco de 26 metros de comprimento. (Para ser preciso, um total de 81 bonecos estavam na apresentação, uma vez que alguns personagens, como os Três *Caballeros*, apareciam em diferentes pontos do palco, ao passo que outros surgiam com roupas diferentes.) Vários personagens que se planejava incluir no *show*, inclusive o Cavalo Horácio, a Galinha Cantadeira e o Lobo Mau, acabaram não entrando na produção final. Porém, uma sombra do Lobo Mau aparecia durante a canção "Quem Tem Medo do Lobo Mau?".

As canções incluídas no espetáculo:

- "Heigh Ho"
- "Whistle While You Work"
- "When You Wish Upon a Star"
- "Hi Diddle Dee Dee"
- "Quem Tem Medo do Lobo Mau?"
- "I'm Wishing"
- "The Silly Song"
- "All in The Golden Afternoon"
- "Bibidi-Bobidi-Bu"
- "So This Is Love"
- "Zip-a-Dee-Doo-Dah"
- "Mickey Mouse Club March"

Os artistas que cantavam essas canções na *Revue* não eram os mesmos que as haviam cantado nas trilhas sonoras dos filmes, talvez por motivos jurídicos ou porque a Disney considerou mais barato usar novos cantores em vez de pagar os originais.

O *imagineer* Bill Justice teve uma carreira longa e ilustre na Disney Company. Entre suas muitas conquistas, ele foi o animador principal do Tico e Teco, fez experiências com animação *stop-motion* para *Babes in Toyland*, criou os créditos de abertura dos filmes de ação ao vivo da

Disney, criou fantasias para a Disneylândia, foi um dos programadores originais de áudio-animatrônica para atrações como Piratas do Caribe, e dirigiu a sequência de abertura animada do programa de televisão *Clube do Mickey Mouse* original.

Justice concebeu a ideia da *Mickey Mouse Revue* mais ou menos na mesma época em que se começou a trabalhar no Magic Kingdom na Flórida, embora, naturalmente, outros estivessem envolvidos nesse processo, inclusive John Hench e Blaine Gibson. Foi nas suas memórias, *Justice for Disney* (1992), que Justice revelou seu papel na criação da *Revue*. Fiz duas entrevistas longas com ele, a primeira quando Justice visitou o Instituto Disney e a segunda quando ele se apresentou comigo no Give Kids the World (uma colônia de férias no Centro da Flórida, sem fins lucrativos, para crianças com doenças incuráveis em fase terminal).

Durante essas entrevistas, Justice me contou, em parte:

> A WED [empresa Walter Elias Disney] tinha planejado alguns *shows* criativos para os parques, mas nós parecíamos estar nos afastando de nossas tradições. *Piratas do Caribe* havia sido um sucesso retumbante, mas o que esse filme tinha a ver com a Disney? O que precisávamos era nos lembrar das criações e realizações do Walt. Então peguei uma folha de papel e mãos à obra!
>
> Mickey teria que ser o protagonista. No entanto, era preciso também mencionar nossos grandes clássicos do desenho animado. Fiz esboços de todos os personagens que achei que deveriam estar no musical. Depois usei minhas habilidades de modelismo para construir uma maquete de papelão em escala 1/16 do que eu queria fazer. Isso foi antes de criarem as fotocopiadoras com redução, portanto tive que fazer todos os desenhos em escala. Muitas das figuras precisaram ser desenhadas com 0,6 cm de altura. O conjunto todo tinha mais ou menos 45 cm de comprimento por 9 cm de altura. Porém, este modelo foi uma boa ferramenta para planejar a sequência do *show* e fazer experiências com as várias cenas diferentes.
>
> Depois que consegui planejar um bom espetáculo, era hora de construir um modelo maior. Recrutei alguns artesãos e construímos um teatro em miniatura, do tamanho de uma sala, com um palco de mais ou menos três metros e meio. Blaine Gibson e seus assistentes esculpiram todos os bonecos numa escala de 1 para cada 4 polegadas a partir dos meus desenhos. Tudo

funcionava muito bem, exceto os bonecos em si: a iluminação, as plataformas giratórias, a cortina, a trilha sonora. Depois que terminamos, notifiquei meus chefes. Eles convidaram o Roy O. Disney para ver os resultados do meu trabalho. O espetáculo que tínhamos em mente era o seguinte: Mickey Mouse regeria uma orquestra de personagens dos Estúdios Disney tocando um *pot-pourri* de músicas. Depois, dos lados do palco e atrás da orquestra, cenas de nossos desenhos animados mais populares iriam aparecendo, uma a uma. Mickey encerraria a apresentação regendo sua orquestra. Roy olhou o modelo, depois me fez o maior elogio que já recebi em minha carreira: "Este é o tipo de espetáculo com o qual nós deveríamos estar gastando nosso dinheiro." Foi assim que surgiu a *Mickey Mouse Revue.*

Monitorei o progresso do *show* até sua estreia. Blain e seus escultores fizeram bonecos de tamanho natural para servirem de modelos para os bonecos áudio-animatrônicos. Construíram-se os bonecos, e se projetou um teatro. E aí surgiu um problema: o Mickey. Com 33 funções gravadas em um corpo de um metro e sete centímetros, ele era o boneco mais complexo que já havia sido construído até aquela data. Ele também se tornou meu maior desafio de programação, porque devia ser o maestro da orquestra.

Finalmente descobri que precisava programar os braços do Mickey para se erguerem tão alto quanto possível, e depois caírem tão baixo quanto possível. A mesma coisa com os pulsos e cotovelos. Deviam se dobrar para trás e para a frente tão rápido quanto fosse possível, até os extremos. Essa era a única maneira de o Mickey dar a impressão de que estava acompanhando o ritmo da música.

À medida que o teatro em que o espetáculo seria encenado no Magic Kingdom ia sendo construído, alguém teve a ideia de montar uma introdução. Planejou-se uma área logo em frente ao teatro principal onde os visitantes poderiam assistir a um filme sobre o Mickey enquanto estavam esperando para entrarem. A ideia era boa, mas havia um probleminha. O teatro tinha capacidade para 504 pessoas, mas o espaço disponível para a introdução só dava para 300. Infelizmente, não tínhamos tempo para fazer mais modificações e ficou assim. Senti um choque quando me disseram que iam transferir essa atração, que era minha maior realização e o orgulho da minha carreira, para a Disneylândia de Tóquio "porque nunca tivemos casa cheia com esse *show*". Claro que não! Como se pode encher 504 cadeiras com 300 pessoas?

A *Mickey Mouse Revue* nunca se tornou uma atração importante do Magic Kingdom. O nível das entradas para assistir a ela caiu de "E" para "D", e depois, no dia 14 de setembro de 1980, a *Revue* fechou, sendo ela a primeira atração a ser removida do Magic Kingdom desde o dia da sua estreia.

O teatro que antes servia para as apresentações da *Revue* mudou de nome, e agora é o Teatro da Terra da Fantasia. Tornou-se palco de várias outras apresentações ao longo dos anos, inclusive a Lenda do Rei Leão e da "Filarmágica" do Mickey.

Ao ser fechada, a *Mickey Mouse Revue* foi desmontada e enviada para a Disneylândia de Tóquio como atração no dia da inauguração daquele parque, em abril de 1983. O *show* inteiro, inclusive a introdução, foi regravado em japonês, e alguns retoques estéticos ligeiros foram feitos em alguns personagens.

Os japoneses adoram "coisas engraçadinhas" e por isso a Oriental Land Company, que é dona e operadora da Disneylândia de Tóquio, incluiu a *Mickey Mouse Revue* na lista de atrações que desejava ter no novo parque. Um outro motivo, porém, foi que mandar a Revista para o Japão sairia bem mais barato para a Disney Company do que fazer uma réplica dessa atração no Japão.

Bob Mathieson, cujos muitos cargos na Disney incluíram vice-presidente de operações do Magic Kingdom, lembra-se de uma entrevista com David Koenig:

> Foi uma briga muito feita. Gritávamos feito loucos nesse dia. Ela [a Revue] era muito popular e muito representativa da nossa cultura. Era o que as pessoas realmente gostavam. Mas eles não tinham tempo de montar uma *Revue* só deles... tinham que levar a nossa!

No dia 25 de maio de 2009 a *Mickey Mouse Revue* da Disneylândia de Tóquio fechou as portas, depois de quase 26 anos encantando os visitantes japoneses, e foi substituída pelo espetáculo em 3D "Filarmágica" do Mickey.

Quando a *Revue* original encerrou suas apresentações no Magic Kingdom em 1980, alguns dos bonecos usados no espetáculo foram reciclados para serem usados em outras atrações.

O *imagineer* Tom Baxter pegou o molde da Alice (do filme *Alice no País das Maravilhas*) e fez um modelo mais leve de fibra de vidro que pintou para se parecer com a Fada Sininho. Depois instalou aparelhos dentro da boneca para que ela funcionasse como um mini-helicóptero de controle remoto e ficasse voando pela Main Street durante o desfile. Realizou-se um teste bem-sucedido no estacionamento do departamento de *imagineering*, mas o projeto foi abandonado por medo de que a boneca de cinco quilos e meio pudesse apresentar algum defeito e cair em cima de um visitante.

O *imagineer* David Mumford, projetista do túnel da Alice no País das Maravilhas na Disneylândia, alegou em uma entrevista concedida em 1999 que a boneca da Alice acrescentada ao túnel durante a reforma de 1984 veio da *Mickey Mouse Revue:*

A boneca da Alice foi acrescentada na última hora, depois que debatemos um pouco sobre se devíamos mostrar o personagem. Havia um grupo de bonecos usados da história da Alice guardados num depósito, tirados da Revista do Mickey Mouse em 1971, na Flórida. Entre eles, havia cabeças das Flores do Jardim, o Chapeleiro Maluco, a Lebre de Março e a Alice, e acabamos usando esses personagens na Disneylândia, em 1984.

Além disso, os Sete Anões e o piano deles foram reaproveitados na reforma de 1994 da atração "Branca de Neve e Suas Aventuras Assustadoras".

O CARROSSEL DO PROGRESSO

DURANTE ANOS, o arrastado sotaque sulista do ator que fazia o papel do caubói Rex Allen narrou uma das atrações mais procuradas e queridas da Disney, o Carrossel do Progresso. A narração começava assim:

> Sejam bem-vindos ao Carrossel do Progresso da General Electric. A maioria dos carrosséis só fica girando, girando sem chegar a lugar algum. Mas, neste aqui, a cada volta do carrossel vamos progredir um pouco. E esse progresso não é só no sentido de passagem do tempo. É sonhar, trabalhar e construir um modo de vida melhor. Progresso significa libertar todos do trabalho pesado, para que tenham mais tempo para se divertir e levar uma vida melhor. E enquanto o homem sonhar, trabalhar e construir, esse progresso vai continuar... na sua vida e na minha.

Walt Disney esteve intimamente envolvido com todos os aspectos dessa atração, principalmente suas mensagens essenciais sobre a importância da família, particularmente da família americana, e a perspectiva de uma comunidade futura global onde as pessoas de todas as idades e de todos os países viveriam e trabalhariam juntas, usando e apreciando as mais novas maravilhas da tecnologia.

Era uma visão otimista, uma crença de que o progresso não devia ser temido, mas aceito com otimismo. O Carrossel do Progresso era uma representação concreta da filosofia pessoal de Walt Disney de que as pessoas, apesar de seus defeitos, eram basicamente boas, e que a vida era boa em qualquer época e só continuaria melhorando.

Em 1958, a atração foi a princípio planejada como extensão da Main Street da Disneylândia, com patrocínio da General Electric.

A Praça Edison deveria ser uma rua sem saída do lado direito do final da Main Street. Incluiria uma rua pavimentada com tijolos, charretes elétricas sem cavalos e postes de iluminação novinhos em folha; os prédios teriam fachadas do início do século representando São Francisco, Filadélfia, Nova York, Boston e Chicago. Uma estátua em tamanho natural de Thomas Edison, o fundador da General Electric, estaria situada no centro da praça.

A principal atração teria sido uma estrutura em formato de ferradura de 3.700 metros quadrados com quatro teatros e uma área para exposições. Um espetáculo de quatro atos, de quinze minutos de duração, iria apresentar o Sr. Wilbur K. (abreviatura de "Kilo") Watt e sua família demonstrando como a eletricidade havia melhorado seus estilos de vida domésticos em 1898, 1918, 1958 e, finalmente, "19?8". O ponto de interrogação era intencional, uma vez que a cena final seria uma Ilha Eletrônica no Céu, em uma Nova York do futuro.

Watt e sua família seriam representados por bonecos "eletromecânicos", o mesmo tipo de boneco mecânico com movimentos repetitivos limitados usado no cacique amistoso acenando na praia do canal do Rivers of America ou nos nativos hostis ao final do Cruzeiro da Selva.

Os espectadores ficariam em uma área de três níveis com grades contínuas (semelhante às da área de recepção da Grande Fuga de Stitch), e portas automáticas se abririam e fechariam para que os espectadores passassem pelos vários estágios e entrassem na área que continha os produtos da General Electric.

O projeto foi descontinuado quando a G.E. abordou Walt Disney no início de 1959 e lhe pediu para projetar e construir uma atração para a próxima Feira Mundial de Nova York, em 1964.

A Disney Company acabou criando quatro atrações populares para a Feira: o Carrossel do Progresso para a General Electric, a Estrada Aérea da Ford Motor para a Ford Motor Company, "o mundo é pequeno" para a Pepsi/UNICEF e Grandes Momentos com o Sr. Lincoln, para o Estado de Illinois.

O espetáculo da Praça Edison foi remodelado e se transformou no Carrossel do Progresso e no pavilhão da General Electric (Terra do Progresso), porque o *slogan* de propaganda da G.E. nas décadas de 1950 e 60 era "O Progresso é nosso produto mais importante".

A Disney Company sempre foi vaga quanto à história do Carrossel do Progresso, nunca dizendo se ela representa a história de uma família ao longo de várias décadas ou se apresenta famílias diferentes mas com algo em comum. Não há indicação da resposta a essa dúvida em nenhum dos roteiros nem no material suplementar, para confirmar uma das duas possibilidades.

O ator e cantor *country* Rex Allen dublou o pai, com sua voz reconfortante, nas duas primeiras versões da atração, e foi o dublador também do avô da versão atual do *show*. Allen também foi o narrador de vários dos filmes de animais de ação ao vivo da Disney, inclusive *A Incrível Jornada*. Quando o Carrossel do Progresso foi transferido para a Walt Disney World, em 1975, o ator Andrew Duggan dublou o pai até 1988, quando ele faleceu. Em 1994, o autor Jean Shepherd não só ajudou a escrever o novo roteiro como também assumiu o papel do pai. O modelo de referência vivo original para a criação desse personagem foi o ator Preston Hanson.

Nas primeiras versões do espetáculo, a mãe era mais submissa ao se dirigir ao marido (suspirando "sim, querido" em resposta a seus comentários tolos). Mas na versão do Walt Disney World ela se tornou mais assertiva, principalmente na cena em que ela transforma o porão em salão de festas, onde ela defende o direito das mulheres de receber o mesmo salário dos homens se fizerem o mesmo tipo de trabalho. A cena final revisada também mostrava a mãe envolvida em várias organizações, terminando por administrar a casa através do computador. Os braços originais dos personagens foram modelados a partir daqueles feitos pela *imagineer* Harriet Burns.

Originalmente chamada Jane, a filha agora é conhecida como Patricia. Como sua mãe, ela ficou mais assertiva na atração do WDW, afirmando que o mundo não seria sempre "dos homens".

Nas versões mais antigas o filho não tinha nome, mas desde 1994 ele se tornou James ou Jimmy. Ele não tinha nome porque não tinha falas, e era apenas um observador mudo em suas cenas. Foi só em 1975, na versão do WDW, que ele começou a falar e se tornou um adolescente na cena final.

Também nas primeiras versões, o cachorro era conhecido como Rover na primeira cena, Buster na segunda e depois Sport, tanto na terceira cena quanto na narração de *voice-over* da Cidade do Progresso. Na versão original, em cada cena aparecia um cachorro de raça diferente.

Quando o Carrossel do Progresso foi transferido para o WDW em 1975, o cachorro se chamava Queenie no segundo ato, e Sport no terceiro. Hoje em dia ele só se chama Rover em todas as cenas, e lembra o mesmo cãozinho que levava as chaves no filme *Piratas do Caribe*. Criou-se uma pelagem de *nylon* especial para o cachorro em vez de usar uma pele de bicho de verdade. Foi ideia de Walt incluir o cachorro em todas as cenas.

Mel Blanc, famoso por dublar personagens animados como o Coelho Pernalonga ou o Patolino, sempre foi responsável por dizer a única fala do tio Orville, que grita da banheira: "não há privacidade aqui!" Ele também dublou o papagaio na primeira cena.

Nem o vovô nem a vovó nem o filho ou a filha apareciam nas duas primeiras versões originais da cena final. O roteiro explicava assim as suas ausências:

> Vocês provavelmente estão imaginando o que aconteceu com o Vovô e a Vovó. Bom, eles não se encontram mais entre nós. Eles agora têm sua própria casinha em uma comunidade de pessoas da terceira idade. O vovô tem mais de oitenta... quero dizer, esta é sua pontuação no golfe. As crianças vão se encontrar com o Vovô e a Vovó agora mesmo no nosso novo aeroporto para jatos.

A família inteira só apareceu reunida na cena final na terceira versão da atração no Walt Disney World.

Embora os personagens áudio-animatrônicos tivessem movimentos mais simples do que o presidente Lincoln, havia mais ou menos 32 deles que precisavam ser coordenados, cada qual em uma trilha separada.

A equipe de compositores Robert e Richard Sherman, vencedores do Oscar, compôs a canção tema "There's a Great Big Beautiful Tomorrow", sendo que Buddy Baker preparou o arranjo para orquestra, como fez para várias atrações da Disney. A canção não só oferecia uma transição entre as cenas, como interligava todo o espetáculo, tornando-o mais coeso:

> Há um grandioso e belo futuro
> Brilhando ao fim de cada dia,

Há um grandioso e belo futuro
E o amanhã vem depois do sonho!

Richard Sherman relembrou:

> Havia um monte de instruções para nós: "Vocês têm 13,5 segundos para passar do primeiro palco para o segundo" e daí por diante. A canção precisava ser flexível para podermos mudar o seu estilo, acompanhando as eras, e tocá-la de maneira convincente como um *rag* de virada do século, um *jazz*, um *swing* e uma peça romântica e sentimental. Era como se nos dissessem "Venham e criem um pé que entre neste sapato." Esta canção, na verdade, é sobre o Walt. É a forma de pensar dele, sua visão do futuro como grandioso, enorme, lindo. Nós até começamos com a seguinte frase: "Walt tinha um sonho, o começo de tudo." E nós seguimos esse sonho.

O *show* incluía quatro cenas e um prólogo. Na Feira Mundial e, mais tarde, na Disneylândia, o prólogo incluía uma demonstração com um espetáculo de luzes Kaleidophonic G.E., um painel de dezoito metros, sendo que as luzes eram sincronizadas com música e efeitos sonoros enquanto o narrador falava. No centro ficava o enorme logotipo circular da General Electric.

Na primeira cena, "A Alegre Década de 90" que se passava no fim do século XIX, os espectadores deviam achar engraçados os supostos luxos dos quais a família gozava, incluindo máquinas de lavar roupa movidas a mão que encurtavam o tempo de lavagem da roupa para apenas cinco horas, baús que continham até 25 quilos de gelo para preservar e armazenar comida, bombas de água que puxavam água direto para a pia da cozinha, fogões a carvão, e outros exemplos de progresso.

Na segunda cena, "A Louca Década de 20", que se passava logo antes da Crise de 1929, bolos de fios elétricos se encontram em todos os aposentos para alimentar novos "servos domésticos": a geladeira que substituiu o baú pinga-pinga que molhava tudo; um ventilador elétrico para fazer circular ar fresco pela casa; uma máquina de costura elétrica, uma cafeteira, uma tostadeira, uma panela para fazer *waffles*, e um aspirador de pó. Quando se aciona um interruptor, tudo começa a funcionar... e depois o fusível se queima.

Na terceira cena, "A Frenética Década de 40", logo depois da II Guerra Mundial, a geladeira General Electric está maior e melhor do que nunca, com compartimentos para carne, bandejonas para gelo, e congeladores aperfeiçoados. As máquinas de lavar roupa elétricas fazem quase tudo, só não penduram as roupas para secar. Uma batedeira eliminou a necessidade de bater os ingredientes à mão até a cozinheira se cansar. Há até uma televisãozinha com imagens em preto e branco para assistir a lutas e a filmes de faroeste.

A cena final, "À Beira do Amanhã", se passa alguns anos depois de nossa época.

O *imagineer* Marty Sklar escreveu:

> Deixamos a última cena inteiramente em aberto, para que os produtos da General Electric de hoje e amanhã possam ser atualizados de acordo com a passagem do tempo.

Na Feira Mundial, a mãe e o pai se sentavam confortavelmente sozinhos em uma casa onde se via o medalhão de garantia de qualidade da General Electric, entre maravilhas como paredes de plástico translúcido com lâmpadas Coloramic para mudar o clima e uma área externa toda envidraçada e aquecida a eletricidade.

Na Disneylândia, a mãe e o pai se sentavam confortavelmente na sala de estar no Natal, onde podiam ver a versão da E.P.C.O.T. de Walt pela sua janela panorâmica.

O teatro em si foi descrito como uma rosca imensa sobre rodas de trem onde o palco continua estacionário e o público se senta no exterior circular que se move em torno do centro, para mostrar uma cena nova depois da outra. Sob a plateia ficam imensos chassis de metal, cada qual com 36 rodas de aço tipo vagão ferroviário, capazes de transportar aproximadamente 340.200 toneladas. Mais importante ainda, essa estrutura permitia que quase 4.000 visitantes por hora vissem o espetáculo.

Na Feira Mundial, uma média de 41.000 visitantes por dia assistia ao *show*. No fim do primeiro ano, mais de sete milhões de pessoas haviam assistido a ele. Pesquisas realizadas pela General Electric revelaram que 87% dos visitantes dava a nota "excelente" para o espetáculo, e 12% o classificavam como "bom." As pessoas esperavam na fila (sob toldos azuis e brancos) com boa vontade, durante uma hora e meia.

Marty Sklar compôs um livreto colorido de vinte e oito páginas com texto, fotos e ilustrações lembrando um guia da Disneylândia, com o título "A Terra do Progresso na Disneylândia" para convencer a General Electric a patrocinar o pavilhão do parque temático quando a Feira terminasse. Walt planejava atualizar toda a Terra do Amanhã e reabri-la em 1967 com três novas atrações: o trenzinho PeopleMover, A Aventura Pelo Espaço Interior, e o Carrossel do Progresso.

Dentro do novo prédio de dois andares do Carrossel do Progresso, projetado por John Hench, efetuaram-se duas mudanças fundamentais no espetáculo.

Em primeiro lugar, a cena final foi atualizada, eliminando referências a produtos antigos como iluminação colorida para a cozinha e acrescentando novos milagres como gravações em videoteipe de programas de televisão. Como pano de fundo, a noite natalina mostraria o perfil dos prédios da E.P.C.O.T., como Walt o havia imaginado, com o Hotel Cosmopolitan ao centro.

Em segundo lugar, enquanto os visitantes subiam a esteira rolante para o segundo andar, viam uma miniatura extremamente detalhada do sonho de Walt para a E.P.C.O.T. Porém, como a Disney Company ainda estava discutindo se devia tornar esse sonho uma realidade, a cidade foi rebatizada de Cidade do Progresso, para combinar com as referências do Carrossel ao progresso. O narrador explicava:

> O projeto da Cidade do Progresso da General Electric se baseia em um conceito desenvolvido por Walt Disney para a Comunidade Protótipo Experimental do Amanhã, E.P.C.O.T., que ele havia planejado para o Disney World na Flórida.

Construída numa escala 1/8, a cidade em miniatura media 35 m de largura por 60 m de profundidade, e cobria uma área total de 641 m^2. Tinha 2.500 veículos que se moviam (monotrilhos, esteiras rolantes, calçadas rolantes e trens elétricos), 20.000 árvores, 4.500 construções (Walt insistiu que os prédios fossem todos acabados, mobiliados e iluminados por dentro) e 1.400 postes elétricos, e tudo se acendia enquanto os visitantes se deslocavam de uma área do salão para outra, naquele espaço de exposição de três níveis.

Mais de 31 milhões de visitantes viram essa versão da atração, de 2 de julho de 1967 até 9 de setembro de 1973.

Quando o Magic Kingdom da Flórida foi inaugurado, em outubro de 1971, a General Electric enxergou a oportunidade de atingir um público novo. As pesquisas haviam mostrado que apenas 8% dos visitantes da Disneylândia tinham vindo de alguma área a leste do Mississippi. Portanto, o ainda popular Carrossel do Progresso foi fechado e transferido para o Walt Disney World.

No dia 15 de janeiro de 1975 o Carrossel do Progresso abriu na Terra do Amanhã, no Walt Disney World: o mesmo dia em que outra atração também começou a funcionar, a Montanha Espacial.

Fizeram-se extensas modificações, tal como a remoção das telas Kaleidophonic no prólogo, bem como do modelo da Cidade do Progresso no segundo andar. O teatro passou a não girar mais no sentido horário, pois não havia mais motivo para posicionar os visitantes para subirem por uma esteira rolante. O teatro passou a girar no sentido anti-horário, ficando a saída ao lado da entrada.

A nova diretoria da General Electric achava que a canção "There's a Great Big Beautiful Tomorrow" sugeria que os clientes da G.E. teriam que esperar para comprar produtos, porque coisas novas e melhores seriam produzidas em breve, num belo futuro. Os Irmãos Sherman compuseram uma nova canção: "The Best Time of Your Life". Em outras palavras, agora era a melhor hora para comprar produtos da General Electric. Não só havia uma nova canção tema repetida durante todo o *show*, como também a cena final foi atualizada, passando a mostrar os anos 1970, com um novo elenco dublando os personagens no espetáculo inteiro.

Com o passar das décadas, o Carrossel do Progresso mudou mais do que qualquer outra atração da Disney. Em 1981, a cena final voltou a ser atualizada para mostrar os produtos dos anos 1980. No início de 1985 a General Electric resolveu não renovar seu contrato para o *show*, principalmente porque estava patrocinando uma atração semelhante no recentemente inaugurado Epcot Center chamada Horizons. Portanto, a Disney

Company atualizou novamente o espetáculo, removendo as referências à General Electric. Finalmente, em 1993, a atração inteira recebeu um novo roteiro e fizeram-se novas gravações com dubladores totalmente diferentes. O título mudou para O Carrossel do Progresso de Walt Disney.

A atração atual continua sendo uma homenagem a Walt Disney e a seu sonho de um futuro melhor para todos, enquanto gira diariamente no Magic Kingdom, no Walt Disney World.

QUARTA PARTE

OUTROS MUNDOS DAS HISTÓRIAS DA DISNEY

Há algumas narrativas inéditas maravilhosas sobre a história da Disney que não combinariam muito bem com as outras três partes deste livro, mas mesmo assim merecem ser apresentadas.

A Disney vem se envolvendo em tantas áreas diferentes ao longo das décadas, desde promoção de produtos até música e projetos de outras empresas, que a lista parece interminável. Muitas das pessoas envolvidas nessas atividades nunca receberam o devido reconhecimento, ou então nem sequer foram reconhecidas. As histórias delas nos proporcionam novas perspectivas da história da Disney.

Em 1999, o historiador da animação John Culhane escreveu o livro *Walt Disney's Fantasia* sobre como foi feito o longa-metragem animado *Fantasia* (1940). Vários documentários detalhados sobre esse filme também foram produzidos. Porém, a história a seguir, que originalmente foi publicada no jornal *Philadelphia Inquirer*, não apareceu nem no livro do Culhane nem nos documentários.

Quando Leopold Stokowski estava gravando as músicas de *Fantasia*, com a Orquestra Filarmônica da Filadélfia, os bombeiros decretaram que o sistema de gravação complexo que havia sido montado no porão da Academia de Música (também conhecida como Academia Americana de Música – o mais antigo teatro de ópera dos Estados Unidos ainda em funcionamento) apresentava alto risco de provocar incêndios e, portanto, não poderia ser usado.

A conselho de amigos, Stokowski ligou para Joe Sharfain, que na época era procurador municipal da Filadélfia e ardente entusiasta de música. Sharfain conseguiu sustar a proibição de uso do equipamento de gravação para que se pudesse continuar gravando a trilha sonora. Depois, Stokowski exprimiu sua gratidão perguntando: "E agora, o que posso fazer por você?" Sharfain brincou, dizendo que um de seus maiores desejos era ter dinheiro suficiente para contratar Stokowski e sua orquestra para apresentar um concerto só para ele. (Uma apresentação assim custaria pelo menos 10.000 dólares na época.) Stokowski perguntou: "Para quando você acha que poderíamos marcar essa apresentação?" Sharfain respondeu: "Ah, só poderia arcar com esse custo em um futuro distante..." Stokowski então replicou: "Que tal amanhã, às duas horas?"

Sharfain, ainda incrédulo, surgiu à porta lateral da Academia de Música na tarde seguinte e foi acompanhado por um assistente do maestro até o auditório, onde, além de Stokowski e sua orquestra, não havia mais ninguém. O maestro virou-se para ter certeza de que Sharfain já havia chegado, ergueu os braços e deu um concerto de duas horas, com todas as músicas de *Fantasia*, só para Joe Sharfain.

Um caso interessante, mas que nunca foi incluído nem no livro nem nos documentários, porque havia tantas outras informações importantes para dar sobre *Fantasia*, inclusive todas as sequências que haviam sido planejadas para futuras versões.

Esta parte do livro trata de algumas personalidades e de alguns projetos que nunca são abordados quando se fala da história da Disney, mas ainda assim são altamente divertidos e oferecem uma perspectiva interessante sobre o vasto mundo maravilhoso da Disney.

KHRUSHCHEV E A DISNEYLÂNDIA

Para quem cresceu durante a Guerra Fria, Nikita Khrushchev foi o bicho-papão que iria enterrar os Estados Unidos. Depois da morte de Josef Stalin, Khrushchev foi secretário-geral do Partido Comunista da União Soviética de 1953 a 1964, e também primeiro-ministro soviético de 1958 a 1964. O partido de Khrushchev o tirou do poder em 1964 e o substituiu por Leonid Brejnev, que passou a ser o secretário-geral, e por Alexei Kossygin, que passou a ser o primeiro-ministro.

Khrushchev foi aposentado em parte porque os conservadores do Partido Comunista consideravam seus gestos dramáticos e exuberantes constrangedores diante do resto do mundo. Certa vez, na ONU, Khrushchev tirou o sapato e bateu com ele numa mesa para enfatizar suas palavras. Ele ameaçou os Estados Unidos, jurando: "nós vamos enterrar vocês!", na época em que a guerra nuclear era uma possibilidade real.

Além da destruição total do capitalismo e do triunfo do comunismo, o que Khrushchev realmente queria? Ele queria ir à Disneylândia.

Nikita Khrushchev, oponente feroz do capitalismo americano, chegou aos Estados Unidos no dia 16 de setembro de 1959 para uma visita de 11 dias, culminando com uma longa reunião de cúpula com o presidente Dwight D. Eisenhower. Durante sua viagem, ele visitou cidades americanas como Nova York e São Francisco.

O líder russo tinha comunicado seu desejo de ver Hollywood, e portanto organizou-se uma visita a esse lugar. Khrushchev também tinha dito que ele e sua família desejavam visitar a Disneylândia durante sua estadia em Los Angeles. Só lhe informaram depois que seu avião estava a caminho de Los Angeles e que, embora sua esposa e filhos talvez pudessem ir à Disneylândia, havia outros planos para ele.

O Major General Nikolai S. Zakharov da Polícia de Segurança Soviética havia vistoriado Los Angeles três semanas antes da visita de

Khrushchev para analisar o aparato de segurança juntamente com o chefe de polícia de Los Angeles, William H. Parker.

Parker declarou que seu departamento não teria condições de garantir a segurança do líder soviético porque a carreata de Khrushchev precisaria percorrer mais de 50 quilômetros até a Disneylândia, e também porque Anaheim ficava no município de Orange, fora da jurisdição de Parker.

Outras escoltas policiais de Los Angeles até a Disneylândia tinham sido providenciadas para o ex-presidente Harry Truman e para outros dignitários soviéticos que haviam visitado os Estados Unidos antes. Reis e rainhas, príncipes e princesas, presidentes, chefes de estado e uma infinidade de outros dignitários já haviam conhecido a Disneylândia, sem incidente algum.

Parker provavelmente estava ciente de que as pessoas desaprovavam a visita de Khrushchev à área de Los Angeles. Mesmo antes de o líder soviético chegar, tinha havido uma imensa manifestação antissoviética no Rose Bowl, e o presidente Eisenhower precisou vir a público em pessoa para acalmar os ânimos. Quando Khrushchev chegou a Los Angeles, sua carreata foi bombardeada com tomates no caminho do aeroporto até os estúdios da 20th Century Fox.

Parker defendia a ideia de eliminar a visita à Disneylândia da programação. Porém, como os Khrushchev queriam ver o parque, prepararam-se dois planos de segurança alternativos. Um plano deveria ser usado se apenas a Sra. Khrushchev e seus filhos decidissem visitar o parque, e o outro era para o caso de o Sr. Khrushchev resolver, na última hora, acompanhá-los.

No dia 19 de setembro, os Khrushchev chegaram a Los Angeles. O dia começou com uma visita ao palco de som da 20th Century Fox, onde o filme *Can-Can* estava sendo rodado.

Na Fox, Khrushchev assistiu à gravação de um número musical para o filme. O superastro Frank Sinatra foi o mestre-de-cerimônias improvisado da visita, e o primeiro-ministro soviético almoçou com dezenas de famosos de Hollywood, inclusive Marilyn Monroe, Shirley MacLaine e Maurice Chevalier, antes de sua visita a residências que havia sido programada para aquela tarde.

Supostamente, na hora do almoço, o comediante Bob Hope teria se sentado perto da Sra. Khrushchev e, na tentativa de delicadamente puxar conversa com ela, lhe disse mais ou menos o seguinte: "A senhora realmente deveria tentar ir à Disneylândia. É uma maravilha!"

O colunista James Bacon recorda-se:

> A Sra. Khrushchev queixou-se a Frank [Sinatra] que a viagem deles à Disneylândia tinha sido cancelada por motivos de segurança. "É o único lugar que eu realmente desejava conhecer aqui", disse ela a Sinatra em bom inglês, mas com um sotaque russo carregado. Frank lhe respondeu: "Mas a Disneylândia é o lugar mais seguro do mundo! Eu mesmo a levo lá, se a senhora quiser ir." David Niven, que estava sentado perto dos dois, interveio, dizendo a mesma coisa.

(Outro relato daquele almoço diz que Sinatra se aproximou de Niven e falou: "Diz pra velha que você e eu vamos levá-la lá esta tarde, se ela quer tanto ir assim.")

Nesse ponto, a Sra. Khrushchev escreveu um bilhete em russo e mandou entregá-lo a seu marido na tribuna. No bilhete, ela confessava que estava decepcionada porque os Khrushchev, por motivo de segurança, não poderiam visitar a Disneylândia. Khrushchev confirmou isso com alguém do Serviço Secreto, perto dele.

No dia 22 de setembro de 1959, o *New York Times* relatou que, segundo o jornal moscovita *Izvetia,* Khrushchev se sentiu como se fosse um prisioneiro durante sua viagem aos Estados Unidos, por causa das rígidas medidas de segurança. O *Izvetia* informou aos cidadãos soviéticos que o verdadeiro motivo pelo qual o Sr. Khrushchev não teve permissão de ir à Disneylândia era que o dia programado para a visita era um sábado, um dia no qual dezenas de milhares de cidadãos americanos e seus filhos estariam no parque, e que as autoridades americanas não queriam que eles interagissem com o primeiro-ministro soviético.

O cunhado de Khrushchev, um redator do *Izvetia*, escreveu mais tarde um livro de 700 páginas sobre a viagem de Khrushchev intitulado *Litsom k Litsu s Amerikoi* (Cara a Cara com os Estados Unidos).

Ainda irritado por um comentário de Spyros P. Skouras, presidente da 20th Century Fox que era extremamente anticomunista, que tentou provocar o primeiro-ministro soviético com uma referência a um discurso anterior no qual ele tinha prometido enterrar o capitalismo americano, o famoso mau humor de Khrushchev provavelmente o dominou. Ele se levantou e, com a voz trêmula de tanta emoção, reclamou do elevado grau de segurança que o impediu de visitar a Disneylândia.

> Nós viemos a esta cidade onde vive a nata da arte americana. E imaginem só. Eu, um primeiro-ministro, representante soviético, quando vim a esta cidade, recebi um plano. Um programa do que deviam me mostrar e quem eu devia conhecer aqui.
> Só que agora há pouco me disseram que não poderei ir à Disneylândia. E perguntei: "Por que não? Tem alguma rampa de lançamento de foguetes lá?" Não sei.
> E escutem só, escutem só o que me disseram, o motivo que me deram. "Nós, ou seja, as autoridades americanas, não podemos garantir sua segurança se o senhor for lá."
> O que significa isso? Há alguma epidemia de cólera lá, ou coisa assim? Ou será que bandidos invadiram aquele lugar para me assassinar? Me digam, o que devo fazer? Cometer suicídio?
> Essa é a situação em que me encontro. Eu, o seu convidado. Para mim, essa situação é inconcebível. Não consigo encontrar palavras para explicar isso ao meu povo.

O Departamento de Estado disse depois que a Sra. Khrushchev e suas filhas tinham recebido permissão de ir à Disneylândia, mas que a Sra. Khrushchev havia decidido "no último momento" ficar ao lado do seu marido. Supostamente, o Sr. Khrushchev teria dito que se a Disneylândia não podia lhe oferecer segurança, então sua família também não estaria segura lá.

O *imagineer* Marty Sklar se lembrou de que todos na Disneylândia estavam de sobreaviso, caso os Khrushchev decidissem vir:

> Estávamos todos preparados e prontos. Nós tínhamos, acho eu, mais de cem policiais de motocicleta da Patrulha Rodoviária e de Anaheim. Nós acabamos convidando todos eles a entrar [no parque] e lhes oferecemos refeições gratuitas.

Walt Disney estava louco para que os Khrushchev fossem visitar o parque, principalmente por causa da publicidade mundial que isso geraria para a Disneylândia (que na época tinha apenas quatro anos de idade). Walt não simpatizava com os comunistas, mas sua esposa queria conhecer a Sra. Khrushchev.

Mais tarde, após o almoço na 20th Century Fox, o Sr. Khrushchev, arrependido do seu comportamento, supostamente comentou com alguns artistas do filme *Can-Can* que o diretor do estúdio havia perdido a cabeça e tinha feito com que ele também se irritasse. Depois, ele condenou, em uma declaração à imprensa, a dança do *Can-Can* que ele tinha visto no ensaio, afirmando que era "decadente".

Em vez de visitar a Disneylândia, Khrushchev foi levado, com uma enorme escolta policial, através de *shopping centers*, áreas residenciais e o campus da Universidade do Estado da Califórnia, em Los Angeles. Sirenes tocavam. Helicópteros pairavam acima de todos. As ruas estavam lotadas de gente gritando.

Disseram a Khrushchev que ele poderia parar onde quisesse e sair do carro para visitar o local, mas o líder russo preferiu não parar e, segundo se disse depois, comportou-se de maneira petulante, mal olhando pela janela da sua limusine. Ele comentou:

> Me colocar num carro fechado e me torrar ao sol não é a forma melhor de garantir minha segurança. Isso [não ter permissão de ir à Disneylândia] que aconteceu me causou um grande dissabor. Pensava que aqui eu seria tratado como um homem livre.

Ironicamente, quatro jornalistas russos que estavam fazendo a cobertura da viagem de Khrushchev conseguiram sair de fininho e visitar a Disneylândia; passaram quatro horas lá, divertindo-se. Em entrevista concedida a repórteres americanos eles declararam que achavam que Khrushchev e sua família teriam gostado muito do parque.

As notícias de jornal concentraram-se no desabafo de Khrushchev por não ter tido permissão de visitar a Disneylândia, em vez de no discurso que ele deu mais tarde, naquela noite. Logo, até as tiras políticas estavam comentando esse piti do líder soviético.

Na manhã seguinte, muita gente viu o trem de Khrushchev partir da estação ferroviária de Glendale e passar pelo San Fernando Valley no caminho para Santa Bárbara e São Francisco. O líder soviético continuou sua viagem pela Califórnia sem nenhum outro incidente, e voltou a Washington para sua reunião com Eisenhower.

O autor Herman Wouk (*Ventos de Guerra*) comentou:

> Não culpo o Khrushchev por dar pulos de raiva por ter perdido o passeio à Disneylândia. Há poucas coisas que valham mais a pena ver nos Estados Unidos, ou em qualquer outro lugar no mundo.

Naquele mesmo ano, Bob Hope usou o incidente em uma piada de um *show* que deu para entreter soldados do Alasca durante uma das suas viagens de Natal:

> Aqui estamos, no 49º estado americano, o Alasca. Exatamente no meio do caminho entre o Khrushchev e a Disneylândia.

Em 1963, Walt recordou-se:

> Não lhe [ao Khrushchev] recusamos permissão. Estávamos totalmente preparados. Trabalhamos de acordo com o Departamento de Estado quando eles trazem seus visitantes aqui. Khrushchev era hóspede do governo. Portanto, quero dizer que estávamos preparados para receber Khrushchev. Mas acontece que o problema da segurança aqui em Los Angeles... por que, na verdade, a Disneylândia fica em outro município, entende... e não podemos pôr a culpa no chefe de polícia. Ele estava sobrecarregado. Estava simplesmente preocupado com a possibilidade de alguém entrar na Disneylândia com uma sacola de *shopping* com alguma arma dentro. Nunca se sabe, entende?

Embora fosse anticomunista, Walt via o potencial da publicidade e do divertimento que a visita de Khrushchev teria proporcionado à Disneylândia:

> Mas estávamos preparados para recebê-lo. A imprensa estava pronta. Tanto a segurança do Departamento de Estado quando a segurança soviética ti-

nham vindo e preparado a Disneylândia, e estavam a postos. E eu também estava. Aliás, já havíamos recebido vários dignitários aqui, e ele era um que a Sra. Disney realmente queria conhecer. Por isso, ela ficou muito decepcionada quando ele não pôde vir.

Eu ia... nós íamos tirar fotos em certos lugares, onde eu e o Khrushchev apareceríamos, e tive uma ideia que era a minha predileta. Nós íamos posar em frente aos meus oito submarinos, entende, e aí eu ia fazer uma coisa que achei simplesmente ótima. Eu ia apontar para o Sr. Khrushchev e dizer: "Sr. Khrushchev, tenho o prazer de lhe apresentar a minha frota da Disneylândia." É a oitava maior frota de submarinos do mundo.

Robert Wormhoudt, o chefe oficial de protocolo da Disneylândia na época, declarou:

> Nosso trabalho é receber chefes de estado e membros da realeza de acordo com seu porte oficial. Sempre enviamos convites protocolares aos hóspedes do presidente americano. Diga-se de passagem que a Disneylândia não estava no itinerário oficial do primeiro-ministro Khrushchev. Foi o embaixador Henry Cabot Lodge que aceitou a responsabilidade de ir contra a decisão precipitada do primeiro-ministro de vir aqui. Depois desse incidente, a Disneylândia recebeu um número incomum de visitantes soviéticos. Acho que todos eles estavam querendo superar seu primeiro-ministro, fazendo algo que ele não conseguiu fazer.

Walt adorou a situação e a publicidade que ela gerou. Anos depois ele falou com Bill Walsh sobre a possibilidade de escrever um roteiro para uma comédia de ação sobre o incidente. A carreira bem-sucedida de Walsh, que recebeu um prêmio Disney Legends, incluiu o roteiro e produção de filmes de sucesso, como *Mary Poppins*.

Walsh trabalhou com um outro roteirista de primeira, Don Da Gradi, para escrever o roteiro de *Khrushchev na Disneylândia*. No roteiro, Khrushchev, todo animado, vem aos Estados Unidos visitar a Disneylândia sob o pretexto de se encontrar com o presidente para conversas de alto nível sobre a Guerra Fria. Quando Khrushchev descobre que, devido a problemas de segurança, não poderá visitar o Lugar mais Feliz da Terra, ele inventa um plano maluco para ir até lá.

Em seu hotel, em Los Angeles, Khrushchev se disfarça, passa por sua própria segurança soviética e pelo Serviço Secreto Americano, e foge para a Disneylândia, logo perseguido por oficiais da segurança. Walsh se lembra:

> Ele se mistura com os animais do parque e põe uma fantasia de urso ou de lobo ou alguma coisa assim...
> Walt gostava do Peter Ustinov. Ele apreciou a ideia de escolher o Ustinov para o papel de Khrushchev na Disneylândia. Foi uma ideia de outra pessoa que a apresentou a Card Walker, e Card achou que talvez fosse melhor descartá-la porque alguém poderia fazer algo com ele ou usá-lo de forma inconveniente. Mas mesmo assim eu disse: "Sim, vou escrever esse roteiro." Gosto de histórias que envolvem estratagemas, como esta. Imediatamente percebi que esse seria um filme engraçado, com o Ustinov nesse papel.

Khrushchev na Disneylândia teria sido o segundo filme com atores reais a usar a Disneylândia como cenário. O primeiro, *20 Quilos de Confusão*, foi lançado em 1962 pela Universal, e estrelou Tony Curtis no papel de um gerente de cassino de Lake Tahoe, que herda uma menina de cinco anos abandonada por seu pai falido. O filme se baseou na história de Damon Runyon que inspirou filmes anteriores, como *Dada em Penhor* (1934) e *A Menina dos Meus Olhos* (1949). Curtis termina levando a menina e sua amada (papel desempenhado por Suzanne Pleshette) à Disneylândia, onde um detetive contratado por sua ex-esposa persegue Curtis pelo parque. A parte do filme que se passa na Disneylândia dura mais ou menos 20 minutos.

Peter Ustinov deveria desempenhar o papel-título em *Khrushchev na Disneylândia*. Na época, ele estava filmando seu primeiro filme para a Disney, *O Fantasma do Barba Negra*, o qual tinha como produtor Walsh e como diretor Robert Stevenson, ambos também ligados ao projeto *Khrushchev na Disneylândia*. Aliás, o último filme de ação ao vivo da Disney que Walt viu sendo produzido foi *O Fantasma do Barba Negra*. Na sua última visita ao estúdio antes de voltar ao hospital St. Joseph pela última vez, Walt brincou com Ustinov e Stevenson sobre o projeto futuro.

Ustinov, empolgado, disse a Walt que pretendia raspar a cabeça para se parecer mais com Khrushchev, e que sua mãe era parecida com o Khrushchev.

Walt replicou: "Eu não sabia que a sua mãe era careca."

Os Estúdios Disney não estavam tão confiantes quanto Walt no projeto *Khrushchev na Disneylândia*.

Quando Walt faleceu, no final de 1966, a obra original foi arquivada. E continua guardada em algum lugar, só pegando poeira.

CODINOME SELO CINZENTO

O ARTISTA E ROTEIRISTA FLOYD NORMAN mencionou certa vez que, durante uma reunião inicial sobre o roteiro de *Mogli, o Menino Lobo*, Walt resumiu sua insatisfação com a narrativa dizendo que era "sinistra demais, como a do Batman". O que Walt sabia sobre misteriosos homens mascarados?

Ah, mas esse é um mistério que, na verdade, já foi resolvido!

Quando o Super-Homen, Flash Gordon, Buck Rogers, Batman e os outros heróis começaram a surgir, Walt estava com trinta anos e tentando cumprir suas responsabilidades como adulto no seu estúdio de animação; portanto, esses personagens não lhe "cativaram a imaginação" durante a infância. É interessante especular qual teria sido o seu efeito sobre Walt se ele tivesse conhecido esses personagens quando criança.

Quando garoto, Walt leu todos os livros de Mark Twain, como contou a pelo menos dois entrevistadores, e também citou ter lido livros de Charles Dickens e Robert Louis Stevenson, autores conhecidos da maioria das crianças da época. Ele também contou a Bob Thomas que gostava de ler Shakespeare quando garoto, mas apenas as "cenas de luta".

O cunhado de Walt Disney, Bill Cottrell, mencionou em uma entrevista que Walt adorava o personagem fictício Jimmie Dale. Seu codinome era Selo Cinzento[1] e, quando criança, Walt teria reproduzido as aventuras desse personagem nas brincadeiras com seu amigo Walt Pfeiffer.

Na década de 1950, Walt comprou os direitos de todos os livros de Jimmie Dale na esperança de desenvolver uma série de televisão baseada neste personagem. Um documento arquivado na Agência de Direitos Autorais dos Estados Unidos, localizado pelo historiador da animação Michael Barrier, esclarece outra parte dessa história.

---

[1] "Gray Seal", no original, em inglês; no Brasil também há referências para uma adaptação do codinome como "Sinete Negro". (N.E.)

Originalmente assinado no dia 2 de abril de 1952, e apresentado para registro no dia 19 de maio de 1952, o documento declara que Marguerite Pearl Packard, agindo em nome do falecido autor Frank Packard, livremente concedia "mediante contrapartida da empresa Produções Walt Disney à abaixo-assinada", o "único e exclusivo" direito de produzir filmes, roteiros, programas de televisão, rádio e/ou outras adaptações de todo tipo e personagem" bem como a prerrogativa de "obter em todos os países os direitos de reprodução desta obra e todas as adaptações existentes dela."

Este documento deu à Disney os direitos de reprodução de "todas as histórias que foram escritas por Frank L. Packard, autor já falecido, utilizando o personagem fictício JIMMIE DALE." Quer verificar? Está no volume 832, páginas 120-123, na Agência de Direitos Autorais.

Mas, afinal, quem era Jimmie Dale?

Jimmie Dale, o notório "Selo Cinzento", foi criado por Frank Lucius Packard (2 de fevereiro de 1877 - 17 de fevereiro de 1942), um romancista canadense nascido em Montreal, Québec, que trabalhava como engenheiro civil na Ferrovia Canadian Pacific. Suas primeiras histórias foram sobre ferrovias, mas ele ganhava a vida escrevendo outros contos sobre o chamado "mundo cão", inclusive várias histórias de faroeste. Se alguém se lembra dele hoje em dia é pelos seus livros sobre Jimmie Dale.

Essas aventuras começaram a ser publicadas em 1914 como um seriado na revista *People's Magazine* (e depois em revistas como *Short Stories* e *Detective Fiction Weekly*) antes de serem compiladas e publicadas sob forma de romances:

- *As Aventuras de Jimmie Dale* (1917)
- *As Novas Proezas de Jimmie Dale* (1919)
- *Jimmie Dale e o Fantasma* (1922)
- *Jimmie Dale and the Blue Envelope Murder* (1930)
- *Jimmie Dale and the Missing Hour* (1935).

Quando as histórias de Jimmie Dale começaram a ser publicadas, a *Saturday Review* as qualificou de "histórias empolgantes, intrigantes e incomparáveis". O *New York World* concordou: "As histórias são extremamente movimentadas! Sem dúvida nenhuma, as narrativas mais impecáveis sobre o submundo já publicadas."

O personagem Dale era tão conhecido que o ator da Broadway E. K. Lincoln (que não se deve confundir com o ator Elmo Lincoln) estrelou em um seriado mudo de 16 capítulos, *Jimmie Dale, Alias the Gray Seal*[2], produzido pela Monmouth Film Company e distribuído através da Mutual.

Dirigido por Harry McRae Webster e escrito por Mildred Considine (baseado nas histórias de Packard) o filme foi lançado em 23 de março de 1917, e seguia de perto os conceitos de Packard, inclusive seu uso da "mulher misteriosa".

Mas quem era Jimmie Dale? O escritor Walter Gibson, que criou O Sombra, alega que "pediu emprestado" de Jimmie Dale algumas características de seu famoso personagem.

Em uma entrevista do dia 24 de maio de 1973, Donn Tatum, homenageado com o prêmio Disney Legends, disse ao autor Bob Thomas:

> Ele [Walt] também costumava falar sobre... ele adorava as histórias do Selo Cinzento. Você se lembra disso? Jimmie Dale, Codinome Selo Cinzento? Ele costumava propor isso como ideia para um programa de televisão. O "Selo Cinzento" era na verdade um detetive particular amador que morava em Boston. Seu nome era Jimmie Dale, e Walt costumava representar cenas das aventuras dele o tempo todo. Jimmie Dale era um artista do disfarce. Em cada história ele punha um disfarce diferente e descobria o criminoso. E quando não descobria um criminoso, impedia alguém de cometer um crime. Sua marca registrada era um selo cinzento, colado em algum lugar. Walt havia comprado todos os livros sobre ele. Havia vários, e Walt também comprou os direitos autorais deles.

Segundo os Arquivos da Disney, havia um número de argumento (1764) atribuído ao "projeto Jimmie Dale" no dia 26 de dezembro de 1951, sendo que John Lucas era o chefe da equipe da criação do argumento. Isso foi vários meses antes de Walt ter conseguido os direitos para a utilização do personagem. Não existe nenhuma outra informação, pelo menos nenhuma que tenha sido encontrada, sobre esse projeto nos Arquivos Disney, a não ser o fato de que ele terminou sendo abandonado no decorrer da década seguinte.

---

[2] Jimmie Dale, Codinome Selo Cinzento. (N.T.)

Parte do contrato de Walt com a ABC e depois com a NBC incluía o direito que as redes tinham de recusar qualquer série de televisão que Walt quisesse produzir. Para a ABC, naturalmente, entre essas séries se incluíram o *Clube do Mickey Mouse* original e o *Zorro*.

Um dos projetos que Walt propôs à NBC foi uma série chamada *Jimmie Dale, Codinome Selo Cinzento*, mas a rede achou que o projeto não era o que o público esperava da Disney e rejeitou a proposta.

Jimmie Dale era filho de uma família abastada de Nova York. Ele passou seus anos de adolescência trabalhando na fábrica de cofres do pai, e depois entrou na Universidade de Harvard, onde passou muito tempo lendo histórias de ficção sobre detetives e divertindo-se com teatro amador.

Depois da formatura, ele ingressou no exclusivo St. James Club e passou a levar a boa vida que apenas um cavalheiro da alta sociedade poderia levar. Para se divertir, ele criou a identidade do Selo Cinzento, um homem misterioso e mascarado, bom de briga, que invadia casas, lojas e edifícios públicos e abria até mesmo os cofres mais bem guardados só para provar que nenhum cofre era seguro. Ele sempre deixava um cartão de visitas, um selo de papel cinzento-diamante, e nunca levava nada.

Ele morava sozinho em sua mansão, acompanhado apenas de seu mordomo fiel, o velho Jason, e seu dedicado, porém boçal, Benson. Além de ser o Selo Cinzento, ele também adotava outra identidade secreta, Larry o Morcego, um marginal viciado que podia penetrar mais facilmente no submundo do crime para obter informações. Mais tarde, na série, ele cria mais uma personalidade: Smarlinghue, um artista viciado em drogas.

Jimmie guardava todos os seus equipamentos, inclusive um *kit* de disfarce, em um esconderijo secreto no terceiro andar de um prédio de apartamentos na pior parte de Nova York, o Bowery. Essa fortaleza solitária, chamada o Santuário, também servia como refúgio para esse almofadinha e *playboy*. Como Selo Cinzento, o traje de Jimmie incluía um "cinto largo cheio de bolsinhos", cada qual com uma ferramenta que ele usava nas suas atividades.

Infelizmente, Jimmie cometeu um erro em uma de suas aventuras, e terminou sendo chantageado por uma mulher conhecida apenas pelo nome de Tocsin. Ela depois revela ser Marie LaSalle, uma bela jovem que usa as habilidades de Jimmie para acabar com os chefões que controlam a organização criminosa novaiorquina Clube do Crime. Depois de muitos anos de romance, Jimmie e Maria saem andando juntos de mãos dadas rumo ao crepúsculo, após destruírem o Clube do Crime.

Durante essas aventuras, o Selo Cinzento desenvolveu uma relação de inimizade com Herman Carruthers, ex-colega de Jimmie Dale de Harvard e editor do jornal *Morning News-Argus.*

Packard descreve assim a aparência física de Jimmie:

> Ele tinha um metro e oitenta de altura, todo musculoso, como um atleta bem treinado, sem um pingo sequer de gordura supérflua no corpo – a graciosidade do vigor no seu aprumo. Seu rosto forte, bem barbeado, sob a luz que incidia nele agora, estava sério: uma disposição que lhe caía bem, os lábios firmes fechados, os olhos castanho-escuros e confiantes um pouco semicerrados, a testa larga franzida, a mandíbula bem marcada contraída.

Jimmie tinha uma queda fora do comum para tudo que era mecânico e sua memória era fenomenal. Ele também era um pintor incrível, um artista do disfarce e um mímico, entre outros talentos.

Um ladrão que usa seus talentos para o bem? Ora, esse era o Saint. Um cavalheiro que arromba cofres? Esse, provavelmente, é o Raffles. Um cinto de utilidades especial com as ferramentas que ele usa? Certamente, esse é o Batman. Várias identidades secretas? Ora, é o Sombra, claro. Um esconderijo secreto? Sem dúvida é o Doc Savage. Deixa sempre um ícone que o identifica? Esse poderia ser o Spider ou o Pimpinela Escarlate (que no livro nunca deixou flores, mas as deixou na primeira saída dele no filme, bem depois do sucesso de Jimmie Dale). Ou poderia até mesmo ser o Zorro, que sempre deixava sua marca registrada, o "Z".

Porém, as histórias do Selo Cinzento surgiram em 1914, quando Walt Disney tinha mais ou menos 13 anos, e quase duas décadas antes da era dos heróis cidadãos. Provavelmente, o único herói cidadão antes do Selo Cinzento foi o criado pela Baronesa Orczy em *O Pimpinela Escarlate* (1903).

Jimmie foi o modelo para todos os personagens heroicos clássicos e suas identidades secretas (principalmente o *playboy* rico sem graça que se transforma em um homem de ação enérgico e mascarado), esconderijos secretos, geringonças especiais, belas mulheres misteriosas que os ajudam nas suas atividades, fantasias e disfarces, batalhas com editores de jornais locais, e tantos outros elementos icônicos. As histórias de Jimmie Dale cativaram a imaginação de Walt Disney.

Há uma foto de Walt sentado à sua escrivaninha no Estúdio Hyperion em meados da década de 1930 ao lado de pilhas de livros, alguns em línguas estrangeiras, incluindo quatro escritos por Brüder Grimm. Um dos poucos livros americanos nas pilhas, no alto de uma pilha sob um revólver que era provavelmente um isqueiro, é *Jimmie Dale and the Blue Envelope Murder.*

Donn Tatum se recordou:

> Walt nunca chegou a fazer o filme. Toda vez que se encontrava com Leonard Goldenson [fundador e presidente da ABC, rede que apresentou os primeiros programas de televisão da Disney] ele contava a Leonard a história do Selo Cinzento. Leonard nunca se interessou por ela. Walt ficou muito decepcionado com isso.

Infelizmente, exceto em sua vívida imaginação, Walt nunca recriou as aventuras do seu herói de infância, aquele homem misterioso, Jimmie Dale, Codinome Selo Cinzento.

CONTOS DA FADA SININHO

A FADINHA SININHO é um dos mais populares personagens da Disney. Ela estrela seus próprios filmes distribuídos diretamente em DVD (dublada por Mae Whitman), e aparece nos parques da Disney, frequentemente em uma área chamada o Vale das Fadas. Durante mais de 50 anos, ela vem contribuindo com sua magia especial para a Disney Company.

No primeiro rascunho da famosa história de James Barrie sobre Peter Pan, o menino mágico que nunca cresceu, ele batizou a fada mais famosa do mundo de Tippy Toe [Pontinha dos Pés]. Felizmente, na primeira vez em que essa peça baseada no romance foi encenada, ele trocou o nome dela para Tinker Bell [Sininho, em português], e assim ela se chama até hoje. Ela aparecia no palco como um facho de luz refletido de um espelho que alguém segurava nos bastidores, e a sua "voz" era um som de sininhos criado nos bastidores por uma fieira de guizos, incluindo dois especiais que Barrie havia comprado na Suíça para criar exatamente aquele som.

Com o passar dos anos, o nome da fada vem sendo escrito de diversas formas, como, por exemplo, Tinkerbelle; mas o arquivista da Disney, Dave Smith, decidiu que o nome oficial dela é mesmo Tinker Bell, porque o capitão Gancho no filme se refere a ela como Srta. Bell, indicando que Bell é o seu sobrenome. Um latoeiro (*tinker*) era um artesão itinerante que consertava panelas e frigideiras. Ele tocava seu sino distintamente estridente, o "sino do latoeiro", para anunciar que estava chegando ao bairro.

Barrie imaginava a fada com cabelos de um ruivo bem intenso, porque ela era tão pequena que só podia ter uma emoção de cada vez, e os cabelos ruivos pareciam refletir suas emoções mais comuns: raiva, paixão e vergonha.

Em 1924, Barrie escreveu um roteiro para uma proposta de filme sobre Peter Pan, mas ele nunca foi usado. Seu roteiro descreve a primeira cena com Sininho:

A fada, Sininho. Agora vemos o exterior da janela, com as andorinhas ainda voando por ali. A música de fada começa agora. A fada, Sininho, voa e pousa no parapeito da janela. As andorinhas ficam por ali. Ela deve ter mais ou menos 13 cm de altura, e se for possível conseguir-se esse efeito, essa será uma das cenas mais fascinantes do filme: a aparição de uma fada de verdade. Ela é pequenina e vaidosa, e ajeita suas roupas segundo lhe apraz. Também fica empurrando os pássaros para obter o melhor lugar para si. Nunca se deve aproximar a câmara de Sininho nem das outras fadas; devemos sempre vê-las como tendo não mais de 13 cm de altura. Finalmente, ela empurra as andorinhas para fora do parapeito.

Quando Disney lançou sua versão animada de *Peter Pan* em 1954, o departamento de publicidade da empresa insistiu em divulgar que era a primeira vez que a Sininho tinha aparecido como mais do que o pontinho de luz flutuando pelo cenário tão familiar para as plateias das produções teatrais da peça.

Na realidade, na versão em filme mudo de *Peter Pan*, da Paramount, lançada em 1924, a atriz Virginia Brown Faire aparecia rapidamente em alguns *close-ups* como Sininho. Faire havia sido atriz de filmes mudos durante três anos antes de conseguir o papel de Sininho.

Através dos efeitos especiais de Roy Pomeroy, usando-se o processo Dawn de "fotomontagem durante a filmagem[1]", foi possível mostrar Sininho no filme da Paramount como uma pessoa de verdade pela primeira vez.

O diretor queria que os espectadores acreditassem que Sininho era uma pessoa de verdade, para poderem entender por que era necessário que eles batessem palmas para salvar a vida de Sininho, quase no final do filme. Durante a maior parte do filme, porém, ela continua sendo o familiar ponto de luz.

---

[1] O chamado "in-camera matte shot" ou Dawn Process consiste em montar uma lâmina de vidro diante da câmera com o fundo velado com tinta preta, e depois filmar os atores, com pouco cenário. O cenário será incluído depois, por superposição, quando as imagens dos atores no filme forem também pintadas para que se introduza o cenário. Isto permite tornar os atores menores ou maiores na cena e colocar as pessoas em qualquer lugar mesmo que eles não estejam presentes. (N.T.)

A revista de cinema *Exceptional Photoplays*, em sua edição de dezembro de 1924/janeiro de 1925 ficou encantada com o efeito final:

> O que poderia ser mais encantador do que mostrar a Fada Sininho como uma bolinha brilhante de luz, passando rapidamente pelo ar e, ao pousar, revelar ao público que é uma criatura minúscula nas cortinas sopradas pelo vento, toda ardente, irreal e bela?

Herbert Brenon, que dirigiu o filme de 1924, ainda estava vivo quando a Disney lançou sua versão animada em 1954. Ele elogiou a interpretação:

> A Sininho está absolutamente magnífica. Isso era algo que tínhamos de fazer durante a maior parte do tempo usando uma luzinha presa na ponta de um arame. Desenho animado é o meio ideal para retratar esse papel.

Para o filme da Disney, a atriz Margaret Kerry (que também modelou e dublou as sereias da Terra do Nunca) foi o modelo de Sininho. Kerry precisou fazer um teste, uma pantomima para os diretores do filme. Ela havia anteriormente desempenhado o papel de uma fada na adaptação cinematográfica da Warner Bros para *Sonho de uma Noite de Verão*, e tinha vários outros créditos em seu currículo de atriz profissional desde os quatro anos de idade.

O animador Marc Davis, responsável por criar e dar vida a Sininho, declarou:

> Um dos maiores enganos no que diz respeito a Sininho é que ela foi inspirada em Marilyn Monroe. Isto não é verdade. Margaret Kerry foi nossa única referência no mundo real, e ela ajudou muito a conceber como a fadinha se movia.

Segundo Kerry, foi isso que ocorreu:

> Eu tinha um empresário que me mandou fazer um teste na Disney para o filme *Peter Pan*. Como a gente faz um teste para desenho animado e para um personagem que não fala? Em casa, eu tinha um estúdio de dança, com vários espelhos e um bar, portanto... peguei uma vitrolinha, pus uma gravação

de música instrumental nela, e criei uma pantomima ao ritmo da música, fingindo que preparava o café da manhã. Sabe, segurando os ovos e talvez deixando um cair, essas coisas. No dia seguinte, fui ao estúdio, levei a vitrolinha e coloquei nela o disco. Aí repeti a pantomima que eu havia inventado. Creio que havia três pessoas lá... provavelmente Marc Davis e Gerry Geronomi e uma outra pessoa da qual não consigo me lembrar agora. Bem, eles me deram umas instruções tipo "olha para cima como se você visse alguma coisa etc. etc."

As sessões eram muito interessantes. Havia todos os tipos de acessórios de cena com os quais eu devia interagir, inclusive uma fechadura gigante pela qual eu tinha que fingir que estava me espremendo para passar. Eles também tinham uma tesoura de três metros e meio que eu precisava carregar. É difícil fazer uma pantomima se não houver ritmo, por isso eu trabalhava tentando cantarolar mentalmente canções como "The Donkey Serenade". Eles me chamavam de Sininho Reprise, por que eu acertava da primeira vez e depois eles me pediam para repetir a cena, só "por segurança". Eu era muito jovem e tola, mesmo. Poderia ter ganhado um dinheirão fazendo tudo errado para eles terem que repetir a mesma cena várias vezes. Quando apareci no primeiro dia, estava de maiô... e tênis! Pode-se ver isso em uma ou duas fotos de propaganda; eles também me ofereceram sapatilhas de balé, e eu disse a eles que tinha sapatilhas em casa e as traria no dia seguinte, e as trouxe mesmo.

Os relações-públicas da Disney faziam de tudo para proclamar ao público que a personalidade da Fada Sininho, a qual se caracterizava por emoções como ciúme, raiva e vaidade, era bem diferente da personalidade da atriz Margaret Kerry. Marc Davis relembrou:

> Nossa intenção era tornar [Sininho] atraente. Ela é basicamente uma mulher ciumenta e isso motiva todas as suas ações. Esse aspecto negativo de sua personalidade foi insinuado por Barrie.

Gastou-se mais tempo e dinheiro desenvolvendo-se a Fada Sininho do que qualquer outro personagem animado do filme, inclusive o Capitão Gancho. Um informe à imprensa alegava que os desenhistas haviam levado 12 anos criando a Sininho, e durante esse tempo o cabelo dela de louro passou a ruivo, depois a castanho-escuro, e finalmente voltou a ser louro. Uma das interpretações que fizeram dela foi uma fada semelhante a uma bailarina sofisticada e glamourosa. No filme definitivo, suas asas eram animadas em uma folha de celuloide à parte, para lhes dar uma aparência mais translúcida.

Ollie Johnson, que recebeu um prêmio Disney Legends, comentou:

> [A fada Sininho] é um exemplo vivo de quanta coisa um artista pode fazer com um personagem que não fala, simplesmente usando pantomima. Marc fez o personagem muito mais memorável do que se ela tivesse algum tipo de voz.

Quando o filme foi lançado, os críticos não gostaram da Sininho. Bosley Crowther, em sua resenha para o *New York Times*, a descreveu como "um tanto vulgar, com aquele seu corpinho de brotinho de praia e seu mau humor". E Francis Clarke Sayers a chamou "uma coisinha vulgar, que ficou tempo demais dentro de açucareiros".

As instruções originais de coloração para a Sininho animada original incluem a cor de seu traje como *dreiss*. Esse termo pode deixar intrigados os estudantes de arte, porque ele só existia na Disney. Phyllis Craig, famoso artista de contorno e coloração da Disney e dono de um troféu Disney Legends, que começou a trabalhar nos Estúdios Disney durante a produção de *Peter Pan,* declarou que *dreiss* era uma "cor que tinha sido batizada com o nome de uma mulher adorável que trabalhava aqui e sempre usava um tom de verde limão bastante distintivo". Foi essa a cor selecionada para a famosa fadinha.

Os espectadores imediatamente se apaixonaram pela Sininho e ela começou a aparecer em uma variedade de produtos, como roupas, joias, histórias em quadrinhos (inclusive duas edições da série *Four Color* da Dell, ilustrada por Al Hubbard), bonecas, jogos, luzinhas noturnas de tomada, óculos escuros e muitos outros objetos, como sinos para levar como lembrança vendidos na Disneylândia.

Um dos primeiros produtos específicos da Disney a serem vendidos no novo parque temático (por 25 centavos) foi um brinquedo que brilhava no escuro, chamado a Varinha Mágica da Sininho. Depois de exposta a uma lâmpada durante vários minutos, a estrela montada na varinha brilhava ligeiramente de forma misteriosa quando a varinha era levada para uma sala escura.

Houve até uma série de comerciais produzidos pelos Estúdios Disney em meados da década de 1950 que tinham a Sininho como "fadinha porta-voz" do produto Manteiga de Amendoim Peter Pan, um dos maiores patrocinadores da série semanal de televisão da Disneylândia.

O principal diretor desses comerciais era Charles Augustus "Nick" Nichols, que começou sua carreira na Disney como animador de curtas-metragens e depois se tornou diretor dos desenhos do Pluto de 1944-1951.

Os comerciais forneceram trabalho para alguns dos animadores da Disney, tais como Phil Duncan, Volus Jones, Bob Carlson, Bill Justice, Paul Carlson, que tinham trabalhado nos curtas-metragens animados que estavam sendo retirados da programação dos cinemas.

Um dos maiores roteiristas da Disney, Bill Peet, lembrou-se de como tinha batido de frente com Walt Disney por causa de um trecho de *Bela Adormecida*:

> [No] dia seguinte, me mandaram para o andar principal do estúdio para trabalhar nos comerciais da Manteiga de Amendoim Peter Pan, coisa que, sem dúvida, foi o meu maior castigo pelo que Walt considerava minha teimosia. Passei dois meses pastando ali, fazendo aqueles comerciais de manteiga de amendoim, depois, teimosamente, resolvi voltar para minha sala no terceiro andar, gostasse o Walt ou não.

O trabalho com comerciais também dava emprego a outros talentos no estúdio da Disney.

Sterling "Ursinho Puff" Holloway e Cliff "Grilo Falante" Edwards narravam os comerciais da Manteiga de Amendoim Peter Pan. A Sininho naquela época era muda e precisava fazer gestos mostrando como era gostosa a manteiga de amendoim, que se podia passar em torradas quentes porque se derretia como manteiga e era tão macia que podia até ser passada em "batatas fritas torradinhas".

A Sininho voava em torno de enormes potes de Manteiga de Amendoim Peter Pan enquanto tocava a música tema lembrando aos espectadores:

> Seus olhos sabem e sua barriga sabe... o melhor de tudo, sua língua sabe... A Manteiga de Amendoim Peter Pan é uma delícia... a manteiga de amendoim mais macia do mundo!

Esses comerciais costumavam aparecer no programa de televisão semanal da Disneylândia, que começava com a Sininho apresentando aos espectadores as quatro terras da Disneylândia. Essa memorável animação da Sininho foi feita por Les Clark, um outro contemplado com o troféu Disney Legends.

A Sininho acabou sendo tão associada ao parque temático que os visitantes costumavam perguntar aos Membros do Elenco: "Cadê a Sininho?" Walt então criou uma solução para esse problema, no verão de 1961, contratando uma fada Sininho de verdade para voar sobre o Castelo da Bela Adormecida durante o espetáculo de queima de fogos noturno.

A primeira pessoa que se vestiu de Fada Sininho na Disneylândia foi Tiny Kline, uma imigrante húngara que havia vindo para os Estados Unidos aos 14 anos com uma trupe de bailarinos. Ela chamou a atenção de um renomado cavaleiro acrobático do Velho Oeste e logo se casou com ele. Cinco semanas depois do casamento, ele caiu do cavalo e morreu, o que levou Kline a começar sua própria carreira no circo.

No dia 1º de agosto de 1958, em uma Noite Especial da Disney no Hollywood Bowl, Walt se impressionou com o espetacular número de Kline, deslizando de uma altura de 300 metros acima do anfiteatro, passando por cima da plateia e terminando no palco. Kline estava fantasiada de Sininho.

Em 1961, aos 70 anos, com apenas 1,24 m de altura e pesando 45 quilos, Kline se tornou a primeira Sininho da Disneylândia. Suspensa a quase 45 metros de altura, ela deslizava por um longo cabo de arame do Matterhorn até o Castelo da Bela Adormecida para sinalizar o começo do espetáculo de queima de fogos.

William Sullivan, que era o supervisor da Disneylândia na época, relembrou:

> A Tiny Kline quis voar como Sininho usando um dispositivo que ela prendia a um arnês no qual ficava pendurada pela boca, porque assim não precisava olhar para baixo. Ela aterrissava em dois colchões. Quanto maior a força com

que ela aterrissava, mais ela gostava. Ela pegava o ônibus toda noite e precisava correr para pegar o último coletivo de volta a Los Angeles.

Kline dizia, entusiasmada:

> Passei a ser parte integrante do maior momento de júbilo que o mundo já conheceu. É como ser o glacê do bolo.

Kline se apresentou durante três verões, mas em 1964, problemas de saúde exigiram que ela entregasse sua varinha (e seu arnês) à acrobata circense Mimi Zerbini, uma argelina de 19 anos, também veterana de uma família de circo. Zerbini foi a Sininho apenas durante o verão de 1964. Kline faleceu naquele mesmo ano.

Em 1965, Judy Kaye começou uma carreira de mais de uma década voando pelo céu noturno da Disneylândia. Kaye, que tinha 1,58 m de altura, nasceu em uma família de artistas circenses e visitou pela primeira vez o picadeiro quando tinha apenas três semanas. Ela afirmou:

> Adoro ser a Sininho, porque assim posso voar. Sou mesmo meio audaciosa. Adoro meu trabalho... senão eu não o faria. No mundo artístico posso expressar o que andei observando e aprendendo durante toda a minha vida. Gosto de agradar as pessoas. Os artistas preservam sua juventude, a Tiny Kline foi um exemplo clássico disso.

O pai de Kaye, Terrell Jacobs, trabalhava com leões e tigres no Circo Ringling Brothers. Sua mãe, Dolly, era dançarina e trapezista e também começou a trabalhar com animais de circo após parar de trabalhar no trapézio devido a uma série de quedas.

Quando Walt Disney começou a fazer filmes onde os protagonistas eram animais de verdade, muitos dos animais pertenciam à mãe de Judy e eram treinados por ela. Walt até incluiu alguns desses animais no velho Circo do Clube do Mickey Mouse, que só foi ao ar de novembro de 1955 a janeiro de 1956.

Judy se lembrou de que, naquela época, eles tinham um elefante indiano que pertencia a sua mãe. Walt chegou perto do filhote de paquiderme e exclamou: "Esse é o Dumbo!" A mãe de Judy corrigiu Walt: "Mas o nome dela é Dolly." "De agora em diante" proclamou Walt, "ela é o Dumbo."

Quando não estava se apresentando como Sininho, Judy ainda treinava e trabalhava com animais, bem como criava e confeccionava fantasias para o circo. Seu marido, Paul V. Kaye, tinha seu próprio circo que realizava excursões ao exterior. Judy e seu marido eram sócios de uma agência de talentos, e contratavam alguns dos artistas que viajavam pela Europa e pelos Estados Unidos no espetáculo Disney on Parade.

Pouco antes das nove horas, toda noite, durante o verão, Judy Kaye ia até o Escritório de Entretenimento (que na época se localizava acima da atração A América Canta), vestida com suas roupas normais. Com alguma assistência, ela se transformava na Sininho. Usando um casaco comprido, com a cabeça coberta, ela atravessava o parque até o Matterhorn, onde, através de uma série de escadarias, elevadores e escadas de mão, ela subia até sua posição inicial.

Ajudavam-na a vestir um arnês semelhante ao dos paraquedistas, com suas asas presas ao corpo, e depois a penduravam no cabo. Seu "lançador" segurava seus tornozelos na posição certa enquanto ela aguardava o sinal. Seus "recebedores" ficavam atrás da área de descanso dos funcionários da Terra da Fantasia, segurando um ou dois colchões grandes.

Depois da parada da noite, o locutor do parque mandava os visitantes olharem para o céu acima do Castelo da Bela Adormecida, onde a Sininho iluminaria a noite com o espetáculo Fantasia Celeste.

Uma gravação contava os segundos antes do lançamento. No ponto mais alto de sua travessia, Sininho fica pendurada a 45 metros de altura, em pleno ar. Na maioria dos números de equilibrismo circenses, os artistas não trabalham a uma altura acima de 15 metros.

Aproximadamente 30 segundos depois de ter partido do cume da montanha, Sininho aterrissava na torre, às vezes devagar, às vezes rapidamente, e causando um bom impacto, dependendo de fatores como o tempo, o peso e a velocidade de voo. A outra metade de sua equipe a recebia em uma luva enorme e acolchoada do tamanho de uma pessoa, depois ligava para a montanha para dizer aos outros componentes da equipe que ela tinha chegado bem e como tudo havia corrido, então desprendia a artista do cabo, tirava-lhe as asas e aí ela podia sair e entrar em uma van que a aguardava para regressar ao Escritório de Entretenimento, onde ela voltava a ser Judy Kaye.

O voo noturno da Sininho foi suspenso quando a torre onde ela costumava aterrissar foi destruída nos anos 1980 para que se construísse a nova Terra da Fantasia. Quando a Terra da Fantasia reabriu, em 1983, Gina Rock, de 27 anos, foi contratada para substituir Kaye.

Rock havia se apresentado com o Circo Ringling Brothers durante dois anos, e depois passado mais três anos no cassino Circus-Circus em Reno, Nevada. Finalmente, Rock voltou para sua casa no Vale San Fernando, onde se casou com um trapezista. Precisando de trabalho, ela se lembrou de sua festa de formatura na Disneylândia, onde tinha visto pela primeira vez a Sininho voando e pensou: "Quero esse emprego!"

A única condição que a Disney Company lhe impôs foi que ela não engravidasse. "Então, duas semanas depois de eles terem posto aquela varinha na minha mão...", disse Rock, rindo. Ela voou durante o primeiro verão, quando ainda estava nos primeiros meses da gravidez, sem que ninguém soubesse ainda. Rock se recordou:

> Era como o lançamento de um foguete. Eu só fechava os olhos logo antes de sair voando. No alto do Matterhorn, principalmente numa noite de lua cheia, era lindo. Eu escutava a história e me transformava na personagem.

Com um refletor a iluminá-la, Rock viajava a 20 km/h, a uma altura de 45 metros acima do parque, numa distância equivalente a dois campos de futebol americano. Seu voo durava mais ou menos 23 segundos, dependendo do vento. Aos 48 anos, depois de transcorridos 21 anos (os últimos oito compartilhados com outra Sininho), Rock aposentou-se desse emprego.

Pouco antes de falecer, o animador Marc Davis fez o seguinte comentário sobre a personagem da Fada Sininho:

> Ela é uma personagem puramente de pantomima. Precisava ser uma personagem visual, não só um pontinho de luz, no nosso meio. Na maior parte, todos gostaram da personagem e a Disney a vem usando das mais variadas formas. E isso realmente me deixa muito feliz.

MAIS PROCURADO PELO FBI: O CLUBE DO MICKEY MOUSE

Minhas mais sinceras condolências pelo falecimento de seu marido, e aproveito para lhe apresentar meus mais sinceros sentimentos. Sei que palavras não conseguirão lhe aliviar o pesar, mas espero que se console sabendo que as espetaculares contribuições dele serão um monumento duradouro à sua memória. Sua dedicação aos mais altos padrões de valores morais e suas conquistas sempre serão uma inspiração para aqueles que tiveram o privilégio de conhecê-lo.

John Edgar Hoover, Diretor do FBI
– Telegrama da Western Union enviado a Lillian Disney, no dia 15 de dezembro de 1966

NO MESMO INSTANTE EM QUE ESTE TELEGRAMA FOI ENVIADO, Walt Disney foi oficialmente deletado como contato SAC do FBI.

Em um memorando oficial a J. Edgar Hoover, datado de 16 de dezembro de 1954, o agente John Malone da Divisão de Campo de Los Angeles do FBI recomendou que Walt Disney fosse nomeado contato "agente especial encarregado" (SAC). O FBI aprovou Walt para desempenhar essa função no dia 12 de janeiro de 1955.

Segundo o Escritório de Assuntos Públicos do FBI, uma designação como SAC não significava que a pessoa tinha que espionar os outros, armado e disfarçado. Apenas identificava para os agentes do FBI as pessoas confiáveis, que eram fontes de informação aceitáveis sobre uma indústria em particular ou uma área especializada. Poupava o tempo dos agentes, que assim não tinham que localizar essas fontes eles mesmos.

Embora esta nomeação fosse uma honra, o *status* de Walt não era exclusivo. Por exemplo, Samuel Engel, que na época era produtor da 20th Century Fox e chefe da Liga de Produtores de Cinema, era também contato SAC, bem como muitos outros. Walt nunca recebeu pagamento por esse trabalho, nem há indicação em algum arquivo do FBI de quais foram as informações que os agentes talvez tenham solicitado a Walt, ou lhe pedido para confirmar durante sua década como contato SAC – o que é meio estranho, uma vez que mesmo as coisas mais insignificantes aparecem nos arquivos do FBI.

O memorando do Agente Malone a Hoover, em 1954, explicava:

> Por causa da posição do Sr. Disney como o mais importante produtor de desenhos animados na indústria da animação e de sua proeminência e amplo relacionamento ligado a assuntos de produção de filmes, cremos que ele pode ser de uma assistência valiosa para este escritório e, portanto, recomendo que ele seja aprovado como contato SAC. O Sr. Disney ofereceu voluntariamente a representantes deste escritório, completo acesso às instalações da Disneylândia para uso em assuntos oficiais e para fins de recreação. Não há nada na ficha deste indivíduo, neste escritório, que o desabone.

O FBI tem arquivadas centenas de páginas sobre Walt e os Estúdios Disney. Muitos desses arquivos se encontram disponíveis através da Lei da Liberdade de Informação, mas certas partes deles foram censuradas ou veladas com tarjas pretas para que se tornassem ilegíveis.

No caso do telegrama que Hoover mandou para Lillian Disney quando Walt faleceu, por exemplo, o endereço residencial dela está velado por uma tarja para proteger a identificação de uma fonte confidencial ou por motivos de segurança nacional. Sempre foi motivo de curiosidade o fato de tantos documentos do FBI, inclusive os que dizem respeito ao Walt, terem recebido tantas tarjas de censura.

Naturalmente, alguns sabem que o relacionamento de Walt com o FBI ficou estremecido por volta de 1961, com a produção da comédia *live-action O Incrível Homem do Espaço*, que Hoover temia que estivesse mostrando os agentes do FBI como pessoas incompetentes. O FBI protestou veementemente, até mesmo ameaçando aplicar a Lei Pública 670 contra o estúdio, estatuto federal que evita exploração comercial do nome do FBI ou seu uso, exigindo endosso da Agência.

Para piorar as coisas, Disney planejava transformar em filme o livro do ex-agente do FBI, Gordon Gordon, *Undercover Cat*. Gordon já vinha sendo perseguido pelo FBI havia anos, por suas descrições nada lisonjeiras de detetives da agência. Disney lançou a adaptação do livro para o cinema como *That Darn Cat* [*O Diabólico Agente D.C.*, no Brasil]. (Aliás, no livro, o nome do gato - D.C. - significava "Darn Cat".)[1]

Disney tranquilizou o Escritório de Campo de Los Angeles dizendo que "qualquer descrição do FBI ou de seus agentes neste filme seria feita de maneira digna e eficiente", mas documentos emitidos pelo FBI na época enfatizavam continuamente:

> Este é só outro caso onde Gordon Gordon está usando sua antiga ligação com o FBI para seu próprio proveito. Certamente nenhuma produção nem nenhum livro escrito por Gordon irá mostrar a Agência de maneira positiva.

Walt tinha começado a se indispor com o FBI em 1958, com *O Clube do Mickey Mouse*, que na época tinha enorme audiência e era televisado semanalmente na ABC às 17h30.

Um dos segmentos do programa era um esquete parecido com um noticiário curta-metragem, às vezes feito por empresas independentes. Esses noticiários custavam pouco para comprar ou fazer, e os espectadores gostavam deles, de acordo com as pesquisas.

Em janeiro de 1956, um representante dos Estúdios Disney em Washington, D.C., Jerry Sims, foi visitar a sede do FBI com turistas e achou que seria interessante incluir a Agência em um segmento do *Clube do Mickey Mouse*. Agentes mais graduados do FBI vetaram o pedido.

Um ano depois, um novo representante da Disney em Washington, Hugo Johnson, pediu permissão outra vez para filmar a visita pública à sede do FBI para o *Clube do Mickey Mouse*. Segundo um memorando datado de 1º de março de 1957, Johnson e o produtor do programa, Bill Walsh, se encontraram com o Agente Malone em Los Angeles para lhe propor a ideia do segmento do FBI no *Clube do Mickey Mouse*.

[1] Essa também poderia ser uma alusão a Washington, D.C. (Distrito de Colúmbia). *Darn Cat* significa "Gato Danado". (N.T.)

A correspondência inicial revela que a Agência preferia um programa de uma hora de duração sobre a história da ciência na aplicação da lei, no programa de maior prestígio da Disney, na quarta-feira à noite, seguindo o formato de episódios anteriores sobre energia atômica e aviação, que combinava animação e ação ao vivo para contar a história do assunto. Usando essa mesma combinação de animação e atores reais, o programa falaria da evolução das investigações policiais desde a Idade Média até a fundação do primeiro laboratório do FBI, em 1932, exatamente a tempo para o aniversário de 25 anos do FBI que seria em 1957.

Walsh informou ao FBI que:

> [Walt] está interessado em filmar o programa sobre o FBI, mas acha que uma produção sobre o Laboratório seria impossível agora, por causa da quantidade de trabalho que exigiria e do tempo limitado entre a presente data e o aniversário do Laboratório.

Walsh comentou que a empresa tinha levado mais de um ano e meio para produzir "Nosso amigo, o átomo", e que "este tipo de filme em geral não gera lucros para a Disney", mas Walt "gosta de fazer filmes deste tipo, ocasionalmente, para prestar serviço à comunidade".

Um mês depois, Walt falou novamente sobre o assunto com Malone, em Los Angeles, mas os agentes mais graduados uma vez mais desaprovaram o memorando que Malone enviou apoiando o projeto. Johnson continuou a insistir por meio de um amigo, o Assistente de Diretoria Louis Nichols, do FBI, que recomendou ao protegido de Hoover, o Diretor Associado Clyde Tolson, que a Agência cooperasse com os Estúdios Disney. Depois de algum tempo de insistência, Tolson finalmente concordou.

A Disney, por sua vez, estava ansiosa para trabalhar com o FBI e poderia produzir segmentos para o *Clube do Mickey Mouse* rapidamente. Esses foram os fatores decisivos que levaram a Disney a prosseguir, apesar das restrições impostas pelo tempo, de forma que o FBI pudesse usar o segmento para anunciar o aniversário de seu laboratório.

O esquete apresentaria o jovem Dirk Metzger em Washington, D.C. Quatro partes tratavam do FBI, duas versavam sobre o Congresso, três falavam da impressão de moeda, e duas eram sobre a Casa Branca. Cada parte foi editada até se transformar em um curta de dez minutos. Cada segmento começava da seguinte forma:

EXTERIOR DIURNO: – Dirk Metzger contra o cenário de Washington, D.C., com o Capitólio ao fundo, como se fosse visto pela janela. Uma escrivaninha em primeiro plano. ABERTURA *Close up* na janela, recuar a câmera até enquadrar o Dirk em plano próximo parcialmente de frente para o fundo. Ele fala antes de se virar. FADE IN.

"Washington D.C.! Um lugar e tanto! Podem crer! Meu nome é Dirk Metzger. Talvez vocês se lembrem de mim como o correspondente estrangeiro do Clube do Mickey Mouse, a uns anos atrás. Bem, Walt Disney agora me escolheu para fazer a cobertura de Washington... não do ponto de vista turístico, como acabamos de ver... mas uma cobertura de Washington como ela é por dentro. O que acontece atrás daquelas portas enormes? Como repórter do Clube do Mickey Mouse andei investigando um pouco e, durante as próximas duas semanas, vou mostrar-lhes o que vi... onde fui... e o que fiz. Venham comigo!"

Os quatro episódios do segmento foram transmitidos, um após o outro, em sucessão:

• Sexta-feira, 24 de janeiro de 1958: Hugo Johnson tirou fotos de Dirk com J. Edgar Hoover, em 15 de maio de 1957, com uma câmera portátil e um refletor na sala de recepção do Diretor. Depois dessa reunião, Dirk foi direto para Quantico, onde se filmou uma sequência mostrando uma sessão de treinamento de tiro.
• Segunda-feira, 27 de janeiro de 1958: Dirk visitou a Divisão de Identificação do FBI.
• Terça-feira, 28 de janeiro de 1958: Dirk visitou Quantico para uma demonstração de perícia criminal, seguida por uma visita ao Laboratório para ver o exame dos indícios.
• Quarta-feira, 29 de janeiro de 1958: Dirk continuou o episódio de terça, passando mais tempo no Laboratório.

Em 1958, Dirk Metzger, de 14 anos, era aluno do primeiro ano da Escola de Ensino Médio Wakefield, em Arlington, Virgínia. Depois da escola, ele filmava cenas de apresentação e encerramento de cada segmento, e depois a Disney filmava o resto das cenas sem ele.

Três anos antes, Dirk havia frequentado uma escola americana na Inglaterra porque seu pai, o coronel Louiz Metzger, dos Fuzileiros Navais, tinha sido mandado para lá. Da sua turma de sétima série, composta de 28 meninos, Dirk foi escolhido por Disney para gravar vídeos para diários de viagem de 15 minutos, que foram ao ar como noticiários durante as duas primeiras temporadas do *Clube do Mickey Mouse*, sendo Metzger o apresentador, como correspondente na Inglaterra. (Também havia correspondentes italianos, mexicanos, dinamarqueses e japoneses.)

Durante um ano e meio, Dirk passou seus fins de semana sendo filmado em Londres e arredores, enquanto visitava os túneis secretos de uma enseada pirata, tinha aulas de confecção de telhados de palha, observava pôneis selvagens no oeste da Inglaterra e falava com alguém do qual ele se lembrava como:

> [...] um pastor de ovelhas com uma boca cheia de dentes. Mas o mais divertido foi viajar de balsa de Manchester a Londres.

Quando a família de Dirk voltou aos Estados Unidos, a Disney pediu a Dirk para ficar na Inglaterra e filmar mais segmentos, mas ele recusou, dizendo que "Londres é uma cidade para adultos. Os Estados Unidos são melhores, sob todos os aspectos." Robbie Serpell o substituiu.

Quando a Disney decidiu fazer uma série baseada em Washington, D.C., ficaram encantados ao saber que Dirk estava morando em Arlington, ali perto. Para a nova série, Dirk se encontrou com o Presidente Eisenhower, com o vice-presidente Nixon, com J. Edgar Hoover e com outros funcionários do governo, visitando vários monumentos e edifícios públicos de Washington. Ele disse a um repórter de um jornal em 1958:

> Esperei umas duas semanas na antessala do presidente. Depois o presidente falou comigo uns oito minutos em vez de dois. Ele me perguntou umas coisas, por exemplo, o que minha família fazia. O presidente foi mesmo muito legal e muito simpático, simplesmente o máximo. Ele me contou sobre

o seu Escritório do Orçamento. Mas não me interessei muito por isso. Ele também disse que dois netos seus assistiam ao programa do Mickey Mouse.

Mandaram Dirk para Hollywood, onde ele ficou durante duas semanas, gravando seu comentário. O FBI gostou do fato de Dirk ser um escoteiro. Num memorando do FBI, datado de 15 de maio de 1957, lê-se o seguinte:

> Este rapaz se apresenta de forma excepcionalmente agradável e é filho de um coronel dos Fuzileiros Navais, destacado para trabalhar aqui, na divisão fiscal do Quartel-General dos Fuzileiros Navais dos Estados Unidos. Metzger não é ator profissional, mas impressionou muito o pessoal da Agência com quem esteve em contato durante as filmagens em Quantico na semana passada.

Neste mesmo memorando, o FBI revela que havia investigado o pai de Dirk, mas não encontrou nada negativo na ficha dele.

Dirk contou a um repórter que sua fama levou a provocações por parte de seus colegas na escola:

> Eu procuro não aparecer muito, mas às vezes tenho que aturar umas bobagens. Sempre tem alguma criança da escola que assiste ao *Clube do Mickey Mouse* e que berra: "Ei, cadê suas orelhas?"

O FBI revisou o filme sem cortes e, depois, em um memorando datado de 22 de outubro de 1957, enviou uma lista de 22 coisas que queria que fossem mudadas nos quatro episódios. Algumas eram tão elaboradas como:

> [...] a cena do Agente atirando com dois revólveres ao mesmo tempo e quebrando os discos de barro não mostra os alvos em si se quebrando. Esse filme está disponível e sentimos que se a cena for usada, deve mostrar as balas do Agente quebrando os alvos de barro.

E algumas mudanças são simples, só na redação de frases, como:

> [...] na linha 3 da narração a palavra "departamento" deve ser apagada e substituída pela palavra "divisão".

Um memorando de 28 de outubro de 1957, tratando do mesmo assunto, declara:

> O teor do memorando que trata do programa acima foi debatido em detalhes com o Sr. William Park, o Editor de Noticiários, e o Sr. Douglas Duitsman, o Redator de Noticiários, que compuseram o roteiro para o filme do Agente Especial John Cashel, na Produção da Disney, no dia 25 de outubro de 1957. As mudanças sugeridas foram revisadas e aplicadas no roteiro do filme. Ambos os executivos da Disney indicaram que quaisquer mudanças subsequentes que a Agência possa solicitar neste programa serão prontamente executadas.

Toda essa correspondência parece positiva, mas surgiram problemas quando mostraram os roteiros e o filme bruto à Agência, mas não o filme acabado que eles queriam aprovar antes do lançamento. Uma série de memorandos à Disney expressava preocupação pelo fato de a Agência não ter visto o filme depois de editado.

Walt não se sentia bem quando eram outros que aprovavam a versão final dos seus filmes, uma questão que surgiu novamente com P. L. Travers quando a Disney adaptou para o cinema o romance *Mary Poppins*.

A situação acabou chegando ao ponto de envolver o próprio Hoover, que quis confirmação (a qual ele recebeu) de que os Estúdios Disney haviam concordado em exibir a versão final dos filmes à Agência para ela dar permissão para eles irem ao ar pela televisão.

Um memorando de 23 de janeiro de 1958 (um dia antes da primeira transmissão) incluiu a seguinte declaração:

> Obviamente, essa falha dos Estúdios Disney constitui uma verdadeira quebra de contrato, e será levada em consideração quando essa empresa voltar a fazer pedidos à Agência no futuro.

A Disney devia fornecer ao Escritório da Agência em Washington os filmes completos até segunda-feira, 20 de janeiro, vários dias antes da data da primeira exibição. A Agência apresentou seus protestos ao representante dos Estúdios Disney em Washington, Hugo Johnson, que também ficou indignado e tratou de exigir que os estúdios da Disney em Burbank enviassem os filmes. Um memorando do FBI, escrito na manhã de sexta-feira, 24 de janeiro, declarava:

> Aparentemente, nosso protesto junto aos Estúdios Disney funcionou. Hugo Johnson, gerente local dos Estúdios, nos informou às 9h45 desta manhã que ele estava a caminho do aeroporto onde pegaria o filme, o qual nos entregaria até as 10h45 desta manhã. Nós já providenciamos para que o filme seja visto imediatamente.

Após toda essa barafunda, o FBI nada viu que fosse motivo de objeção nos filmes. Uma carta de Hoover no dia 30 de janeiro de 1958 incluiu a seguinte declaração:

> Achei a série inteira excepcionalmente bem elaborada, dando às crianças uma excelente ideia de como é o funcionamento do FBI.

Hoover, assim como o presidente Eisenhower, até enviou a Dirk Metzger um bilhete elogiando sua atuação.

Só que a confiança da Agência tinha sido abalada e algumas pessoas de lá ficaram zangadas diante dessa aparente falta de consideração da Disney. Em um memorando, Clyde Tolson afirmou que "não haveria mais colaboração".

Quase dois anos depois, a Agência, que rotineiramente monitorava várias publicações sobre atualidades em Hollywood, descobriu, em uma coluna de Hedda Hopper, que a Disney iria fazer um filme intitulado *O Incrível Homem do Espaço*. Instantaneamente, ficaram de orelha em pé. Os primeiros relatórios sobre o filme mostraram que ele ia ser sobre um agente do FBI "incompetente" que era guarda-costas de um piloto da Força Aérea, o qual, durante um voo espacial, tinha visto algo estranho no espaço exterior – e isso, uma vez mais, iniciou uma torrente de memorandos e recortes de jornais que foram parar nos arquivos de Walt no FBI.

Walt não tinha a menor intenção de ridicularizar o FBI. Estava só usando sua intuição de contador de histórias ao explorar o consagrado tema de uma autoridade desajeitada tentando em vão frustrar o herói no seu intento.

Muito embora Walt mudasse o nome da organização do filme para Agência de Segurança Federal, os críticos não se deixaram enganar. Uma resenha do filme no *Washington Daily News*, no dia 26 de abril de 1962, comentou: "Os comandantes da Força Aérea são uns imbecis e o FBI é tão ineficaz quanto a DAR[2]"

E o que foi feito do menino-prodígio Dirk Metzger?

Dirk se tornou oficial dos Fuzileiros Navais, depois foi para a faculdade de Direito e ainda é um advogado ativo. Um de seus talentos, administração de conflitos, poderia ter sido útil há mais de meio século, quando Hoover e a Disney lutaram pelo controle definitivo da versão final de um filme, e Walt perdeu a confiança do FBI.

[2] Daughters of the American Revolution, ou Filhas da Revolução Americana, organização composta de descendentes dos colonos que tomaram parte na Guerra de Independência dos EUA. Visa preservar a história americana, concedendo também bolsas de estudo. (N.T.)

CHUCK JONES: QUATRO MESES NA DISNEY

No DOMINGO, DIA 21 DE SETEMBRO DE 1997, na comemoração de seu 85º aniversário, o legendário Chuck Jones discursou diante de um grupo de quinhentos amigos, parentes, fãs e colegas. Ele relembrou as muitas cartas que havia mandado para Walt Disney na infância, e como Walt havia respondido a todas, de próprio punho. Mais tarde, quando conheceu Disney, Jones lhe agradeceu por aquelas cartas e Walt respondeu: "Ora, mas claro, você foi o único animador que escreveu para mim!"

Ele contou essa história muitas vezes ao longo das décadas, e algumas pessoas ficaram imaginando se ela não seria apócrifa. Mas Jones respeitava muito Walt Disney, como costumava declarar:

> Walt era um tipo estranho de pessoa, mas ele ainda é, certamente, o cara mais importante que a animação já conheceu. Qualquer um que tenha alguma noção de animação sabe que as coisas que aconteceram nos Estúdios Disney foram a base de tudo que aconteceu depois.

Em uma entrevista concedida em 1980, ao altamente respeitado historiador da animação Joe Adamson, Jones ainda acrescentou:

> Quando a Warner fechou as portas [do estúdio de animação], fui trabalhar na Disney durante algum tempo. Não suportava aquilo. [Walt Disney] me perguntou que tipo de trabalho eu queria fazer, mas o trabalho que eu queria era o dele. Porém, depois que o conheci melhor, passei a gostar dele.

Jones trabalhou nos Estúdios Disney de 13 de julho de 1953 até 13 de novembro de 1953. Ele narra essa experiência em sua autobiografia, *Chuck Amuck* (1989). Sua temporada trabalhando lá começou quando Jack Warner, o presidente da Warner Bros., decidiu fechar o departamento de animação. Warner acreditava que o futuro do cinema seria o 3D, e que era caro demais fazer desenhos tridimensionais porque não seria possível recuperar o custo só alugando os filmes. Jones tinha um contrato com a Warner Bros., mas não quis ficar lá depois que sua equipe foi demitida e as oportunidades de trabalho para ele no futuro praticamente deixaram de existir.

Jones relembrou:

> Liguei para o Walt Disney e lhe perguntei se eu podia trabalhar lá durante algum tempo. Walt respondeu: "Claro, venha quando quiser." Passei quatro meses lá. Trabalhei na *Bela Adormecida* e no início do programa de televisão. Mas não conseguia me adaptar àquele negócio de esperar o Walt decidir as coisas... O pessoal da Disney foi treinado assim e estava acostumado com isso. A gente terminava uma sequência e depois esperava, talvez semanas. Cinco ou seis homens, só sentados, sem fazer nada, esperando o Walt vir. Quando ele vinha, na verdade já tinha estado ali na noite anterior, quando o estúdio estava escuro, e olhado os desenhos. Todos sabiam que ele já havia visto a sequência, mas mesmo assim tinham que mostrá-la a ele, como se ele não a tivesse visto.

A cultura e o processo de trabalho nos Estúdios Disney eram tão diferentes que Jones voltou para a Warner Bros. assim que surgiu uma oportunidade, sem nem sequer olhar para trás. Ele explicou:

> No final, eu já estava achando que simplesmente não dava mais para aguentar aquilo, por isso fui falar com o Walt. Ele respondeu: "Muito bem, vamos ver, o que quer fazer? Podemos encontrar uma outra coisa para você." E eu disse: "O problema é que o emprego que eu quero é o seu, você é que está fazendo o que eu quero fazer", porque ele era o único ali que podia tomar uma decisão. E aí ele disse, "Ah, então sinto muito, essa vaga já está preenchida!" Depois disso, trocamos um aperto de mão e fui embora. Naquela época, a Warner já havia decidido recomeçar, porque o 3D ainda não havia revolucionado o mundo completamente. Essa foi a única vez em que eu saí da Warner até eles voltarem a fechar o departamento em 1962.

Eyvind Earle, o projetista artístico da *Bela Adormecida*, lembra-se dos meses em que Chuck Jones trabalhou na Disney:

> Antigamente, quando fizemos *Melody* e *Toot, Whistle, Plunk and Boom*, Walt havia deixado o Ward Kimball dirigir tudo para tentar dar um novo visual às produções da Disney. Ele entrou na produção da *Bela Adormecida* ao mesmo tempo que eu. Eu me lembro que ele tinha uma sala especial no terceiro andar, e com um recém-chegado à Disney: o famoso Chuck Jones, animador e diretor de outro estúdio; os dois [Ward e Chuck] ficavam lá em cima, na sala particular deles, e conversavam sem parar. Durante vários meses não fizeram coisa alguma. Nunca fui capaz de entender aquilo. Perguntei ao Kimball uma vez: "Por que você não está fazendo nada?" E Ward Kimball me respondeu: "Você não conhece o Walt Disney", seja lá o que isso quisesse dizer.

Anos depois, quando Kimball tomou conhecimento dos comentários de Earle, ele respondeu:

> Eu estava só quebrando o galho enquanto não recebia outras tarefas de animação. Walt dizia: "Por que vocês não sobem e trabalham naquela sequência sobre as fadas que mudam de cor", esse tipo de coisa. Eu era um quebra-galho. Isso acontecia muito. Eu saía do departamento de animação e trabalhava em coisas desse tipo, coisas de roteirista. Nós só [Chuck e eu] ficávamos ali sentados, sem ter o que fazer. Se me recordo bem, todas as vezes que o Eyvind subia lá, o Joe Rinaldi, ele, eu e o Chuck Jones batíamos papos homéricos. O Chuck tinha acabado de descobrir como demonstrar superioridade, e aí o Bill Peet passou a ser seu oponente, porque o Peet não era homem de muitas palavras, mas era engraçado e simplesmente cortava o barato do Chuck na hora. Comecei a gostar daquilo, pois sabia que o Chuck sempre queria dominar a conversa e o Peet passava umas rasteiras nele. Talvez tenha sido esse o motivo pelo qual ele não quis mais trabalhar lá.

O produtor da Disney Harry Tytle afirmou:

> A breve estadia do Chuck na Disney em 1953 durou apenas quatro meses. Durante esse tempo, ele não figurou em nenhuma lista de créditos e nem,

pelo que me lembro, deu alguma contribuição significativa. Chuck brincava dizendo que o único emprego que ele queria mesmo na Disney era o do Walt. Ele e o Walt estavam acostumados a serem os maiores galos dos seus respectivos terreiros. Chuck era um inovador talentoso, mas, na Disney, se dependesse do Walt, ele seria apenas um novato, e precisava provar que tinha mesmo talento. Esse deve ter sido um papel novo e bem confuso para o Chuck assumir.

Felizmente, como Kimball, Tytle manteve um diário detalhado de sua época na Disney. Graças a esses registros, existe uma visão mais detalhada da breve experiência de Chuck Jones na Disney, o cocriador (juntamente com o escritor Mike Maltese) do Papa-Léguas e do Coiote, do Pepe le Gambá e muitos outros personagens da Warner Bros.

Entre os trechos relevantes do diário de Tytle incluem-se os seguintes:

10 de junho de 1953: Esta manhã fui chamado ao escritório do Walt. Chuck Jones, da Warner Brothers, havia ligado para o Walt pedindo-lhe um emprego. Walt pediu minha opinião sobre Jones. Eu lhe disse que, pelo que sabia, ele era um cara muito simpático pessoalmente e considerado um dos melhores diretores fora da Disney. Disse que ele tinha feito muitas coisas para a Warner, ao longo dos anos.

Porém, a primeira reunião com Chuck e Walt não foi tão bem quanto eu esperava. Chuck não entendeu que ali na Disney ele ia ser considerado um "novato", e sentiu que podia se colocar no mesmo nível de autoridade que tinha na Warner.

15 de Junho de 1953: Às nove da manhã, nos encontramos com Chuck Jones. Chuck explicou como vinha trabalhando, declarando que gostaria de trabalhar aqui. Que tinha rescindido seu contrato e poderia estar disponível para nós em um mês, após terminar o que estava fazendo na Warner e de tirar umas férias. Walt sabia qual era o salário do Chuck. Peterson tinha obtido essa informação para ele e nós havíamos debatido o problema. Portanto, Walt brincou, dizendo que não sabia "qual é o seu salário, Chuck, mas seja qual for, você deve valer isso para a Warner e vou lhe pagar o mesmo." Chuck, creio eu, esperava mais, porque mencionou que então ele ia ficar subempregado. A única coisa na qual achei que Chuck pisou na bola foi que deixou claro para

quem estava na reunião que ele é que decidia as coisas na sua unidade, principalmente roteiro – exatamente o contrário do que se faz na Disney.
Embora Chuck respeitasse o Walt, Jones estava acostumado a fazer tudo do jeito dele, e nos Estúdios Disney só havia um jeito de fazer as coisas, e esse era o jeito do Walt, como muitos outros artistas talentosos e independentes aprenderam na marra, com o passar das décadas.
23 de junho de 1953: Chuck Jones sabe que está confirmada sua vinda para cá no dia 13. Embora eu não ache que devamos tocar no assunto, ele provavelmente vai perguntar sobre o contrato, e não temos nenhuma decisão nem orientação sobre o que o Walt está pensando. Aliás, o Chuck veio aqui hoje e Hal me disse que ele não se saiu muito bem na reunião com o Walt. Ele tinha trazido uma folha de sugestões datilografadas que tentou impor, e Walt não se interessou por nenhuma. Chuck vai ter que aprender a trabalhar com o Walt. Imagino que ele acha que foi aceito por sua criatividade e seu talento. Ele logo vai ter que aprender que Walt é quem determina a direção, o ritmo e até mesmo o tema da conversa. Hal declarou que Walt havia comentado com ele depois que Chuck tinha muito que aprender.
Jones ficou na mesma sala de outro animador/diretor independente e criativo, Ward Kimball. Essa dupla pareceu ainda mais problemática, porque Kimball era bem conhecido por ser egocêntrico e por provocar os outros até eles agirem.
15 de setembro de 1953: Ouvi dizer hoje, através do Hal, que o Chuck, que acabou de ser encarregado de trabalhar na *Bela Adormecida* e nunca dirigiu nada na Disney, está solicitando o mesmo salário que os outros diretores de filmes de longa-metragem. Hal vai apresentar essa solicitação ao Walt esta manhã. Vai ser muito interessante saber qual foi a resposta.
16 de setembro de 1953: [Walt] puxou o assunto do caso Chuck Jones, e me perguntou se eu sabia que o Chuck havia pedido um aumento, o que indicava que ele não concordava com o que foi pedido. Eu lhe disse que estava muito interessado em qual seria sua reação, e que eu achava o mesmo que o Walt – que Chuck primeiro deveria provar que era digno daquele salário. Walt ficou meio irritado porque, segundo acho, deduziu que talvez esse aumento tivesse sido instigado pelo Ward [Kimball]. Ele deixou claro novamente que ninguém é indispensável, nem o Ward. Era a empresa que contava.
As coisas se complicaram a ponto de Jones começar a procurar outros empregos e terminar saindo dos Estúdios Disney.

5 de novembro de 1953: Chuck falou com o Walt pela segunda vez, através do Hal, pedindo um aumento. Parece que tinha recebido uma oferta da Sutherland, de um salário de US$ 500,00, e uma oferta para voltar à Warner Brothers. Os comentários de Walt para o Hal foram: "Manda o Chuck resolver o que ele quer fazer. Não vou dar aumento nenhum até nós descobrirmos no que ele é bom... até agora ele não me mostrou nada."
13 de novembro de 1953: A situação do Chuck Jones se resolveu hoje... Dizem que ele partiu para Nova York esta noite e voltará a trabalhar na Warner Brothers no dia 1º de janeiro, recebendo um aumento de 40 dólares, sendo que o seu novo salário será de 400 dólares. Eu havia ouvido dizer de manhã que ele estava falando para todos que "o ritmo de trabalho aqui era lento demais para o seu gosto..."

Uma carta de Chuck Jones para sua filha Linda, datada de 30 de novembro de 1953, declara em parte:

Na Disney sempre foi necessário estar em certos lugares a certas horas. Deus sabe por que, nada nunca acontecia, portanto era quase impossível trabalhar lá sem um relógio. Era possível não ter talento algum, mas não se podia deixar de ter um relógio. Como você sabe, desisti de marcar o tempo mais ou menos um ano antes de sair daqui, e devo dizer que nunca senti necessidade daquela porcaria... eu não havia percebido o quanto sentia falta da minha doce solidão. Na Disney, solidão ou o desejo de estar sozinho gera desconfiança, a gente vive cercado de gente, que entra e sai, trocando cumprimentos estereotipados ou só se senta e fica olhando com intensidade maléfica para o seu próprio umbigo. Que perda de tempo! Que desperdício de maravilhosos talentos!

Apesar de o seu breve período na Disney não ter sido satisfatório, nem para ele nem para Walt, Jones continuou tendo os Estúdios Disney e Walt na mais alta conta até o fim de sua vida:

Disney não era um bom animador e não desenhava bem, mas sempre teve excelentes ideias e escrevia muito bem.

Em uma entrevista de 1975, com Greg Ford e Richard Thompson, Jones declarou:

> Disney estava para a animação assim como Griffith estava para os filmes de *live-action*. Quase todos os recursos foram descobertos pela Disney. Ela foi a única empresa que tinha fundos e tempo para se dar ao luxo de fazer experiências.

Foi obviamente melhor para todos que Jones voltasse para a Warner Bros. para criar mais desenhos e personagens memoráveis naquele seu estilo característico. Ele, mais tarde, montou seu próprio estúdio de animação. Quando Jones foi trabalhar na Disney, porém, Walt estava parando de produzir curtas animados, que eram o forte de Jones, e se concentrando menos em animação e mais na criação da Disneylândia... e, afinal de contas, nos Estúdios Disney só poderia existir um Walt Disney – e Walt já estava desempenhando esse papel muito bem.

AS MULHERES DE WALT: DUAS INFLUÊNCIAS ESQUECIDAS

Em tom de brincadeira, Walt sempre se queixava aos repórteres de que vivia cercado só de mulheres. Mas ele gostava muito do sexo feminino, não como objetos de desejo nem assunto de piadas humilhantes ou como cidadãs de segunda classe, mas sim como pessoas interessantes – uma atitude incomum durante a época em que ele viveu.

Em *Walt Disney: An American Original*, Bob Thomas afirmou:

> Ele [Walt Disney] vivia cercado de mulheres. Além de Lilly e das suas duas filhas e da cozinheira, costumava haver quase sempre uma parente do sexo feminino morando com os Disney. Walt reclamava que até mesmo os animais de estimação da família eram fêmeas. Só que essas suas reclamações não eram para valer. Ele gostava da feminilidade.

Há incontáveis exemplos de como Walt era cauteloso, evitando praguejar perto das mulheres e meninas, como ele sempre era respeitador, e como ele esperava o mesmo de seus funcionários, embora isso nem sempre acontecesse. Ele empregava mulheres talentosas em cargos de autoridade e influência nos Estúdios Disney, uma abordagem que nem sempre se equiparava à dos outros estúdios.

A filha de Walt, Diane Disney Miller, se lembrou:

> Fico intrigada, sem saber por que as pessoas achavam que o papai era "tímido" ou se sentia "mal" diante das mulheres. Era exatamente o contrário. Ele era muito descontraído com as mulheres e gostava delas, respeitando-as, com exceção daquelas que eram pretenciosas ou dominadoras, e sei de algumas das quais ele reclamava... mas nunca de familiares! Isso devia parecer óbvio, por causa de seu relacionamento bem documentado com sua irmã, sua mãe, sua tia Margaret, suas cunhadas Louise e Edna, a irmã

da minha mãe, Hazel, a filha dela, a Marjorie, as secretárias do papai, Dolores Voght, Tommie Willke e Lucille Martin – que trabalhou com ele muito pouco tempo, logo antes de ele falecer. As cartas que ele recebia das suas ex-namoradas e as respostas dele, e a entrevistas da Ruth com Dave Smith, são uma prova de sua apreciação genuína, natural, saudável pelas mulheres presentes em sua vida.

Na entrevista que Diane menciona, a irmã caçula de Walt, Ruth, disse ao Arquivista da Disney, Dave Smith, que, quando Walt quis participar de uma aula de Artes Manuais na Escola de Ensino Médio McKinley, a única aula disponível era de culinária, portanto ele acabou entrando nela. Ele era o único menino da turma. Ruth recorda-se:

> Ah, ele ficava extremamente feliz naquela aula, porque as meninas todas se jogavam em cima dele. O único menino! E ele adorava isso. Costumava chegar em casa e contar tudo que tinha acontecido na aula, e como tinha se divertido lá. Tinha muitos amigos em toda parte e principalmente entre as meninas. Uma vez, quando ele estava voltando para casa da escola de ensino médio, lá em Chicago, minha mãe viu... tinha caído tanta neve que havia uns montes grandes, de mais de um metro e meio de altura de cada lado da rua, e aí se notou, vindo pela calçada, um menino de braço dado com duas meninas. Ela só olhou para ele de relance, sem nem notar quem era, imaginando "puxa esse menino é muito popular!" e quando ele chegou perto ela viu que era o Walt!

Duas das mulheres mais interessantes da vida de Walt viam-no e falavam com ele quase diariamente, mas não receberam reconhecimento suficiente pela influência positiva que exerceram sobre ele.

Thelma Howard foi governanta da família Disney e cozinhou para eles durante 30 anos, a partir de 1951. O apelido dela era Fou-Fou (que às vezes se escrevia Foo-Foo), que foi o mais perto que um dos netos de Disney pôde chegar de pronunciar o nome Thelma. Walt simplesmente a chamava de "A Mary Poppins de carne e osso".

Thelma também havia sido descrita como mais parecida com a moça travessa que Ted Key retrata no seriado humorístico *Hazel* do que com a Mary Poppins, porque ela era bastante extrovertida e franca. Como Walt, ela adorava fumar. Também adorava jogar buraco e era aceita como um membro da família Disney.

Suas amigas descreviam Thelma como uma mulher bonitona e espirituosa que adorava futebol e a cor rosa, e que sabia fazer torta de amora. Era uma perfeccionista nas suas tarefas, procurando ter certeza de que estava tomando conta dos Disney muito bem, até os mínimos detalhes, e não hesitava em dar ordens. Jack Shakely, presidente da Fundação Comunitária da Califórnia, falou:

> Ela era uma combinação de pessoa carinhosa e autoritária, fumava como uma chaminé, era muito prática e objetiva, mas muito carinhosa, como a nossa *Hazel* da televisão.

Thelma sofreu algumas perdas dolorosas na infância. Ela veio de uma família pobre de Southwick, Idaho. Sua mãe morreu de parto quando Thelma tinha apenas seis anos e sua irmã morreu em um incêndio na cozinha da família anos depois.

Após se formar no ensino médio, Thelma frequentou uma faculdade de administração em Spokane, Washington. Esperava se tornar uma secretária de firma de advocacia, mas ficou sem dinheiro e precisou sair da faculdade. Passou algum tempo morando com parentes no norte da Califórnia e depois, em 1931, se mudou para Los Angeles, onde trabalhava num escritório e limpava casas.

Antes de trabalhar para os Disney, ela se casou e durante o breve tempo em que esteve casada teve um filho, Michael, que vivia se metendo em encrencas.

Thelma procurava manter a geladeira cheia de salsichas, porque quando Walt voltava para casa do trabalho ele gostava de pegar algumas. Ele dava uma a sua cadela *poodle* e depois comia as outras duas ele mesmo, embora elas estivessem geladas e nem tivessem sido cozidas.

Embora ele reconhecesse que Thelma era uma excelente cozinheira, Walt costumava tentar mandá-la ao Biff's, um restaurante barato perto dos Estúdios Disney, para que ela aprendesse a preparar alguns dos pratos preferidos de Walt que eles tinham no cardápio. De má vontade, ela ia ao restaurante, depois voltava e tentava reproduzir as batatas fritas do Biff's (que na verdade eram panquecas de batata), que Walt adorava tanto.

Nos dias em que Thelma estava de folga, Walt e Lilly comiam fora, em geral no Tam O'Shanter ou no Brown Derby.

A neta de Walt, Chris Miller, disse:

> Meu avô tinha uma sintonia incrível com ela [Thelma]. Eles pareciam ter tudo em comum, desde o senso de humor até as ideias sobre o que estava acontecendo com as crianças e o que era melhor para elas.

Walt sentia-se à vontade mexendo com Thelma e fazendo piadas com ela, mas ela era capaz de retrucar à altura.

A sobrinha de Walt, Cheryl Wallace, lembra-se de ter visitado sua tia na casa dos Disney e de ter ficado no quarto da Thelma. Quando os Disney saíam, elas ficavam à vontade, fingindo que a casa ela delas:

> Nós nos sentávamos naquela mesa de jantar grande deles, e me lembro que ela fazia umas bobagens, feito uma adolescente. Ela se sentava numa ponta e eu na outra, e nós gritávamos: "Poooor favoooor, pode me passar as ervilhas!?"

"Acho que não há tolo maior do que aquele que fala mal do sexo oposto", resmungou Walt quando, durante uma entrevista, recebeu uma reprimenda por insinuar que as mulheres não têm senso de humor. (O que ele disse, na verdade, foi que não trazia mais filmes da Disney para casa para passá-los para a família porque Lilly e Thelma não "riam alto o suficiente" deles.)

Quando Thelma começou a trabalhar como governanta da família Disney em 1951, aos 38 anos, ela passou a receber algumas ações da Disney no Natal e no seu aniversário, bem como em datas especiais. Walt a aconselhava a não vender as ações, porque elas poderiam se tornar valiosas um dia. Ela viveu de maneira simples até o fim, aparentemente sem ter consciência de que o valor cada vez maior das ações a havia tornado uma milionária antes de ela morrer.

Através de inúmeros desdobramentos acionários, seu patrimônio aumentou para 192.755 ações. Entre 1980 e 1993, suas ações se valorizaram dez vezes mais e o valor delas chegou a 8,39 milhões de dólares. Isso somado a seus bens e economias davam um total de 9 milhões de dólares.

Thelma deixou quase 4,5 milhões de dólares para crianças pobres e inválidas, e quase a mesma quantia para seu filho, Michael, filho único de seu breve casamento. Michael estava na época com 50 e poucos anos, morando em uma casa para pessoas com deficiências de desenvolvimento.

Jack Shakely, cuja Fundação Comunitária da Califórnia ajuda a Fundação Thelma Pearl a gerir seus fundos, afirmou:

> Disseram-lhe para não vender as ações e ela não as vendeu. Ela nunca vendeu uma sequer. Acho que não saiba quanto valiam. Ela confiava muito na família Disney, de modo que não quis se desfazer das ações.

Em 1981, Thelma Howard aposentou-se e foi morar em um bangalô modesto de dois quartos no oeste de Los Angeles. Sua saúde começou a piorar e, em 1991, ela já estava morando em um asilo em Santa Mônica no qual não a tratavam bem, e onde um homem que alegava ser seu marido (sem nenhuma prova) estava tentando se apossar de seus bens.

Por volta dessa época, Diane Disney Miller começou a ficar preocupada porque não andava recebendo mais os cartões de Natal que Thelma costumava mandar. Depois, ela descobriu que Thelma estava morando naquele asilo. Thelma havia guardado uma foto emoldurada e autografada de Walt e Lillian, que ficava ao lado de sua cama, mas recentemente alguém a havia roubado. Diane lhe deu outra, que Thelma conservou escondida.

Porém, logo transferiram Thelma para um retiro de aposentados, com lindos jardins, onde ela tinha um quarto particular. Diane enviava flores frescas todas as segundas feiras para ela e a visitava com frequência.

Thelma Howard morreu no dia 10 de junho de 1994, pouco antes de seu 80º aniversário, e foi sepultada em Forest Lawn, em um caixão cor-de-rosa. Seu túmulo dá vista para os Estúdios Disney em Burbank, Califórnia. A fundação que tem seu nome já distribuiu mais de quatro milhões de dólares em doações desde 1995.

Thelma Howard era apenas parecida com o personagem fictício Hazel, mas também houve uma Hazel de verdade na vida de Walt: Hazel George, a enfermeira dos Estúdios Disney, em quem ele confiava para lhe passar as fofocas do estúdio e para dar opiniões abalizadas sobre roteiros de produções que estavam em estudo.

A velha lesão que Walt sofrera jogando polo lhe causava dores consideráveis. Às vezes, ele nem mesmo conseguia se abaixar para entrar no carro. Em uma sala ao lado do escritório de Walt, que ele chamava de sua "sala da alegria", Hazel lhe aplicava bolsas de água quente e tração todas as tardes, em geral depois das 5 horas, para aliviar as dores de Walt.

Ele passava esse tempo usando Hazel como tábua de ressonância para seus planos, bem como trocando fofocas enquanto ele relaxava das pressões do trabalho diário. Walt às vezes ficava um pouco filosófico, mas a espirituosidade de Hazel nunca o deixava ficar sentimental.

"Depois que eu morrer, detestaria olhar para este estúdio e encontrar tudo bagunçado", gemeu Walt, uma vez, enquanto estava recebendo sua massagem vespertina.

"Como sabe que não vai olhar por um periscópio em vez de cima para baixo?" indagava ela.

"Sua engraçadinha", resmungava Walt, baixinho, deitado na cama de massagem.

Uma vez, depois que Hazel tinha contestado mais um de seus argumentos, Walt lhe disse: "Você sabe qual vai ser meu próximo projeto? Uma enfermeira áudio-animatrônica."

Hazel alegou em uma entrevista que "Walt ficava mais à vontade com as mulheres do que com os homens". Ele certamente se sentia muito à vontade quando estava com Hazel, e gostava da sua honestidade e franqueza. Ele também apreciava sua discrição, pois durante suas sessões com ela, Walt ficava vulnerável e se abria de uma forma que não se abria com outras pessoas. Mesmo depois da morte de Walt, Hazel continuou guardando segredo, nunca revelando nada do que ele havia lhe dito durante essas sessões.

Hazel, cujo nome de solteira era Hazel Gilman, nasceu no dia 21 de fevereiro de 1904, em Bisbee, município de Cochise, Arizona. Ela era a mais velha de três crianças. Seu pai era mineiro de cobre. Talvez devido aos protestos de mineiros contra as firmas de prospecção de cobre locais quando ela tinha 13 anos, Hazel terminou sob a tutela do juizado de menores.

Um breve casamento em 1928 resultou em uma filha e, logo em seguida, seu marido, Sr. George, desapareceu. Por volta de 1930, Hazel estava morando com sua mãe divorciada e seu irmão mais novo em Los Angeles. Ela terminou se formando em enfermagem, e depois conseguiu um emprego nos Estúdios Disney durante a famigerada greve de 1941.

Em uma entrevista pouco antes de sua morte, Hazel afirmou:

> Eu sentia que o maior talento do Walt era reconhecer o potencial de outras pessoas. Ele realmente procurava encontrar o que de melhor havia em todos, fossem eles artistas, escritores ou contadores. Ele supervisionava pessoalmente o trabalho diário de seus empregados no estúdio. Ele não era de simplesmente perguntar como as coisas estavam indo. Ele mesmo ia verificar. Era um homem que trabalhava muito, um homem maravilhoso. Ele me incentivou a começar a escrever letras de músicas no estúdio, pois sabia que eu não estava realmente exercendo a profissão que meu diploma de literatura me habilitava a exercer, trabalhando como enfermeira. E então comecei a fazer isso e ele adorava o que eu escrevia. Walt era um homem especial, tenho muito que lhe agradecer por isso.

Sob o pseudônimo de Gil George, Hazel foi coautora na composição de 90 canções da Disney. Seu trabalho incluiu canções para filmes como *Não Renego o Meu Sangue; No Coração da Floresta; Tonka, O Bravo Comanche; Odisseia do Oeste!*; e *Meu Melhor Companheiro*. Ela contribuía frequentemente para programas de televisão, inclusive o *Zorro* e *O Clube do Mickey Mouse*, para o qual compôs canções para o quadro de Talentos; o seriado *Corky and White Shadow* e vários "Doddismos" do Jimmie Dodd[1], entre suas outras contribuições.

Além disso, Hazel era compositora de letras, colaborando principalmente com seu companheiro de longa data, o compositor dos Estúdios Disney Paul Smith, mas ela também trabalhou com George Bruns e Jimmie Dodd para escrever canções para o *Clube do Mickey Mouse*.

[1] Numa parte do programa que ia ao ar diariamente, Dodd dava conselhos chamados "Doddismos", que em geral faziam referência direta à Bíblia e aos ensinamentos cristãos. (N.T.)

Inacreditavelmente, suas contribuições para a tradição musical da Disney costumam ser esquecidas nos vários livros e artigos dedicados às trilhas sonoras da Disney. Sua influência na criação da Disneylândia também nunca foi completamente examinada.

Hazel foi quem sugeriu que Walt comparecesse à Feira Ferroviária de Chicago com Ward Kimball para poder se descontrair um pouco. Aquela viagem ajudou Walt a formular seus planos para a Disneylândia.

Quando Walt estava pensando em como construir seu "Parque do Mickey Mouse", Hazel se tornou chefe do Clube de Promotores e Patrocinadores da Disneylândia para levantar fundos junto aos funcionários do estúdio para o projeto – uma ação que ajudou a convencer Roy O. Disney a apoiar o sonho de Walt de construir um parque temático.

A carreira de compositora de Hazel aparentemente terminou quando Paul Smith se aposentou dos Estúdios Disney no início da década de 1960. Como enfermeira, porém, ela continuou tratando de Walt até ele se internar no Hospital St. Joseph.

Hazel faleceu no dia 12 de março de 1966 (pouco mais de dez anos após a morte de Paul Smith, com quem morou e de quem cuidou nos seus últimos anos). Felizmente, ainda temos várias entrevistas feitas com ela, embora elas não tenham sido publicadas.

Em uma dessas entrevistas inéditas Hazel se recordou:

> Uma coisa eu aprendi com essa minha longa amizade com Walt: na maioria dos casos ele estava fortemente motivado pelo amor. Ele amava demais a sua família, me contava tudo o que sua filha fazia e falava da sua esposa, a Lilly. Ele realmente sentia um amor profundo por elas, e adorava me contar todas as histórias maravilhosas sobre o que elas faziam. Ele também adorava crianças em geral, e animais, principalmente sua cadelinha. Ele costumava me contar histórias sobre aquela *poodle* maravilhosa. Ele nunca se cansava de falar sobre animais.

Bob Thomas, autor da biografia *Walt Disney: An American Original*, reconheceu que Hazel lhe forneceu a chave para entender a personalidade de Walt Disney.

Infelizmente, Hazel sofreu os efeitos de um prolongado alcoolismo (assim como Paul Smith). Nos anos finais de sua vida, suas lembranças nem sempre eram confiáveis e há alguns comentários absurdos atribuídos a ela.

Diane Disney Miller, que só foi conhecer Hazel anos depois da morte de Walt, comentou:

> Ela era uma boa amiga do papai, uma espécie de confidente. Minha mãe também tinha um relacionamento assim, como algumas mulheres têm, com sua cabeleireira. Eu mandei flores para a Hazel todos os meses, até ela falecer.

O HOMEM QUE ENQUADROU WALT DISNEY

Renie Bardeau é o homem que enquadrou Walt Disney, múltiplas vezes. Como fotógrafo oficial da Disneylândia, ele foi responsável por muitas das mais famosas e queridas fotos de Walt Disney.

Nascido em 1934, Bardeau se criou em Tucson, Arizona, onde frequentou a faculdade, na Universidade do Arizona. Quando começou a Guerra da Coreia, ele se alistou na marinha e serviu como Suboficial especializado em fotografia aérea. Foi na marinha que a sua carreira de fotógrafo começou.

Depois da guerra ele voltou à Universidade do Arizona para terminar seu curso de *marketing*. Ele também se casou, teve dois filhos e hoje tem três netos.

O professor de fotografia de Bardeau na sua escola de ensino médio conhecia o fotógrafo chefe do jornal *Los Angeles Herald-Examiner* e, em 1959, marcou uma entrevista para seu ex-estudante de 25 anos para que ele se candidatasse a uma vaga de emprego de verão. Quando Bardeau chegou a Los Angeles, porém, descobriu que já haviam preenchido a vaga.

Entretanto, o fotógrafo do *Herald-Examiner* mandou Bardeau falar com Charlie Nichols, que na época era o chefe de fotografia da Disneylândia. Bardeau nunca tinha ouvido falar na Disneylândia e não sabia nada sobre o parque, mas precisava de um emprego.

Depois de uma entrevista de um minuto, Nichols o contratou.

Durante seu primeiro verão na Disneylândia, Bardeau trabalhou durante a maior parte do tempo na sala escura, uma vez que as fotos de publicidade na época eram reveladas no próprio parque. Bardeau recordou-se:

> Durante muitos anos, minhas unhas viviam marrons por causa dos produtos químicos. Quando os jornais passaram a publicar fotos coloridas, começou

a não ser mais econômico revelar as fotos no parque, e portanto resolvemos usar laboratórios externos.

Um dia, Bardeau foi para a Terra da Fronteira tirar fotos do passeio em lombo de mula. Foi ali que ele conheceu Walt Disney, que lhe apertou a mão e lhe deu as boas-vindas ao parque. "Walt apertava as mãos da gente com firmeza e com um brilho no olhar", lembra-se Bardeau.

O primeiro grande trabalho dele foi tirar fotos para divulgar as cerimônias de inauguração das atrações da Terra do Amanhã, principalmente a dedicação do Monotrilho, sendo que Walt Disney e o vice-presidente Richard Nixon e sua família fizeram as honras. "Até hoje", disse Bardeau, "aquela foto ainda está sendo usada."

Naqueles primeiros anos, Bardeau tirou fotos em preto e branco usando câmeras tipo Press 4 x 5 com porta-filmes. Durante uma entrevista, em 2005, ele explicou o processo a mim:

> A gente tinha que inserir o filme no cartucho dentro de um saco grande, colocar o cartucho de filme nela [na câmera], puxar a tampa deslizante do cartucho para expor o filme, tirar a foto, fechar a tampa, trocar a lâmpada do *flash*, virar o cartucho para expor o filme do outro lado, tornar a colocá-lo na câmera, tudo bem rapidinho, senão o momento da foto passava.

Bardeau ficou trabalhando no parque durante o verão inteiro, depois voltou ao Arizona para mais um ano de faculdade, trabalhando durante o inverno em Tucson como fotógrafo. Continuou trabalhando na Disneylândia durante o verão até obter seu diploma de ensino superior, em 1963. Ele resolveu ficar trabalhando no parque enquanto procurava um emprego em firmas de propaganda.

"Um ano se transformou em cinco, cinco se transformaram em dez, depois dez viraram vinte, e daí por diante", disse Bardeau. Era uma história familiar para muitas das pessoas (como o diretor da banda da Disneylândia, Vessey Walker, e o astro do Golden Horseshoe, Wally Boag) que começaram a trabalhar na Disneylândia quando Walt ainda estava vivo.

À medida que os anos iam passando, Bardeau passava menos tempo na sala escura e mais tempo no parque. Ele recebia três ou quatro tarefas para fazer, todo dia, fotografando celebridades, novas atrações ou fogos de artifício.

Presidentes americanos, políticos, artistas premiados, atletas famosos, membros da realeza e uma infinidade de dignitários estrangeiros visitaram a Disneylândia, e Bardeau estava sempre presente, tirando fotos de todos eles para pacotes de divulgação junto à imprensa, arquivos fotográficos da Disney e circulares internas. Bardeau conta que achava os atletas os mais amistosos e práticos dentre todos aqueles que fotografou.

Quando não tinha uma tarefa oficial, Bardeau perambulava pela Disneylândia, tirando fotos de visitantes, funcionários, desfiles e atrações, captando todos aqueles momentos que eram apresentados em jornais, revistas, guias vendidos como recordação e propaganda.

Bardeau andou em todas as atrações da Disneylândia, desde 1958, e em muitas delas se sentava no sentido contrário do movimento do veículo para conseguir ângulos específicos para fotos usadas em publicidade.

Em 1968, Charlie Nichols se aposentou e Bardeau o substituiu como fotógrafo chefe.

Antes da fotografia digital e seus usos criativos, Bardeau às vezes precisava criar sua própria magia. Ele afirmou:

> Em muitas manhãs, o céu estava cinzento, triste como no inverno. Hoje em dia podemos editar a imagem, colocando no lugar um céu azul lindíssimo. Mas isso não é jornalismo de verdade. É um truque, não retrata a realidade.

Só que, com um brilho no olhar e um ligeiro sorriso, ele confessou que frequentemente precisou recorrer a uns truques que ele mesmo inventou.

Uma vez em que ele sentiu que não havia sido honesto foi quando precisou de uma foto da Sininho acima do castelo da Bela Adormecida com os fogos de artifício explodindo atrás dela. Naquela época, por razões de segurança, a Sininho voava antes da apresentação dos fogos. Por isso, Bardeau tirou uma foto da Sininho no estúdio, contra um fundo preto; depois, na sala escura, reduziu o tamanho da imagem. "Um pouquinho de cola... e *voilà*! Fiz a Sininho e os fogos de artifício aparecerem na mesma foto", disse ele, rindo.

Outras fotos não exigiram truques, mas sim esperteza. Fogos de artifício iluminavam o céu atrás do Castelo da Bela Adormecida em dezenas de suas fotos, mas só porque ele expunha a mesma imagem várias vezes, captando uma explosão após a outra. Para que a foto saísse perfeita, ele precisava de vários fogos explodindo.

Primeiro ele tirava uma foto do castelo. Depois ele cobria a lente e a descobria, para reexpor o filme quando um dos fogos explodia. Ele repetia o processo diversas vezes. Essa superposição lhe dava o efeito desejado.

A foto maravilhosamente bem cronometrada do monotrilho pairando sobre um submarino na lagoa também foi um truque fotográfico. Cada um dos veículos parou para Bardeau tirar uma foto, depois a outra. Mais tarde, Bardeau achou graça quando um dos funcionários mais jovens foi postar-se pacientemente à margem da lagoa para tirar a mesma foto, porque Bardeau jurou que os dois veículos iam acabar passando simultaneamente.

Naturalmente, Bardeau tirou fotos dos famosos que visitaram a Disneylândia, e tem centenas de histórias engraçadas para contar. Ele se lembra de que quando estava tirando fotos do presidente egípcio Anwar Sadat se regalando na Golden Horseshoe Revue, e este pediu para ver a pistola de seis tiros que Wally Boag usou durante o espetáculo porque havia ficado fascinado por ela. Sempre pronto a satisfazer os pedidos dos visitantes, Wally sacou a pistola do coldre e, na mesma hora, "uns quatorze guarda-costas do serviço secreto deram um pulo", disse Bardeau, rindo. Depois de alguns momentos de tensão, as coisas se acalmaram e todos soltaram boas gargalhadas.

A história preferida sobre famosos que Bardeau conta é aquela na qual, depois de tirar fotos de James Garner, este ator insistiu para Bardeau ir almoçar com ele e a família no parque. Bardeau recusou, delicadamente, mas Garner insistiu e perguntou para quem precisaria ligar para pedir permissão para Bardeau vir com eles. Bardeau precisou confessar que ele era o chefe e aceitou o convite.

Porém, trabalhar no Lugar mais Feliz da Terra nem sempre foi uma felicidade para o fotógrafo. Sempre que havia acidentes e mortes no parque, uma das responsabilidades de Bardeau também era registrar o incidente para os arquivos do departamento jurídico da Disney.

Bardeau foi responsável por tirar uma das fotos mais adoradas e icônicas de Walt na Disneylândia, agora intitulada "Pegadas". A foto, segundo Bardeau, havia sido um "instantâneo", termo que os fotógrafos usam para descrever uma foto tirada em um momento não planejado, onde o fotógrafo tem apenas alguns segundos para reagir e capturar a imagem no filme.

Numa manhã de sábado, bem cedo, em 1964, antes de a Disneylândia abrir ao público, Bardeau e Charlie Nichols estavam perambulando pelo parque vazio com câmeras penduradas em torno dos pescoços. Estavam voltando de uma sessão de fotos matinal.

Ao mesmo tempo, eles viram Walt inspecionando o parque, como costumava fazer. Estava passando pelo portão do Castelo da Bela Adormecida. Vinha com as mãos nos bolsos, no meio de uma passada, a cabeça virada para a direita, reduzido à estatura de um anão pelo castelo enorme acima dele. Bardeau e Nichols tiraram um instantâneo daquela cena, mas foi Bardeau quem acertou a mão, e ela se tornou a famosa imagem que os fãs de Disney até hoje adoram.

Outra oportunidade de instantâneo surgiu durante a estreia de um desfile de Natal na Disneylândia. Bardeau viu Walt e Lillian sentados na parte superior das arquibancadas (o lugar predileto de Walt, de acordo com Bardeau) e quando ele os viu acenando para a multidão, tirou a foto. Enviou uma cópia dela para Walt, que a devolveu com a seguinte dedicatória: "Para Renie, com votos de boa sorte, do Walt Disney".

Bardeau também foi responsável pela foto profissional definitiva de Walt Disney na Disneylândia. Segundo Bardeau, essa sessão foi no fim de agosto de 1966 (Walt faleceu pouco mais de três meses depois disso). Disney estava diante do Castelo da Bela Adormecida, sentado no assento dianteiro do veículo de bombeiros "Carro Número 1" do departamento de combate a incêndios, com um funcionário fantasiado de Mickey Mouse. Era Paul Castle, o minúsculo patinador do gelo, que estava ali, personificando o rato.

Perto do final da sessão, Bardeau e Nichols foram chamados para tirar algumas fotos. Nichols tirou fotos em preto e branco e Bardeau tirou as coloridas. O que aconteceu em seguida é uma das histórias prediletas de Bardeau, que ele vem repetindo ao longo dos anos:

> Eu tenho uma historinha de quando estava tirando essa foto. Tirei-a com uma [câmera] Rolleiflex, usando um filme de 12 imagens. Eu já havia tirado onze fotos do Walt, de ângulos diferentes... prestando atenção ao seu sorriso, tendo certeza de que o Mickey estava olhando para o lado certo, vendo se as torres do castelo não estavam na direção das orelhas do Mickey. Bom, para encurtar a história, eu já tinha tirado onze fotos, e aí disse: "Obrigado, Walt, já terminei."
>
> Ele me perguntou nesse momento se eu tinha certeza de que havia terminado mesmo, e eu lhe disse que sim. Ele então me contou que no estúdio tratamos filmes como clipes de papel. A gente tira uma foto atrás da outra, todas as que precisarmos, porque é melhor tirar uma foto e não a usar do que lamentar por não a ter tirado. Por conseguinte, ele me pediu para tirar mais uma...
>
> Então eu tirei a última foto e ele falou: "Ótimo, obrigado, Renie", e foi embora.

Essas fotos múltiplas também explicam por que há variações ocasionais, principalmente na posição da mão erguida do Mickey. Uma ampliação dessa foto está na entrada do saguão da atração "Sonho de Um Homem", dos Estúdios Hollywood da Disney, em Orlando. A esposa de Bardeau, Marlene, mandou gravar a foto nas venezianas do escritório do marido em casa.

Uma das histórias prediletas de Walt aconteceu em uma manhã de sábado na Disneylândia, mais ou menos meia hora antes da abertura. Para começar seu dia, Bardeau costumava ir até o Hill Brothers Coffee Shop, na rua principal, para ler o jornal matinal e tomar uma xícara de café. Como o parque não estava aberto ainda, o lugar estava vazio, mas ele mesmo assim escolheu uma mesa dos fundos, para que as outras mesas estivessem arrumadas e limpas para os visitantes que iriam entrar.

Enquanto Bardeau estava lendo o jornal, Walt entrou, olhou em torno de si e perguntou a Bardeau se podia sentar-se com ele. Uma garçonete surgiu e ficou tão nervosa ao ver Walt que começou a tremer. Perguntou ao "Sr. Disney" o que ele queria.

Disney lembrou a ela de que ele era simplesmente o "Walt". Segundo Bardeau, Walt disse à garçonete:

> Há apenas dois senhores na Disneylândia. O Sr. Lincoln e o Sr. Sapo[1]. Me chame de Walt.

Ela voltou com uma xícara de café para Walt, ainda trêmula. Walt falou com Bardeau sobre o tempo, quantas pessoas ele esperava que viessem naquele dia, e o parque em si, pedindo a opinião de Bardeau sobre diversas coisas. Logo antes de o parque abrir, Walt pediu licença e foi até os fundos. Em geral, os visitantes cercavam Walt quando o viam no parque.

Bardeau disse:

> Ele era um gênio. Era muito fácil conversar com ele. Ele adorava a Disneylândia e adorava conversar com a gente sobre o parque, perguntando o que a gente achava dele.

Divorciado de sua primeira mulher, Bardeau reencontrou sua namorada do ensino médio, Marlene, e eles se casaram. Após Bardeau se aposentar, em 1998 (depois de 39 anos, seis meses e duas semanas, embora ele sempre dissesse "quarenta anos"), Bardeau voltou ao Arizona, mas logo mudou-se novamente, dessa vez para Glendale, Califórnia.

Na sua festa de despedida, ao se aposentar, os amigos de Bardeau na Disneylândia montaram um álbum fotográfico especial, bem grosso, com beiradas prateadas, contendo muitas das fotos memoráveis que ele havia tirado ao longo dos anos, inclusive uma do vice-presidente Nixon na cabine dianteira do Monotrilho, tendo Walt de pé ao lado do trem, e uma foto de Robert F. Kennedy andando nos Trenós do Matterhorn, apenas alguns dias antes de ser assassinado.

Em março de 1999, Bardeau recebeu uma janela na Main Street da Disneylândia, acima da loja de fotografia, onde se lia "Serviços Fotográficos Kingdom – Fotógrafo e Arquivista Renie Bardeau."

O motivo para designá-lo como arquivista era porque Walt tinha dito a Bardeau que a prioridade de suas fotos não era publicidade para o parque, mas registros históricos da Disneylândia.

---

[1] O Sr. Sapo (Mr. Toad, em inglês) é um personagem da história infantil "O Vento nos Salgueiros". A atração "O Louco Passeio do Sr. Sapo" (Mr. Toad's Wild Ride) ainda existe na Disneylândia, mas fechou no Magic Kingdom em 1998. (N.T.)

Muito embora ele tenha tirado mais de um milhão de fotos publicadas, indo de Bob Hope jogando golfe com os personagens da Disney, passando por Elizabeth Taylor com sua festa de aniversário no parque repleta de personalidades famosas em 1992, até famosos chefes de estado, como o imperador Hirohito do Japão e o príncipe Rainier de Mônaco, apreciando a magia da Disney, Bardeau é praticamente desconhecido, até mesmo pelos fãs da Disney, porque seu nome não aparece em nenhuma das fotos icônicas que foram enviadas à imprensa. Era política da Disneylândia simplesmente identificar as imagens como propriedade da Disneylândia (ou, mais tarde, apenas da Disney).

Bardeau declarou:

> Este emprego é realmente uma arte e exige muito da nossa criatividade. De quantas formas se pode fotografar o Matterhorn, de modo a torná-lo interessante? Há uma maneira: vivo sempre procurando um ângulo diferente.

Bardeau entendia e apreciava a magia da Disney, ao documentar atrações e pessoas indo e vindo durante quase quatro décadas, com grande habilidade e carinho. Ele continua sendo uma inspiração para todos que tiram fotos nos parques temáticos da Disney.

CANÇÃO DO SUL: PERGUNTAS FREQUENTES

Meu mais novo livro, *Who's Afraid of the Song of the South? And Other Forbidden Disney Stories* (Quem Tem Medo do [filme] *Canção do Sul* e outras histórias proibidas da Disney) se encontra agora disponível, sendo distribuído pela Theme Park Press sob forma impressa e digital. Pela primeira vez, a história completa do controvertido filme da Disney, *Canção do Sul* (1946), está documentada, desde o interesse original de Walt Disney em fazer o filme apenas alguns meses depois do lançamento bem-sucedido da *Branca de Neve e os Sete Anões* (1937) até a controvérsia que ainda cerca o filme hoje em dia.

O livro apresenta histórias inéditas e verdadeiras por trás da política e da briga que cercou o roteiro e a animação, juntamente com fatos pouco conhecidos sobre os atores, e como surgiram desentendimentos sobre o filme definitivo, além da estreia luxuosa em Atlanta, Georgia, e várias outras coisas.

Floyd Norman, homenageado com o prêmio Disney Legends, o primeiro animador e roteirista negro da Disney, escreveu para este livro um longo prefácio no qual ele revela sua afeição pelo filme e sua crença, baseada em observação pessoal, de que nem Walt nem os outros que trabalharam no filme eram racistas.

Além dos segredos da *Canção do Sul*, o livro inclui 17 histórias extras sobre tópicos proibidos, tais como:

- **Sexo:** Como Disney criou um dos filmes de educação sexual mais populares e eficazes que já foi feito, além da história do mais notório pôster que brilhava sob luz negra apresentando personagens da Disney em posições eróticas.

- **Segredos:** Episódios pouco conhecidos da vida de Walt, tais como o mito urbano sobre suas palavras finais, e por que ele achava que seria engraçado o Mickey Mouse cometer suicídio.

- **Filmes Que Fracassaram:** Por que o filme sério *Reino do Sol* se tornou a comédia *A Nova Onda do Imperador*, e como Tim Burton ficou deprimido enquanto trabalhava na Disney.

Depois desse resumo do livro, eis as respostas para as perguntas mais comumente feitas sobre *Canção do Sul:*

O que é *Canção do Sul*?

Canção do Sul foi um filme de longa-metragem lançado pelos Estúdios Disney no dia 12 de novembro de 1946. Combina ação ao vivo (*live-action*) com animação e foi projetado nos cinemas americanos pela última vez em 1986.

Qual é o enredo do filme?

No enredo da parte filmada com atores em cena, um menino é levado por seus pais ausentes para morar na fazenda do seu avô, na Georgia, pouco depois da Guerra Civil. O menino tem dificuldade de se adaptar a seu novo lar. Ele conhece um negro idoso, contador de histórias, chamado Tio Remus, que lhe narra as aventuras do Coelho Quincas [Brer Rabbit], do raposo João Honesto [Brer Fox] e do urso Zé Grandão [Brer Bear]. Essas histórias ajudam o menino a aprender algumas lições importantes sobre a vida, e são contadas nas cenas de animação criadas por seis dos icônicos Nove Velhos[1] da Disney.

Joel Chandler escreveu *Canção do Sul*?

Não. Joel Chandler Harris era repórter do jornal *Atlanta Constitution* no final do século XIX. Ele escreveu uma coluna sobre um contador de histórias negro chamado Tio Remus que narrava histórias do coelho Quincas e de outros animais.

Tais histórias baseavam-se em contos que ele havia escutado quando menino de uma dúzia de contadores de histórias diferentes na fazenda sulista Turnwold. As colunas do jornal foram depois reunidas em nove livros.

---

[1] Os nove principais animadores da Disney (Nine Old Men, em inglês). (N.T.)

O personagem Tio Remus e as três histórias do filme foram inspirados na obra de Harris, mas o roteiro era original e, principalmente, obra do autor Dalton Reymond, que tinha reputação de ser perito no Velho Sul e havia trabalhado como consultor técnico em vários filmes de Hollywood. Este foi seu único roteiro, o qual inclui contribuições dos escritores Maurice Rapf e Morton Grant. A intriga nos bastidores durante a criação do roteiro é inteiramente narrada em meu livro.

O *storyboard* das histórias animadas foi feito por Bill Peet, que recebeu um troféu Disney Legends, usando os contos do Tio Remus como base.

O filme *Canção do Sul* foi proibido?

Não. Devido a preocupações sobre a forma como os personagens negros foram retratados e o uso bastante pesado de dialeto, a Disney Company achou que o filme seria ofensivo para o público atual. Em 1986, a Disney voluntariamente parou de distribuí-lo nos Estados Unidos.

Canção do Sul atualmente ainda é distribuído comercialmente em vários países, inclusive o Reino Unido, França, Itália, Alemanha, Holanda, Japão, Argentina e Brasil. Já foi exibido várias vezes no canal de tevê BBC2 da Inglaterra. Os espectadores desses países não manifestaram reclamações.

A Disney vai lançar esse filme em edição especial Blu-Ray?

O presidente e diretor-geral da Disney, Roger Iger, vem declarando, categoricamente, há anos que *Canção de Sul* não será relançado sob nenhuma forma nos Estados Unidos. Na reunião dos acionistas da Disney, em 2011, ele declarou que, mesmo considerando o contexto e a época em que o filme foi feito,

> [...] há elementos no filme... é um filme relativamente bom... que não cairiam bem nem seria interpretados corretamente por algumas pessoas hoje em dia.

Muita gente defende abertamente o filme, de maneira que várias petições foram enviadas à Disney Company solicitando seu relançamento. Até então, a única forma de uma pessoa nos Estados Unidos ver o filme inteiro é comprar uma cópia pirata ou obter um lançamento estrangeiro e convertê-lo para o formato americano.

Canção do Sul mostra a escravidão?

Não. O filme se passa após a Guerra Civil e mostra arrendatários negros (não escravos) trabalhando nos campos de uma velha fazenda. Num certo ponto do filme, o Tio Remus, irritado, faz as malas e resolve partir. Se ele fosse escravo, seria propriedade do fazendeiro e estaria confinado às terras do seu proprietário.

O filme inclui, sim, elementos semelhantes aos de filmes como *E o Vento Levou* (1939) que se passa durante a era da escravidão, tais como negros vestidos com roupas surradas, trabalhando nos campos e cantando cânticos religiosos – os *spirituals* –, e isto pode ter levado os espectadores a fazerem confusão.

Porém, *Canção do Sul* nunca pretendeu ser um documentário histórico de uma época conturbada do passado dos Estados Unidos. Deveria ser um entretenimento leve, fantasioso, semelhante a outros filmes produzidos durante a década de 1930 ou 40.

A atriz Shirley Temple participou, ao lado de outro talentoso ator negro, Bill "Bojangles" Robinson, de filmes como *A Mascote do Regimento* (1935) e *A Pequena Rebelde* (1935), ambos exibidos para famílias com filhos pequenos, mas que apresentam uma representação ainda mais fantasiosa e imprecisa (bem como potencialmente mais ofensiva) da mesma época mostrada em *Canção do Sul.* No entanto, esses filmes e outros como eles podem ser facilmente encontrados em toda parte.

Canção do Sul é um filme racista?

Todos os personagens negros do filme são simpáticos, amistosos e inteligentes. Tio Remus ajuda um menino branco que está passando por uma fase difícil, o Johnny, e cujos pais o ignoram e não o compreendem. Johnny brinca livremente com Toby, um garoto negro mais ou menos da sua idade.

Em 1947, o repórter negro Herman Hill fez uma resenha do filme para o *Pittsburgh Courier*, um jornal negro. Ele declarou:

> O tratamento verdadeiramente empático de toda esta produção do ponto de vista racial foi calculado para provar ser de estimável valor na promoção das relações inter-raciais.

Entretanto, também em 1947, Walter White, secretário executivo da Associação Nacional para o Avanço das Pessoas de Cor (NAACP) enviou a seguinte declaração para os jornais:

> A Associação Nacional para o Avanço das Pessoas de Cor reconhece em *Canção do Sul* um mérito artístico formidável na música e na combinação de artistas de verdade com a técnica do desenho animado. Contudo, lamenta que, tentando não ofender o público do Norte nem do Sul, esta produção esteja ajudando a perpetuar uma figura perigosamente idealizada da escravidão. Fazendo uso do belo folclore do Tio Remus, *Canção do Sul* infelizmente dá a impressão de uma relação idílica entre senhores e escravos, o que é uma distorção dos fatos.

Alguns críticos ficaram confusos, achando que a história se concentrava nos escravos de uma fazenda antes da Guerra Civil ou durante a guerra, cenário comum de muitos outros filmes desse tipo feitos em Hollywood, em vez de durante a Reconstrução. Para ser justo, nem o filme em si nem seu material publicitário esclareciam qual a época em que o filme se passava.

Quando *Canção do Sul* foi lançado, a NAACP estava agindo como defensora jurídica e intermediária junto aos legisladores, lutando para fazer passar uma lei antilinchamento, e defendendo o fim da segregação ordenada pelo estado, porém sem sucesso. A época foi bastante conturbada do ponto de vista emocional.

A percepção era muito mais forte do que os fatos. Como *Canção do Sul* se baseava nas obras controvertidas de Joel Chandler Harris, o filme acabou sendo usado como referência para chamar a atenção para a maneira como os negros eram retratados em Hollywood.

Na década de 1940, os atores e atrizes negros costumavam receber apenas papéis cômicos de personagens preguiçosos, burros, analfabetos, facilmente assustados ou atrapalhados, subservientes, ou coisa pior. Era essa imagem que o público americano via na época e aceitava como norma para os negros americanos.

O ator James Baskett, que representou o papel do Tio Remus, recebeu um Oscar honorário da Academia no dia 20 de março de 1948, "por sua caracterização benfeita e simpática do Tio Remus, amigo e contador de histórias das crianças do mundo" entregue pela atriz Ingrid Bergman. Ele foi o primeiro homem negro a receber um Oscar.

Em 1947, Baskett comentou:

> Creio que certos grupos estão fazendo mais mal do que bem à minha raça, tentando criar mais divergência do que um filme como *Canção do Sul* poderia gerar.

Walt Disney era racista?

Não. Não há prova de que Walt fosse racista. Para um homem da sua época, ele se destacou na aceitação de várias raças, religiões e culturas em sua empresa, desde o início dos Estúdios Disney. Ao contrário de outros chefes de estúdio de animação, ele também contratava e promovia mulheres para preencher cargos de grande importância.

No prefácio de *Quem Tem Medo do Canção do Sul*, Floyd Norman, homenageado com o troféu Disney Legends, escreveu:

> Sobrevivi a três gerências diferentes na Disney Company, começando pela década de 1950, quando trabalhei como o primeiro animador negro da Disney e depois como roteirista. Minha inesperada mudança para o andar de cima, para o departamento de roteiros da Disney, foi algo que eu jamais teria imaginado. Não só passei a participar das reuniões de roteiro do Velho Maestro, como tive a oportunidade única de observar o patrão em ação. Isso incluía seu estilo de administração e o tratamento dispensado aos subordinados. Nunca observei, nem por um momento, o comportamento racista que acusaram Walt Disney de demonstrar, bem depois da sua morte. Ele tratava as pessoas, e com isso quero dizer todas as pessoas, de uma maneira que só pode ser chamada de exemplar.

Canção do Sul foi filmado em Atlanta, no estado da Geórgia?

Não. Os Estúdios Disney alegaram que, por causa de "dificuldades técnicas", o filme precisou ser filmado ao ar livre, em cenários especialmente construídos em Phoenix, Arizona, com algumas cenas interiores feitas no Samuel Goldwyn Studio em Hollywood, Califórnia.

A atração *Splash Mountain* se baseou neste filme?

Sim. Em meados da década de 1980, o *imagineer* Tony Baxter estava em um engarrafamento na rodovia Santa Ana no Sul da Califórnia. Ele começou a pensar na atração *America Sings* [A América Canta] da Disneylândia, que estava para ser fechada, e que Dick Nunis (na época presidente dos Parques Temáticos Disney) queria uma atração onde barcos descessem por uma espécie de calha, impelidos pela água. A atração *America Sings* tinha dezenas de animais áudio-animatrônicos projetados por Marc Davis, que recebeu um troféu Disney Legends, e que foi um dos principais animadores de *Canção do Sul.* Em vez de guardar ou destruir as criações de Davis, Baxter sugeriu readaptá-las para uma atração baseada no filme.

A *Splash Mountain* foi oficialmente inaugurada na Disneylândia no dia 17 de julho de 1989. Foi projetada por John D. Stone, trabalhando junto com Bruce Gordon (produtor de espetáculos que escreveu novas letras para as músicas usadas na atração) e Tony Baxter (produtor executivo). O Diretor-Geral Michael Eisner insistiu que o personagem do Tio Remus não fosse incluído, portanto o sapo Brer, amigo de Remus no filme, se tornou o narrador.

No enredo, o Coelho Quincas foge de casa e é capturado pelo raposo João Honesto e o urso Zé Grandão. O coelho ardiloso convence os vilões a jogá-lo no Briar Patch [Canteiro da Roseira Brava], um precipício com uma queda d'água de quase 18 metros, juntamente com os visitantes, que mergulham ao final de seu lento passeio, dentro de um tronco oco, passando por cenas das aventuras do Coelho Quincas.

A *Splash Mountain* era tão concorrida que se construiu uma outra atração semelhante no Magic Kingdom no Walt Disney World, a qual foi inaugurada oficialmente no dia 2 de outubro de 1992.

Por que Walt Disney fez *Canção do Sul*?

"Era um filme que ele realmente queria fazer", recordou-se a filha de Walt, Diane Disney Miller. "Meu pai fazia muitas citações da lógica e da filosofia do Tio Remus."

Quando o filme estreou em 1947, Walt Disney relembrou:

> Eu já conhecia as histórias do Tio Remus desde a minha infância. Desde a época em que comecei a fazer desenhos animados, essas histórias já se encontravam definitivamente entre os meus planos de produção. Foram o apelo eterno e vivo delas; sua qualidade pictórica magnífica e seu humor rico e tolerante; sua filosofia caseira e sua alegria, que tornaram as lendas do Tio Remus a escolha primordial para nossa primeira produção com atores de carne e osso.

Além disso, como Walt comentou em uma entrevista em 1956, ele sabia que precisava diversificar, em vez de fazer apenas filmes animados, para que seu estúdio sobrevivesse e crescesse:

> Eu queria crescer, fazer outras coisas além de desenhos animados. Porque os desenhos animados estavam se tornando restritos. Eu podia fazê-los com sete ou oito minutos, ou 80 minutos de duração. Experimentei fazer pacotes, onde eu colocava cinco ou seis desenhos juntos para compor um desenho de 80 minutos. Agora precisava diversificar mais, e isso significava trabalhar com atores.

O contrato de distribuição de filmes da Disney com a RKO estipulava a entrega de desenhos animados. Porém, o contrato também rezava que os filmes podiam ser uma mistura de desenho animado e atores reais em cena, uma vez que lançamentos da Disney como *Alô, Amigos* (1942) e *Você Já Foi à Bahia?* (1944) incluíam partes que não eram animadas e ajudavam a manter os custos de produção baixos.

Walt sentia que, combinando-se um narrador de verdade em cenas com histórias animadas, o equilíbrio seria perfeito, tanto criativamente quanto financeiramente. Aliás, se *Canção do Sul* tivesse sido o sucesso que Walt esperava, ele tinha planos para fazer várias continuações usando o mesmo formato.

O QUE É ZIP-A-DEE-DOO-DAH?

É uma expressão de felicidade e alegria que dizem que o próprio Walt Disney sugeriu, uma vez que ele gostava de palavras que não significavam nada como Bibidi-Bobidi-Bu, ou Supercalifragilisticexpialidocious. A canção "Zip-a-Dee-Doo-Dah", composta por Allie Wrubel e Ray Gilbert, ganhou um Oscar de Melhor Canção. E já foi gravada por muitos cantores, inclusive Johnny Mercer, a banda Dave Clark Five, Doris Day, Louis Armstrong e Miley Cirus.

Cite algumas coisas fora do comum que se podem encontrar em *Quem Tem Medo do Canção do Sul?*

Clarence Nash, que dublava o Pato Donald fazia muito tempo, era bem conhecido por seus sons de pássaros. Foi ele quem dublou o Mr. Bluebird, o pássaro azul que pousava no ombro do Tio Remus.

Em 1956, para ganhar alguns trocados extras enquanto estava no ensino médio, Luana Patten (que foi a menina Ginny de *Canção do Sul*) estava trabalhando à noite na bilheteria do Teatro Lakewood em Long Beach, Califórnia, quando assaltaram o cinema. O filme que estava sendo passado na época era o primeiro relançamento para cinema de *Canção do Sul.*

O riso do Coelho Quincas durante a sequência "Lugar da Alegria", no filme, foi reutilizado em *Mogli, O Menino Lobo* (1967) para a cena onde Balu faz cócegas no Rei Louie. Esse riso era o do ator James "Tio Remus" Baskett, que estava substituindo Johnny Lee, dublador do Coelho Quincas, o qual, na época da gravação, estava numa excursão para apoiar militares e incapaz de fazer a dublagem.

O ator Bobby Driscoll não sabia saltitar, de modo que muita gente no cenário, inclusive o lendário animador e diretor Hamilton Luske, precisou fisicamente saltitar por ali para mostrar-lhe como fazer.

Todas essas histórias e muitas outras sobre *Canção do Sul*; mais 17 contos censurados sobre sexo; e filmes que foram um fiasco; se encontram em *Quem Tem Medo do Canção do Sul*, disponível no formato digital e impresso.

Para maiores informações, visite o site: www.ThemeParkPress.com

AGRADECIMENTOS

GOSTARIA DE APROVEITAR ESTA OPORTUNIDADE para agradecer não só àquelas pessoas que me ajudaram diretamente a escrever este livro, mas àqueles que me inspiraram ou apoiaram ao longo dos anos e merecem ver seu nome impresso com destaque em um livro sobre a Disney.

Este livro e este autor foram enormemente enriquecidos pela generosidade e pelo entusiasmo de Diane Disney Miller, cujos atos de bondade verdadeiramente honram a memória de seus pais.

Muitos agradecimentos ao meu bom amigo Didier Ghez, cujo amor profundo pela história da Disney e sua revisão e publicação da série *Walt's People* é uma constante inspiração.

Agradeço aos meus irmãos, Michael e Chris, e a suas famílias, inclusive seus filhos Amber, Keith, Autumn e Story, que nunca realmente entenderam o que seu tio faz ou por que ele o faz. O tio Jim ama vocês todos demais. Por favor, não joguem fora a coleção de filmes da Disney do tio Jim depois que ele se for.

Agradeço a Bob McLain da Theme Park Press por tornar esta edição revisada uma realidade.

Muitos agradecimentos a Lou Mongello, Jim Hill, Werner Weiss, Mark Godlhaber, Adrienne Vincent-Phoenix, Shoshana Lewin, Jim Fanning, Greg Ehrbar, Michael Lyons, John Canemaker, Mark Kausler, Michael Barrier, Paul Anderson, Dave Smith, Kim Eggink, Brad Anderson, Wade Sampson, John Cawley, Kaye Bundey.

Marion e Sarah Quarmby, Tom e Marina Stern, Jerry e Liz Edwards, Kendra Trahan, Marie Schilly, Tommy Byerly, Nancy Stadler, Lonnie Hicks, Michael "Shawn" e Laurel Slater, Tom Heckel, Kirk Bowman, Jeff Kurtti, Amber Walls, Ryan N. March, Michelle, Randy e Belinda Swiat, Phil Debord, Todd James Pierce, Greg Dorf, Betty Bjerrum, Jeff Pepper, Jerry Beck, Amid Amidi, Michael Sporn, Leonard Maltin, Robin Cadwallender, John Culhane, Scott Wolf, Pete Martin, Bill Cotter, J. B. Kaufman.

Bob Miller, David Koenig, Kevin Yee, John Frost, Dave Mruz, Rich Cullen, Mark Matheis, Danni Mikler, Tracy M. Barnes, Sarah Pate, Tamysen Hall, Evlyn Gould, Tom Heintjes, Bruce Gordon, David Mumford, Randy Bright, Jack e Leon Janzen, Mickey Boyd, Chad Emerson, Jennifer Solt, Malcolm e Mary Joseph (e seus filhos Melissa, Megan, Rachel, Nicole, Richard).

Keith Seckel, Larry Lauria, Paul Naas, Mark Jones, Rachel Nacion, Danielle Wallace, Tom Nabbe, Tim Foster, Arlen Miller, Floyd Norman, Lock Wolverton, David Lesjak, Phil Ferretti, Anne Smith, Jim Ryan, Howard Kalov, Jennifer bacon, Dana Gabbard, Dave Bennett, Margaret Kerry, Wanda Perkins, Howard Green, Micki Thompson, Bob Thomas, Alex Maher, Melanie Skinner, Kathy Luck, Brian Blackmore, Kaye Malins, Heather Sweeney.

E também agradeço àquelas pessoas cujo nome cometi a tolice de esquecer no momento. Sua bondade e generosidade, assim como as de todas as pessoas que mencionei aqui, iluminaram minha jornada através da vida e tornaram este livro possível. Espero que todos vocês, tanto aqueles a quem agradeci quanto os temporariamente ausentes, vivam felizes para sempre. Também espero que cada um de vocês compre pelo menos uma dúzia de exemplares deste livro porque seu nome aparece nele.

SOBRE O AUTOR

Jim Korkis é um Historiador da Disney internacionalmente respeitado que vem escrevendo centenas de artigos sobre tudo que diz respeito a Walt e à Disney durante mais de três décadas. Ele também é um professor premiado, ator e mágico profissional, autor de vários livros.

Jim cresceu em Glendale, Califórnia, logo ao lado de Burbank, onde ficam os Estúdios Disney. Sua professora da terceira série do ensino fundamental na Escola Thomas Edison era a Sra. Margaret Disney, esposa do irmão de Walt Disney, Herbert.

Quando adolescente, Jim anotava os nomes que via nos créditos dos desenhos animados da Disney, pegava a lista telefônica de Glendale e Burbank, e ligava para algumas daquelas pessoas que ele nem sequer conhecia. Muitas até tiveram a delicadeza de convidá-lo para visitá-las, e daí resultaram artigos que às vezes eram publicados nos jornais locais ou em vários fanzines e revistas. Com o passar das décadas, Jim se tornou professor e ator, mas continuou escrevendo sobre a Disney para várias revistas.

Em 1995, ele se mudou para Orlando, Flórida, para tomar conta de seus pais adoentados. Encontrou um emprego de mágico, também enchendo balões em formato de animais para visitantes da Pleasure Island. Dentro de um mês, já estava trabalhando no Magic Kingdom, onde "ajudava na caracterização do Mineiro Pat na Terra da Fronteira, bem como de Merlin, o Mágico, na Terra da Fantasia, na cerimônia de *A Espada Era a Lei*.

Em 1997, ele se tornou instrutor de animação em tempo integral no Instituto Disney, onde ensinava todas as aulas de animação, inclusive várias que apenas ele ministrava, com exclusividade. Ele também dava aulas de história da animação e técnicas de interpretação improvisada para os estagiários da Disney Feature Animation Florida. Quando o Instituto Disney se reorganizou, Jim entrou no Disney Adult Discoveries, o grupo que pesquisava, escrevia e facilitava visitas aos bastidores e programações para visitantes e convenções sobre a Disney.

Jim acabou se transferindo para a Epcot, onde era Coordenador dos Programas Universitários e Internacionais, e depois virou Coordenador do Centro de Aprendizado Disney da Epcot. Durante esse tempo na Epcot, Jim pesquisou, escreveu e facilitou mais de duzentas apresentações diferentes sobre história da Disney para Membros do Elenco da Disney e para as empresas que eram clientes da empresa, inclusive Feld Entertainment, Kodak, Blue Cross, Toys "R" Us, Military Sales e outros.

Jim foi locutor da série de televisão *Segredos do Reino Animal*, escreveu artigos para publicações da Disney como *Disney Adventures, Disney Files, Sketches, Disney Insider* etc. Trabalhou em projetos especiais, como a redação de textos para cartas colecionáveis de TCG do Walt Disney World, e como apresentador do Vídeo de 100 anos de Planejamento de Férias Mágicas e como facilitador do *show* de marionetes Disney Crew. Outros créditos incluem contribuições à Linha de Cruzeiros Disney, à Empresa de Viagens WDW, *imagineering* e ao Grupo de Projetos Disney com material histórico da Disney. Por essas realizações, Jim recebeu o prestigiado prêmio Sócios em Excelência da Disney, em 2004. Jim não é mais funcionário da Disney atualmente.

Para saber mais, procure visitar os *websites* abaixo, os quais contêm arquivos das muitas outras narrativas de Jim sobre a história da Disney [textos em inglês]:

- www.MousePlanet.com
- www.AllEars.net
- www.Yesterland.com
- www.WDWRadio.com